How to
TEPS
intro
어휘편

How to TEPS *intro* 어휘편

지은이 에릭 김
펴낸이 안용백
펴낸곳 (주)도서출판 넥서스

초판 1쇄 발행 2007년 11월 10일
초판 5쇄 발행 2009년 6월 25일

출판신고 1992년 4월 3일 제311-2002-2호
121-840 서울시 마포구 서교동 394-2
Tel (02)330-5500 Fax (02)330-5555

ISBN 978-89-6000-334-7 13740

www.nexusbook.com

어휘편

에릭 김 지음

넥서스

Preface

이 책의 목적은 크게 두 가지이다. 첫째, TEPS 어휘 영역에서 출제 빈도가 매우 높은 표현들을 입문자가 최적으로 학습할 수 있는 방식으로 제시한다. 둘째, TEPS 입문자가 각 어휘 유형에 스며 있는 원어민의 감각을 단순 암기가 아니라 이해를 통해 효율적으로 습득할 수 있는 방식으로 제시한다.

첫째 사항과 관련해선 1999년부터 시행된 TEPS 정기시험 문제 가운데 공개된 문제와 8년 동안의 응시 경험을 통해 축적한 정보를 정밀하게 분석하고 이를 바탕으로 Level 0에서 Level 3까지의 어휘를 엄정하게 선정했다. 그런 다음, 실제 출제 빈도와 점수대별 목표 어휘와의 관계에 바탕을 두어, 각 Level별 단어들을 선정하고 1개 Level 내에서 각 단어의 배열 순서를 정했다. 따라서 맨 처음에 제시되는 단어가 우선순위가 가장 높다. 그리고 영어식 사고를 유도하는 Crossword Puzzle, 기억에 오래 남는 인용문, 풍부한 맥락을 제공하는 이야기, 어휘 학습에 도움이 되는 흥미로운 글 등을 통해 주요 어휘를 가장 효율적으로 학습할 수 있도록 배려했다.

둘째 사항과 관련해선 필수 어휘, 고급 어휘, collocation, 구동사, 숙어 등에 내포된 원어민의 감각을 쉽게 이해하는 데 도움이 되는 자료를 풍부하게 제공했다. 각 유형의 구성 원리를 체계적으로 정리했으며, 특히 고급 어휘, collocation, 구동사가 어떻게 해서 일정한 뜻을 나타내게 되는지를 직관적으로 알 수 있도록 꼼꼼하게 설명했다. 고급 어휘와 collocation의 습득이 TEPS 어휘 학습의 거의 전부라는 점에서 이 두 가지 유형은 책 전체에 걸쳐 체계적으로 학습될 수 있도록 구성했다.

따라서 이 책을 통해 TEPS 입문자는 실제 출제 경향을 정확히 알 수 있을 뿐만 아니라 원어민의 자연스러운 감각을 단계적으로 익힐 수 있다. 실제로 원어민의 감각을 익히지 않으면 15분이라는 짧은 시간에 50문항을 풀어야 하는 TEPS 어휘 영역에 제대로 대비할 수 없다. 또한 원어민의 감각을 익혀야만 하나하나의 단어를 쉽게 습득하고 오래도록 기억하며 제대로 활용할 수 있게 된다. 마지막으로 원어민의 감각이 뒷받침되어야만 우리의 목표인 TEPS 고득점이 가능하다. 사실 그것이 어휘를 학습하는 최상의 방법이다.

끝으로, 출판을 허락해주신 임준현 사장님, 넥서스와의 귀한 인연을 이어갈 수 있게 해주신 임미정 부장님, 담당 에디터 권순연 씨, 그리고 영어 사교육의 올바른 방향을 일깨워주신 (주)아발론교육의 김명기 대표이사님께 깊이 감사드린다. 덧붙여 어떤 의문 사항이든 pasada72@naver.com으로 문의하길 바라며 수험생 여러분의 건승을 기원한다.

에릭 김

Contents

- Structure 8
- TEPS 정보 10
- 진단고사 32

Unit 01 | TEPS 어휘 영역 분석 36
Unit 02 | 필수 어휘 1 46
Unit 03 | 필수 어휘 2 62
Unit 04 | 고급 어휘 1 78
Unit 05 | 고급 어휘 2 94
Unit 06 | Collocation 1 110
Unit 07 | Collocation 2 126
Unit 08 | Collocation 3 142
Unit 09 | 구동사 158
Unit 10 | 숙어 174

- 책속의 책-정답 및 해설
- 미니북-출제빈도순 기본어휘 - Level 0~3

Structure

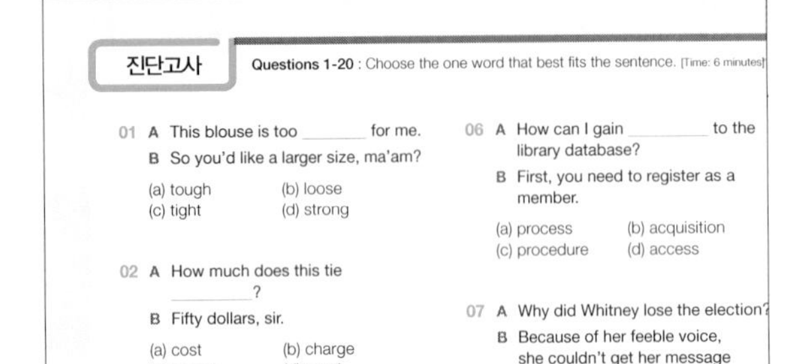

진단고사 Questions 1-20 : Choose the one word that best fits the sentence. [Time: 6 minutes]

01 A This blouse is too ________ for me.
B So you'd like a larger size, ma'am?
(a) tough (b) loose
(c) tight (d) strong

02 A How much does this tie ________?
B Fifty dollars, sir.
(a) cost (b) charge
(c) spend (d) need

06 A How can I gain ________ to the library database?
B First, you need to register as a member.
(a) process (b) acquisition
(c) procedure (d) access

07 A Why did Whitney lose the election?
B Because of her feeble voice, she couldn't get her message

● 진단고사

TEPS 실전 경향과 유형별 구성 비율에 충실하면서 동시에 입문자 눈높이에 맞춘 실제 TEPS 어휘 영역의 축소판으로 어휘 영역의 전반적인 출제 경향을 파악하고 수험자의 취약 부분을 스스로 진단할 수 있도록 정밀하게 구성했다.

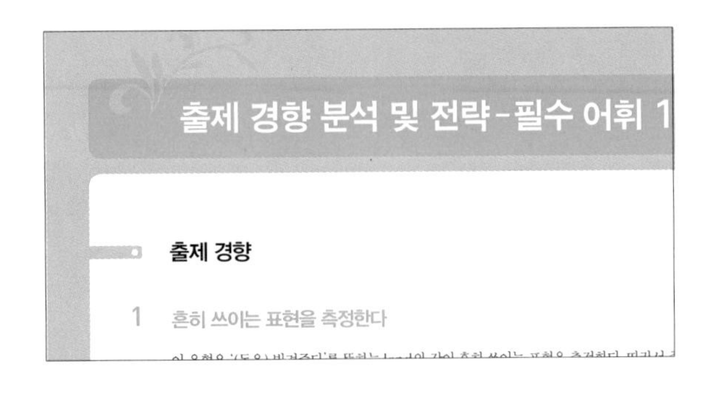

출제 경향 분석 및 전략 - 필수 어휘 1

출제 경향

1 흔히 쓰이는 표현을 측정한다

● 출제 경향 분석 및 전략

어휘 유형을 필수 어휘, 고급 어휘, Collocation, 구동사, 숙어로 나누어 1999년부터 현재까지의 주요 출제 경향을 명쾌하게 분석하고 이에 따른 최적의 어휘 학습 전략을 체계적으로 제시했다.

출제빈도순 기본어휘 – Level 0

1 recognize (~인지) 알아보다
Even after so many years, I can **recognize** her familiar face instantly.
S identify 확인하다

2 catch a disease 병에 걸리다

● 출제빈도순 기본어휘 – Level 0~3

어휘 각 유형별로 출제 빈도가 높은 단어들을 실제 출제 빈도와 점수대별 관련성을 바탕으로 TEPS 입문자가 최적으로 학습할 수 있는 순서로 제시했다. 또한 원어민의 자연스러운 감각을 이해하는 데 필요한 핵심적인 사항을 풍부하게 제공했다.

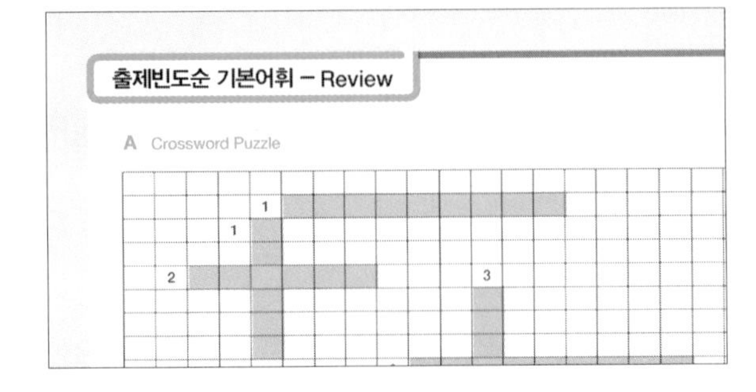

출제빈도순 기본어휘 – Review

A Crossword Puzzle

● 출제빈도순 기본어휘 – Review

재미있는 Crossword Puzzle, 논리적 관계 파악 연습, 자연스러운 맥락에서의 활용, 유명한 인용문 완성 등을 통해 기본어휘를 가장 효율적으로 학습할 수 있도록 흥미롭고 세련된 문제를 다양하게 제시했다.

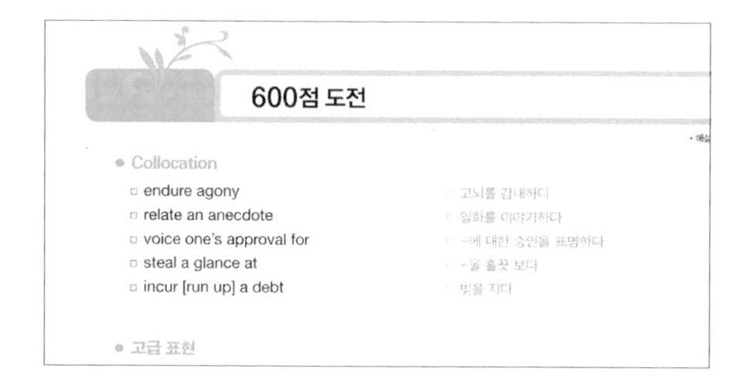
600점 도전

• Collocation
- endure agony 고뇌를 감내하다
- relate an anecdote 일화를 이야기하다
- voice one's approval for ~에 대한 승인을 표명하다
- steal a glance at ~을 흘끗 보다
- incur [run up] a debt 빚을 지다

• 고급 표현

● 600점 도전 · 도전 연습

600점대에 올라서기 위해 반드시 익혀야 하는 중요 어휘를 Collocation, 고급 표현, 관용 표현으로 나누어 단계적으로 제시하고 실전 수준의 문제를 출제함으로써 입문 단계에서 벗어나는 데 소요되는 시간을 최대한 단축할 수 있도록 배려했다.

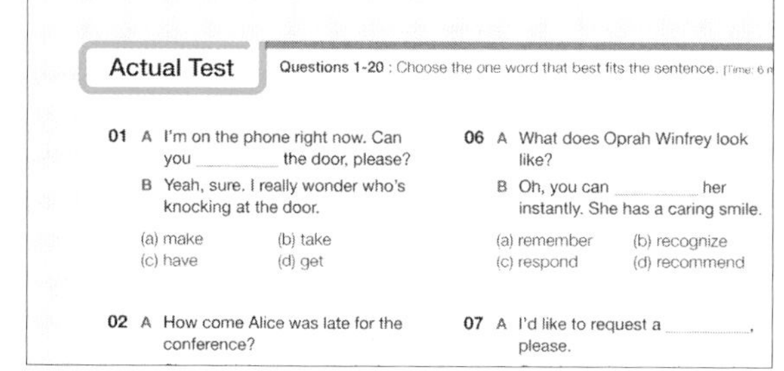
Actual Test   Questions 1-20 : Choose the one word that best fits the sentence.

01 A I'm on the phone right now. Can you ________ the door, please?
B Yeah, sure. I really wonder who's knocking at the door.
(a) make (b) take
(c) have (d) get

06 A What does Oprah Winfrey look like?
B Oh, you can ________ her instantly. She has a caring smile.
(a) remember (b) recognize
(c) respond (d) recommend

02 A How come Alice was late for the conference?

07 A I'd like to request a ________, please.

● Actual Test

출제빈도순 기본어휘와 중요 빈출 어휘를 실전 수준으로 연습함으로써 TEPS 실전에 대한 적응력을 높이고 각 Unit의 학습을 종합적으로 정리할 수 있도록 구성했다. 실전과 똑같다고 생각하고 한 문제 한 문제를 풀어나가도록 하자.

이야기로 챙기는 TEPS 표현 20

Memoirs of a Country Girl ②

The ritual went like this. We prepared a bowl of water, pull some hairs from the "patients," and had the miserable people sp the bowl. After that, we put the bowl in front of their houses. the spirits stopped inflicting pain on the villagers.

Of course, you are free to choose not to believe this story. B can't deny what you see with your own eyes. Anyway, welcome

● 이야기로 챙기는 TEPS 표현 20

Erica Kim이라는 시골 소녀의 매혹적이고 신비로운 이야기를 통해 TEPS에 출제되는 빈도가 매우 높은 200여 개 단어들을 손쉽게 익힐 수 있도록 구성했다. 가볍게 읽기만 해도 TEPS 입문자로서 최고의 수준에 이를 수 있도록 섬세하게 배려했다.

Just for FUN

'네이버 지식iN'과 비슷한 서비스를 제공하는 사이트로 Yahoo!® An (answers.yahoo.com)를 들 수 있다. 한 번은 '영어에서 가장 긴 단어가 무엇인기는 질문이 올라왔다. 이에 대해 여러 사람들이 답했는데, 투표자들은 floccinaucini cation를 '최고의 답'으로 택했다. 이 단어는 글자가 29개이다. 그렇지만 정답은 45자로 된 다음의 단어이다.

● Just for FUN

TEPS 어휘 영역 대비에 필요한 어휘 학습 관련 사항을 재치와 유머가 넘치는 편안한 글을 통해 자연스럽게 익힐 수 있도록 구성했다. 미소와 웃음이 묻어나는 이야기로 TEPS 어휘 전문가의 수준에 도달하자.

TEPS 개요

TEPS란 Test of English Proficiency developed by Seoul National University의 약자로 서울대학교 언어교육원에서 개발하고, TEPS관리위원회에서 주관하는 국내 토종 영어 인증시험입니다.

- 서울대학교 언어교육원은 대한민국 정부가 공인하는 외국어 능력 측정 기관으로 32년간 정부기관, 각급 단체 및 기업체를 대상으로 어학능력을 측정해 왔습니다.

- TEPS는 국내외 유수한 대학에 종사하는 최고 수준의 영어 관련 전문가 100여명 가까운 인원이 출제하고 세계의 권위자로 구성된 자문위원회에서 검토하는 시험입니다.

- TEPS는 청해, 문법, 어휘, 독해에 걸쳐 총 200문항, 990점 만점의 시험입니다.

- TEPS는 언어 테스팅 분야의 세계적 권위자인 Bachman 교수(미국UCLA)와 Oller 교수(미국 뉴멕시코대)에게서 타당성을 검증받았으며, 여러 번의 시험적 평가에서 이미 그 신뢰도와 타당도가 입증된 시험입니다.

- TEPS는 우리나라 사람들의 살아 있는 영어 실력, 즉 의사소통 능력을 가장 효과적이고 정확하게 측정해 주는 시험이라고 할 수 있습니다.

- TEPS는 진정한 실력자와 비실력자를 확실히 구분할 수 있도록 구성된 시험으로서 변별력에 있어서 본인의 정확한 실력 파악에 실제적인 도움이 됩니다.

- TEPS 성적표는 수험생의 영어 능력을 영역별로 세분화한 평가를 해주기 때문에 수험자의 어느 부분이 탁월한지 잘 알 수 있을 뿐만 아니라 효과적인 영어공부 방향을 제시해 주기도 합니다.

- TEPS는 다양하고 일반적인 영어능력을 평가하는 시험으로 대학교, 기업체, 각종 기관 및 단체, 개인이 다양한 목적을 위해 응시할 수 있는 시험입니다.

TEPS의 구성

영역	파트별 내용	문항 수	총문항/시간	배점
청 해 Listening Comprehension	**Part I :** 질의응답(문장 하나를 듣고 이어질 대화 고르기) **Part II :** 짧은 대화(3개 문장의 대화를 듣고 이어질 대화 고르기) **Part III :** 긴 대화(6-8개 문장의 대화를 듣고 질문에 알맞은 답 고르기) **Part IV :** 담화문(담화문의 내용을 듣고 질문에 알맞은 답 고르기)	15 15 15 15	60문항 / 55분	400점
문 법 Grammar	**Part I :** 구어체(대화문의 빈칸에 적절한 표현 고르기) **Part II :** 문어체(문장의 빈칸에 적절한 표현 고르기) **Part III :** 대화문(대화에서 어법상 틀리거나 어색한 부분 고르기) **Part IV :** 담화문(담화문에서 문법상 틀리거나 어색한 부분 고르기)	20 20 5 5	50문항 / 25분	100점
어 휘 Vocabulary	**Part I :** 구어체(대화문의 빈칸에 적절한 단어 고르기) **Part III :** 문어체(문장의 빈칸에 적절한 단어 고르기)	25 25	50문항 / 15분	100점
독 해 Reading Comprehension	**Part I :** 빈칸 채우기(지문을 읽고 질문의 빈칸에 들어갈 내용 고르기) **Part II :** 내용 이해(지문을 읽고 질문에 가장 적절한 내용 고르기) **Part III :** 흐름 찾기(지문을 읽고 문맥상 어색한 내용 고르기)	16 21 3	40문항 / 45분	400점
총 계	13개의 세부 영역	200	140분	990점

* IRT(Item Response Theory)에 의하여 최고점은 990점, 최하점은 10점으로 조정됨.

TEPS의 특징

한국인에게 알맞은 영어 시험

우리 국민 대다수가 초 · 중 · 고교에서 10년 동안 영어를 배우고, 대학과 직장에서 또다시 영어교육을 받지만 한국은 아시아에서도 한참 뒤떨어진 영어후진국 신세를 면치 못하고 있습니다.
미국과 영국에서 개발한 영어교육체계와 어학검정시험을 좇아 매년 수십만 명이 동분서주하지만 눈에 띄는 성과를 거두지는 못했습니다. 사고방식과 언어 습관이 다른 외국인이 한국인의 고민을 알기는 어렵습니다.
TEPS는 영어와 한국어를 다 잘하는 국내 최고의 연구진이 영어와 한국어의 언어적 특성을 대조 · 분석하고 한국인들이 범하기 쉬운 오류를 찾아 출제에 적극 반영합니다. 따라서 TEPS는 한국인에게 가장 필요한 영어 학습 지침을 제공하는 시험이라고 할 수 있습니다.

편법이 통하지 않는 시험

개인의 어학 능력은 결코 단기간에 급속도로 향상되지 않습니다. 그런데도 실력 배양은 아랑곳하지 않고 영어성적만을 올리기 위해 요령과 편법을 가르치는 교육기관이 많습니다.
TEPS는 있는 그대로의 영어 능력을 정확하게 진단합니다. 예를 들어 청해 시험은 인쇄된 질문지 및 선택지 없이 방송으로만 들려주기 때문에 미리 문제를 보고 답을 예측해 보는 요령이 통하지 않습니다. 또한 독해 시험에 있어서는 '1지문 1문항 원칙'을 지켜 한 문제로 다음 문제의 답을 유추할 수 있는 가능성을 원천적으로 배제하고 있습니다. 따라서 TEPS는 편법이 통하지 않는 시험입니다.

활용 능력을 중시하는 시험

외국인과 영어로 대화할 때 상대방이 질문을 던질 경우, 한참동안 문법과 어휘를 고민해서 대답할 수는 없는 노릇입니다. 암기식으로 배운 영어로는 실제 상황에서 제 실력을 발휘할 수 없습니다.
TEPS는 일상생활에서의 활용능력을 정확하게 측정해 주는 시험입니다. TEPS는 기존의 다른 시험에 비해 많은 지문을 주고 이를 짧은 시간 내에 이해하여 풀어낼 수 있는지를 측정합니다. 이는 실제 생활에서 활용할 수 없는 암기식 영어가 아니라 완전히 습득되어 자유롭게 구사할 수 있는 '살아 있는' 영어 실력을 평가하기 위한 것입니다.

경제성과 효율성을 갖춘 시험

TEPS는 서울대 언어교육원이 자체 개발한 시험으로 외국에 비싼 로열티를 지불하는 다른 시험과는 달리 응시 비용이 매우 저렴합니다.

채점방식이 다른 시험

TEPS는 첨단 어학 능력 검증 기법인 문항 반응 이론(IRT: Item Response Theory)을 도입했습니다. 문항 반응 이론은 문항을 개발할 때 문항별로 1차 난이도를 정의하고 시험 시행 후 전체 수험자들이 각각의 문항에 대해 맞고 틀린 것을 종합해 그 문항의 난이도를 재조정한 다음, 이를 근거로 다시 한 번 채점해 최종성적을 내게 됩니다. 이 과정에서 최고점은 990점, 최하점은 10점으로 조정됩니다.

문항 반응 이론은 맞은 개수의 합을 총점으로 하는 전근대적인 평가방식과는 달리, 각 문항의 난이도와 변별도에 대한 수험자의 반응 패턴을 근거로 영어 능력을 추정하는 확률 이론입니다.

문항 반응 이론을 적용할 경우, 낮은 난이도의 문제를 많이 틀린 수험자가 높은 난이도의 문제를 맞힐 경우 실력에 관계없이 추측이나 우연히 맞힐 가능성이 높다고 보고 감점 처리합니다. 이러한 문항 반응 이론은 가장 선진적인 검정 방식으로서 TEPS는 이 이론에 기초한 국내 최초의 영어 능력 평가 시험입니다.

실용영어 능력 평가

실용영어는 사소한 대화를 위주로 하는 생활영어와는 다른 범주입니다. 평균적인 교양을 갖춘 일반인이 가정, 직장, 공공장소 등 일상적인 환경과 생활에서 사용하는 영어를 뜻합니다. 일상적인 대화는 물론, 신문, 잡지, 방송, 매뉴얼, 예약, 주문, 구매, 일반적인 상담 등이 모두 실용영어의 범주에 포함됩니다.

TEPS는 누구나 쉽게 접하는 상황에서 추출된 소재를 중심으로 문제를 구성하여, 범용적인 영어 능력을 평가합니다. 따라서 성별, 직업, 나이에 관계없이 일반 대중들의 영어 능력을 객관적으로 평가할 수 있는 시험입니다.

신속한 결과 통보, 학습 방향을 제시해주는 성적 진단

TEPS는 점수만 알려주고 끝나는 시험이 아닙니다. 청취, 문법, 어휘, 독해 등 영역별로 점수를 산출하고, 다시 각 영역을 기능, 소재, 문체별로 세분하여 18개 부문에서 항목별 성취도를 알려 줍니다. 따라서 성적표를 통해 수험자의 강점, 약점은 물론 추후 학습 방향을 명확하게 제시합니다.

TEPS 출제 원칙

통합식 시험 (Integrative Test)

지엽적인 학습을 조장할 우려가 있는 분리식 시험(Discrete-Point Test) 유형을 배제하고 실제 의사소통 상황과 문맥 파악을 중시하는 통합식 시험(Integrative Test) 유형을 강조함으로써 수험자의 폭넓은 어학 능력을 평가할 수 있습니다.

국부 독립성 (Local Independence)

첨단 테스트 기술인 문항 반응 이론(IRT: Item Response Theory)을 활용하여 각 부분의 독립성을 보장합니다. 예를 들어 '1지문 1문항'의 원칙에 따라 다양한 내용의 지문을 수험생들이 접할 수 있게 하고, 동시에 어느 한 지문을 이해하지 못함으로써 몇 개의 문항을 연이어 틀리는 일이 없도록 했습니다. 국부 독립성에 따른 문항 반응 이론은 환상의 어학 능력 평가로 기대를 모으고 있는 컴퓨터 개별 적응 언어 평가(CALT: Computer Adaptive Language Test)의 핵심 요소이기도 합니다.

속도화 시험 (Speeded Test)

간접적인 의사소통 능력 평가로서 문법 및 어휘 시험에서는 속도 시험의 속성을 극대화하여 언어학적 지식(Learning)이 아닌 잠재적인 의사소통 능력(Acquisition)을 평가합니다.

진단 평가 (Diagnostic Test)

세부 영역별로 평가 결과를 제시하여 수험자 개인의 능력을 정확하게 진단합니다. 교육과 평가가 마치 실과 바늘처럼 서로 맞물려 발전해야 한다는 원칙에 따라 최대한 자세히 검정 결과를 분석해 수험생들의 향후 학습 방향을 알려줍니다.

TEPS 출제 경향

청해 (Listening Comprehension) - 60문항

정확한 청해 능력을 측정하기 위하여 문제와 보기 문항을 문제지에 인쇄하지 않고 들려줌으로써 자연스러운 의사소통의 인지 과정을 최대한 반영하였습니다. 다양한 의사소통 기능(Communicative Functions)의 대화와 다양한 상황(공고, 방송, 일상 생활, 업무 상황, 대학 교양 수준의 강의 등)을 이해하는 데 필요한 전반적인 청해력을 측정하기 위해 대화문(dialogue)과 담화문(monologue)의 소재를 균형 있게 다루었습니다.

문법 (Grammar) - 50문항

밑줄 친 부분 중 오류를 식별하는 유형 등의 단편적이며 기계적인 문법 지식 학습을 조장할 우려가 있는 분리식 시험 유형을 배제하고, 의미 있는 문맥을 근거로 오류를 식별하는 유형을 통하여 진정한 의사소통 능력의 바탕이 되는 살아 있는 문법, 어법 능력을 문어체와 구어체를 통하여 측정합니다.

어휘 (Vocabulary) - 50문항

문맥 없이 단순한 동의어 및 반의어를 선택하는 시험 유형을 배제하고 의미 있는 문맥을 근거로 가장 적절한 어휘를 선택하는 유형을 문어체와 구어체로 나누어 측정합니다.

독해 (Reading Comprehension) - 40문항

교양 있는 수준의 글(신문, 잡지, 대학 교양과목 개론 등)과 실용적인 글(서신, 광고, 홍보, 지시문, 설명문, 도표, 양식 등)을 이해하는 데 요구되는 총체적인 독해력을 측정하기 위해서 실용문 및 비전문적 학술문과 같은 독해 지문의 소재를 균형 있게 다루었습니다.

TEPS 영역별 유형

청해 (Listening Comprehension)-60문항

PART I (15문항)

영역 설명 Part I은 질의 응답 문제를 다루며 한 번만 들려줍니다. 내용 자체는 단순하고 기본적인 수준의 생활 영어 표현으로 구성되어 있지만 교과서적인 지식보다는 재빠른 상황 판단 능력을 요구합니다. 따라서 Part I에서는 속도 적응 능력뿐만 아니라 순발력 있는 상황 판단 능력이 요구됩니다.

Listen and choose the most appropriate response to the statement.

M How shall I address you?
W ______________________

(a) Just call me John.
(b) 39 Morrison Avenue.
(c) Don't send me a letter.
(d) I don't like making speeches.

정답 : (a)

PART II (15문항)

영역 설명 Part II는 짧은 대화 문제로서 두 사람이 A-B-A-B 순으로 보통 속도로 대화하는 형식이며, 소요 시간은 약 12초 전후로 짧게 구성되어 있습니다. Part I과 마찬가지로 한 번만 들려줍니다.

Listen and choose the most appropriate response to comlpte the conversation .

M How long were you thinking of renting a car?
W For ten days in September.
M When exactly do you have in mind?
W ______________________________

(a) I thought of it last Monday.
(b) The end of September.
(c) I'm too young to rent one yet.
(d) Nothing is further from my mind.

정답 : (b)

PART III (15문항)

영역 설명 Part III는 앞의 두 파트에 비해 다소 긴 대화를 들려줍니다. 대신 대화 부분과 질문을 두 번씩 들려주기 때문에 길이가 긴 데 비해 많이 어렵다고 할 수는 없습니다.

Listen and choose the option that best answers the question.

W The conference is only two months away and we still don't have a venue.
M Maybe we should reserve the same hall we used last time.
W I think it might be too small this year.
M You're probably right. The company has really grown over the past year.
W How about looking into one of the rooms at the convention center?
M Sure. I heard they have connections with a good caterer, too.

Q What is the conversation mainly about?

(a) Hiring new employees
(b) Organizing an annual event
(c) Expanding an office building
(d) Catering a party in two months

정답 : (b)

PART IV (15문항)

영역 설명　Part IV는 담화문을 다룹니다. 영어권 국가에서 영어로 뉴스를 듣거나 강의를 들을 때와 비슷한 상황을 설정하여 얼마나 잘 이해하는지를 측정합니다. 이야기의 주제, 세부 사항, 사실 여부 및 이를 근거로 한 추론 등을 다룹니다. 직청 직해 실력, 즉 들으면서 곧바로 내용을 이해할 수 있는지를 평가합니다. 담화 부분과 질문을 두 번씩 들려줍니다.

Listen and choose the option that best answers the question.

Hello, everyone. We'll continue our discussion of American newspapers today. Does anyone care to guess what the most popular section of the paper is? Well, it's not the front page, the weather report, or even - sorry to disappoint you sports fans - the sports page. It's the comics. Now, my bet is that even those of you who rarely read the paper at all can't resist glancing at the comics. True?

Q According to the talk, what is the most popular section of the paper?

(a) The front page
(b) The weather report
(c) The sports page
(d) The comics

정답 : (d)

TEPS 영역별 유형

문법 (Grammar)-50문항

PART I (20문항)

영역 설명 Part I은 A, B 두 사람의 짧은 대화를 통해 전치사 표현력, 구문 이해력, 품사 이해도, 시제, 접속사 등 문법에 대한 이해력을 묻는 형태로 되어 있습니다. 주로 후자(B)의 대화 중에 빈칸이 있고, 그 곳에 들어갈 적절한 표현을 고르는 형식입니다.

Fill in the blank with the most appropriate word or phrase.

A Have you read the book italics, no quotes?
B No. Who ______________ it?
(a) wrote
(b) writes
(c) has written
(d) had written

정답 : (a)

PART II (20문항)

영역 설명 Part II는 문어체 질문을 다룹니다. 서술문 속의 빈칸을 채우는 문제로 총 20문항으로 되어 있습니다. 이 파트에서는 문법 자체에 대한 이해도는 물론 구문에 대한 이해력이 중요합니다.

Fill in the blank with the most appropriate word or phrase.

On reaching ______________ four, Mozart was given harpsichord lessons by his father.
(a) age of
(b) the age
(c) an age of
(d) the age of

정답 : (d)

PART III (5문항)

영역 설명 Part III는 대화문에서 어법상 틀리거나 어색한 부분이 있는 문장을 고르는 다섯 문항으로 구성되어 있습니다. 이 영역 역시 문법뿐만 아니라 정확한 구문 파악, 회화 내용의 식별능력이 대단히 중요합니다.

Identify the grammatical error in the dialogue.

(a) A: That cold sounds pretty bad.
(b) B: Yeah, it is. Don't get too close.
(c) A: Let me make you a cup of herbal tea.
(d) B: Gee, that's nice for you!

정답 : (d)

PART IV (5문항)

영역 설명 Part IV는 한 문단을 주고 그 가운데 문법적으로 틀리거나 어색한 문장을 고르는 다섯 문항으로 되어 있습니다. 틀린 부분을 신속하게 골라야 하므로 속독 능력도 중요한 작용을 합니다.

Identify the ungrammatical sentence in the passage.

(a) Put an ice cube into a glass of water.
(b) Look through the side of the glass.
(c) You will see that most ice cube is under the surface of the water.
(d) The little ice cube in the glass acts just like a giant iceberg in the ocean.

정답 : (c)

어휘 (Vocabulary)-50문항

PART I (25문항)

영역 설명 Part I은 구어체로 되어 있는 A, B의 대화 중 빈칸에 가장 적절한 단어를 넣는 25문항으로 구성되어 있습니다. 단어의 단편적인 의미보다는 문맥에서 쓰인 상대적인 의미를 더 중요시합니다.

Choose the most appropriate word or expression for the blank in the conversation.

A Could you tell me how to get to First National Bank?
B Sure, make a left ______________ at the first light and go straight for two blocks.

(a) stop
(b) turn
(c) way
(d) path

정답 : (b)

PART II (25문항)

영역 설명 Part II는 하나 또는 두 개의 문장으로 구성된 글 속의 빈칸에 가장 적당한 단어를 골라 넣는 부분입니다. 어휘를 늘릴 때 한 개씩 단편적으로 암기하는 것보다는 하나의 표현으로, 즉 의미구로 알아 놓는 것이 15분이라는 제한된 시간 내에 어휘 시험을 정확히 푸는 데 많은 도움이 될 것입니다.

Choose the most appropriate word or expression for the blank in the statement.

This videotape ______________ for three and a half hours.

(a) gets
(b) views
(c) runs
(d) takes

정답 : (c)

독해 (Reading Comprehension)-40문항

PART I (16문항)

영역 설명 Part I은 빈칸 넣기 유형입니다. 한 단락의 글을 주고 그 안에 빈칸을 넣어 알맞은 표현을 고르는 16문항으로 이루어져 있습니다. 글 전체의 흐름을 파악하여 문맥상 빈칸에 들어 갈 내용을 찾는 문제입니다.

Read the passage and choose the option that best fits the blank.

Athletes look good while they work out, but they may not feel so great. A report suggests that up to 70% may experience stomach distress during exercise. Competitive runners are prone to lower-bowel problems like diarrhea, probably because blood rushes from the intestines to their hardworking leg muscles. Weight lifters and cyclists, for their part, tend to ______________________.

(a) feel stronger
(b) exercise too much
(c) strive for weight loss
(d) suffer from heartburn

정답 : (d)

PART II (21문항)

영역 설명 Part II는 글의 내용 이해를 측정하는 문제로 21문항으로 구성되어 있습니다. 주제나 대의 혹은 전반적 논조 파악, 세부내용 파악, 논리적 추론 등이 있습니다.

Choose the option that correctly answers the question.

Parents who let kids surf online without supervision may want to think again. Though most children and teens know they shouldn't give strangers personal information, a new study finds that many young people feel it's OK to reveal potentially sensitive family data in exchange for a prize. Nearly two out of every three children were willing to name their favorite stores, and about a third would tell about their parents' driving records, alcohol consumption, political discussions, work attendance and church-going habits.

Q What is the best title for the passage?

(a) Unsupervised Children Reveal Personal Information
(b) Parents Have Difficulty Controlling Their Children
(c) Prizes Given to Children on the Internet
(d) Internet Privacy: a Thing of the Past
정답 : (a)

PART III (3문항)

영역 설명 Part III는 한 문단의 글에서 내용의 흐름상 어색한 곳을 고르는 문제로 3문항으로 이루어져 있습니다. 전체 흐름을 파악하여 흐름상 필요 없는 내용을 고르는 문제입니다. 이런 유형의 문제는 응집력 있는 영작문 실력을 간접적으로 측정할 수도 있습니다.

Identify the sentence that least fits the context of the passage.

The emphasis on winning-whether a soccer game or spelling contest-is especially inappropriate for school-age children. (a) This is a time when they're mastering basic skills, both in sports and academic subjects. (b) The real challenge is when children grow up and become teenagers. (c) Children should be encouraged for doing their best, no matter what. (d) Building confidence is what's important, not just winning.

정답 : (b)

TEPS 등급표

등급	점수	영역	능력검정기준(Description)
1+급 Level 1	901-990	전반	외국인으로서 최상급 수준의 의사소통능력 : 교양 있는 원어민에 버금가는 정도로 의사소통이 가능하고 전문분야 업무에 대처할 수 있음. (Native Level of Communicative Competence)
1급 Level 1	801-900	전반	외국인으로서 거의 최상급 수준의 의사소통능력 : 단기간 집중 교육을 받으면 대부분의 의사소통이 가능하고 전문분야 업무에 별 무리 없이 대처할 수 있음. (Near-Native Level of Communicative Competence)
2+급 Level 2	701-800	전반	외국인으로서 상급 수준의 의사소통능력 : 단기간 집중 교육을 받으면 일반분야 업무를 큰 어려움 없이 수행할 수 있음. (Advanced Level of Communicative Competence)
2급 Level 2	601-700	전반	외국인으로서 중상급 수준의 의사소통능력 : 중장기간 집중 교육을 받으면 일반분야 업무를 큰 어려움 없이 수행할 수 있음. (High Intermediate Level of Communicative Competence)
3+급 Level 3	501-600	전반	외국인으로서 중급 수준의 의사소통능력 : 중장기간 집중 교육을 받으면 한정된 분야의 업무를 큰 어려움 없이 수행할 수 있음. (Mid Intermediate Level of Communicative Competence)
3급 Level 3	401-500	전반	외국인으로서 중하급 수준의 의사소통능력 : 중장기간 집중 교육을 받으면 한정된 분야의 업무를 다소 미흡하지만 큰 지장은 없이 수행할 수 있음. (Low Intermediate Level of Communicative Competence)
4+급 Level 4	201-400	전반	외국인으로서 하급수준의 의사소통능력 : 장기간의 집중 교육을 받으면 한정된 분야의 업무를 대체로 어렵게 수행할 수 있음. (Novice Level of Communicative Competence)
5+급 Level 5	101-200	전반	외국인으로서 최하급 수준의 의사소통능력 : 단편적인 지식만을 갖추고 있어 의사소통이 거의 불가능함. (Near-Zero Level of Communicative Competence)

TEPS 성적표

TEPS Score Report

- Testee No. :
- National ID No. :
- Testee Name :
- Testee Name in English :
- Test Date :
- Percentile :

Listening Comprehension		Grammar		Vocabulary		Reading Comprehension		Total Score	
Score	Level	Score	Level	Score	Level	Score	Level	Score	Level

Language Domain	Sub domain	Categories	Degree of Achievement (%)
Listening Comprehension	Sub-skill	Expression Main Idea Specific Info Inference	
	Mode	Interactive Non-interactive	
Grammar	Formality	Spoken Written	
	Mode	Structure Parts of Speech	

Language Domain	Sub domain	Categories	Degree of Achievement (%)
Vocabulary	Formality	Spoken Written	
Reading Comprehension	Sub-skill	Main Idea Specific Info Coherence Inference	
	Mode	Academic Practical	

Date of Issue :

Director of the TEPS Council

TEPS-TOEIC-TOEFL 비교

등 급	TEPS	TOEIC	TOEFL (iBT)
시험명	Test of English Proficiency developed by Seoul National University	Test of English for International Communication	Test of English as a Foreign Language (Internet-Based Test)
개발기관	서울대학교 언어교육원	미국 ETS (Educational Testing Service)	미국 ETS (Educational Testing Service)
개발목적	한국인의 실용 영어능력 평가	비즈니스 커뮤니케이션 영어 능력 평가	미국 등 영어권 국가의 대학 또는 대학원에서 외국인의 영어능력 평가
시행기관	TEPS 관리위원회	재단법인 국제교류진흥회	ETS
시험시간	2시간 20분	2시간	약 4시간
문항수	200문항	200문항	78~129문항
만점	990점	990점	120점
구성	청해: 60문항 / 55분 / 400점 문법: 50문항 / 25분 / 100점 어휘: 50문항 / 15분 / 100점 독해: 40문항 / 45분 / 400점	L/C: 100문항 / 45분 / 495점 R/C: 100문항 / 75분 / 495점	Reading: 36~70문항 / 60~100분 / 0~30점 Listening: 34~51문항 / 60~90분 / 0~30점 Speaking: 6문항 / 20분 / 0~30점 Writing: 2문항 / 50분 / 0~30점
검정 기준	Criterion-referenced Test (절대 평가)	Norm-referenced Test (상대 평가)	Norm-referenced Test (상대 평가)
시행방법	정기시험: 연 12회 특별시험: 수시	정기시험: 연 12회 특별시험: 수시	연 30~40회
성적통보	정기시험: 2주 특별시험: 5일	정기시험: 20일 특별시험: 10일 이내	15일
성적 유효기간	2년	2년	2년
응시료	30,000원	37,000원	$170

TEPS-TOEIC-TOEFL 점수환산표

TEPS	TOEIC	IBT	TEPS	TOEIC	IBT	TEPS	TOEIC	IBT
953~	990	120	756~763	850	100	582~587	710	83
948~952	985	120	750~755	845	100	578~571	705	83
941~947	980	119	743~749	840	98	572~577	700	82
935~940	975	118	736~742	835	98	567~571	695	82
928~934	970	118	729~735	830	96	561~566	690	80
922~927	965	117	723~728	825	96	557~560	685	80
915~921	960	116	716~722	820	95	551~556	680	78
908~914	955	114	710~715	815	95	546~550	675	78
901~907	950	114	702~709	810	94	541~545	670	76
894~900	945	114	696~701	805	94	536~540	665	75
887~893	940	113	689~695	800	94	532~535	660	75
880~886	935	113	684~688	795	93	527~531	655	75
872~879	930	111	677~683	790	93	521~526	650	73
865~871	925	110	671~676	785	91	517~520	645	71
857~864	920	110	664~670	780	91	512~516	640	71
851~856	915	109	658~663	775	91	508~511	635	70
843~850	910	109	652~657	770	89	503~507	630	70
836~842	905	107	646~651	765	89	498~502	625	70
828~835	900	107	640~645	760	89	494~497	620	68
822~827	895	105	634~639	755	89	490~493	615	65
814~821	890	105	628~633	750	87	485~489	610	64
807~813	885	103	622~627	745	87	481~484	605	57
799~806	880	103	616~621	740	87	476~480	600	57
793~798	875	103	611~615	735	87	472~475	595	57
785~792	870	101	605~610	730	85	468~471	590	57
778~784	865	101	600~604	725	85	464~467	585	56
771~777	860	100	593~599	720	83	460~463	580	51
764~770	855	100	588~592	715	83	456~459	575	50

TEPS FAQ

1. TEPS의 성적 유효 기간은 어떻게 되나요?

- 2년입니다.

2. TEPS 관리위원회에서 인정하는 신분증은 무엇인가요?

▶ **주민등록증 발급자 〈만 17세 이상〉** - 주민등록증, 운전면허증, 기간 만료 전의 여권, 공무원증

기타 장교라면 → 장교신분증
사병이라면 → TEPS 정기시험 신분확인증명서
주민등록증을 분실했다면 → 주민등록증 발급확인서(동, 읍, 면사무소에서 발급)
외국인이라면 → 외국인 등록증

▶ **주민등록증 미발급자 〈만 17세 미만〉** - 기간 만료 전의 여권, TEPS 정기시험 신분확인증명서, 청소년증

기타 외국인이라면 → 기간 만료 전의 여권, 외국인 등록증

※ 시험당일 신분증 미지참자 및 규정에 맞지 않는 신분증 소지자는 시험에 절대로 응시할 수 없습니다. 중 · 고등학교, 대학교 학생증은 신분증으로 인정되지 않습니다.

3. TEPS 문제지에 메모해도 되나요?

- 네. 그러나, 별도의 용지(좌석표, 수험표 등)에 메모를 하면 부정행위로 간주되어 규정에 의거하여 처리됩니다.

4. TEPS의 고사장 변경은 어떻게 하나요?

▶ **변경 기간** - 응시일 13일 전부터 7일 전까지

▶ **변경 방법** - www.teps.or.kr → 나의 시험 정보 → 접수 정보 관리

▶ **변경 조건**

① 1회에 한하여 변경 가능합니다.
② 고사장의 지역을 변경할 경우에만 가능합니다. (같은 지역 내 고사장 변경은 불가함)
③ 고사장의 여분에 맞춰 선착순 신청이며 조기에 마감될 수 있습니다.

※ 추가 접수의 경우에는, 시험일 5일 전까지 유선을 통하여 신청해야 합니다.

5. TEPS 시험 볼 때 사용할 수 있는 필기구는 무엇인가요?

- 컴퓨터용 사인펜, 수정테이프 (컴퓨터용 연필, 수정액은 사용 불가)

6. TEPS 시험을 연기할 수 있나요?

- 아니오. 접수 취소를 해야 합니다.

7. TEPS는 추가 접수를 할 수 있나요?

- 네. 시험일자 10일 전부터 4일간 추가 접수 기간이 있습니다. 추가 접수 응시료에는 일반 응시료의 10%가 특별 수수료로 부가됩니다.

8. TEPS는 인터넷으로 접수 취소할 수 있나요?

- 네. www.teps.or.kr에 회원가입을 해야 합니다.
  - **접수 기간 내** - 전액 환불
  - **접수 기간 1일 후 ~ 2주** - 18,000원 환불
  - **접수 기간 2주 후 ~ 시험 당일** - 12,000원 환불
  - **추가 접수 기간 1일 후 ~ 시험 당일** - 12,000원 환불

9. 수험표는 흑백프린터를 사용해도 되나요?

- 수험표는 흑백, 칼라 아무거나 사용하셔도 상관없습니다.

10. OMR Sheet에 기재한 비밀번호가 생각나지 않을 때는 어떻게 해야 하나요?

- www.teps.or.kr에 로그인 하신 다음 비밀번호 입력란에 로그인 password를 다시 한 번 입력하시면 성적확인이 가능합니다.

11. 성적표 주소 변경은 어떻게 해야 하나요?

- **변경 기간** - 응시일 13일 전부터 7일 전까지
- **변경 방법** - www.teps.or.kr → 나의 시험 정보 → 접수 정보 관리

12. 시험 점수는 얼마 후에 알게 되나요?

- 정기시험의 성적은 시험일로부터 15일 이후 ARS나 www.teps.or.kr에서 확인이 가능합니다. 정기시험 성적표는 시험일로부터 대략 20일 안에 우편으로 발송되고, 특별시험 성적표는 시험일로부터 7일 이내에 해당 기관이나 단체로 통보됩니다.

TEPS 활용 - 대학교

학교명	전형유형	전형명	TEPS 점수	기타
가톨릭대학교	수시2	특기자전형(영어)	TEPS 766점 이상	2008학년도 요강
강릉대학교	수시2	어학특기자전형(영어)	TEPS 502점 이상	2008학년도 요강
건국대학교(서울)	수시2	국제화특별전형	TEPS 739점 이상	2008학년도 요강
건양대학교	수시2	특기자전형(영어)	TEPS 500점 이상	2008학년도 요강
경동대학교	수시2-1	영어능력우수자전형	자체기준	2008학년도 요강
경북대학교	수시2-1	영어능력우수자전형	TEPS 713점 이상	2008학년도 요강
경상대학교	수시2	특기자전형(영어)	TEPS 848점 이상	2008학년도 요강
경성대학교	수시2	외국어특별전형	TEPS 720점 이상	2008학년도 요강
계명대학교	수시2	KIC외국어특기자전형	TEPS 550점 이상	2008학년도 요강
고려대학교	수시1	국제학부 특별전형	TEPS 900점 이상	2008학년도 요강
	수시2	글로벌전형, 글로벌KU	TEPS 900점 이상	2008학년도 요강
광주대학교	수시2-1	특기자전형	TEPS 500점 이상	2008학년도 요강
국민대학교	수시2	국제화특별전형	TEPS 651점(인문)/ 633점(자연) 이상	2008학년도 요강
		어학특기자전형(영어영문학과)	TEPS 850점 이상	2008학년도 요강
군산대학교	수시2	어학특기자전형	TEPS 500점 이상	2008학년도 요강
금강대학교	수시	어학특기자전형	TEPS 550점 이상	2007학년도 요강
단국대학교(서울)	수시, 2	국제화(어학)특기자전형	TEPS 850점(수시1), 700점 (수시2) 이상	2007학년도 요강
단국대학교(천안)	수시2	국제화(어학)특기자전형	TEPS 720점 이상	
덕성여자대학교	수시2	어학특기자	TEPS 623점 이상	2008학년도 요강
대진대학교	수시2	어학특기자	TEPS 601점 이상	2007학년도 요강
동덕여자대학교	수시2	영어특기자	TEPS 750점 이상	2008학년도 요강
동명대학교	수시2	어학특기자	TEPS 400점 이상	2008학년도 요강
동아대학교	수시2	국제관광인력전형	TEPS 650점 이상	2008학년도 요강
		국제무역인력전형	TEPS 650점 이상	
동의대학교	수시2	자격증 · 실적보유자(어학)	자체기준	2008학년도 요강
목포대학교	수시2	외국어특기자(영어)	TEPS 600점 이상	2008학년도 요강
부산대학교	수시2	표준외국어 능력시험(영어)	TEPS 685점 이상	2008학년도 요강
부산외국어대학교	수시2	외국어능력우수자	TEPS 680점 이상	2008학년도 요강
삼육대학교	수시2	영어특기자(일반학과)	TEPS 600점 이상	2008학년도 요강
상명대학교(서울)	수시2	영어특기자	TEPS 737점 이상	2008학년도 요강
상명대학교(천안)	수시2	영어특기자	TEPS 600점 이상	2008학년도 요강

서울대학교	수시2	외국어능력 우수자전형	TEPS 850점 이상	2008학년도 요강
서울시립대학교	수시2-1	어학특기자전형	자체기준	2008학년도 요강
서울여자대학교	수시2	어학특기자전형	자체기준	2008학년도 요강
선문대학교	수시2	어학우수자전형	TEPS 522점 이상	2008학년도 요강
성결대학교	수시2	외국어특기자전형	TEPS 650점 이상	2008학년도 요강
성균관대학교(서울)	수시2-1	글로벌리더전형	TEPS 800점 이상	2008학년도 요강
		글로벌경영전형	TEPS 900점 이상	2008학년도 요강
성신여자대학교	수시2	어학특기자전형(영어)	TEPS 650점 이상	2008학년도 요강
세종대학교	수시2-2	국제화추진 특별전형	TEPS 790점 이상	2008학년도 요강
순천대학교	수시2	외국어특기자전형	TEPS 700점 이상	2008학년도 요강
신라대학교	수시2	어학특기자전형	TEPS 600점 이상	2008학년도 요강
아세아연합신학대학교	수시2	어학특기자전형	TEPS 650점 이상	2008학년도 요강
아주대학교	수시2-1	영어특기자전형	자체기준	2007학년도 요강
연세대학교	수시1	일반우수자전형	자체기준	2008학년도 요강
	수시2	글로벌리더전형	자체기준	2008학년도 요강
용인대학교	수시2	외국어성적우수자전형	TEPS 550점 이상	2008학년도 요강
울산대학교	수시2	어학특기자전형	TEPS 600점 이상	2008학년도 요강
이화여자대학교	수시2	스크랜튼국제학부 1, 2	자체기준	2008학년도 요강
		이화글로벌인재전형		
인제대학교	수시2	외국어능력우수자 및 자격증소지자	자체기준	2008학년도 요강
장로회신학대학교	수시2	어학특기자전형	TEPS 560점 이상	2008학년도 요강
전북대학교	수시2	어학능력우수자전형	자체기준	2008학년도 요강
전주대학교	수시2	어학특기자전형	TEPS 625점(언어문화학부)/ TEPS 712점(영어교육과)	2008학년도 요강
청주대학교	수시2-2	국제화전형	TEPS 500점 이상	2008학년도 요강
총신대학교	정시 나	외국어특기자전형(영어)	TEPS 640점 이상	2008학년도 요강
충남대학교	수시2	전문분야 우수자(영어)	TEPS 850점 이상	2008학년도 요강
한남대학교	수시2-2	외국어공인시험우수자전형	TEPS 550점 이상	2008학년도 요강
한동대학교	수시2-3	어학특기자전형	TEPS 833점 이상	2008학년도 요강
한성대학교	수시2-1	어학특기자전형	TEPS 650점 이상	2008학년도 요강
한신대학교	수시2	어학특기자전형	TEPS 600점 이상	2008학년도 요강
홍익대학교	수시2	어학특기자전형	자체기준	2008학년도 요강

TEPS 활용 기업 및 정부 기관

국내 기업 - 신입사원 채용

(주)포스코, (주)현대오토넷, CJ그룹, GM 대우, GS건설, GS칼텍스(주), GS홀딩스, KTF, KTFT, LG CNS, LG PHILIPS, LG전자, LG텔레콤, LG화학, LS산전, LS전선, SK그룹, SPC그룹, 경남기업(주), 교원그룹, 국도화학, 국민일보, 금강고려화학, 남양유업, 농심, 대림산업, 대우건설, 대우건설, 대우인터내셔널, 대우자동차판매(주), 대우정보시스템(주), 대우조선해양, 동부그룹, 동부제강, 동양그룹, 동양시멘트(주), 동원 F&B, 삼성그룹, 새한그룹, 신세계, 쌍용건설, 오뚜기, 오리온, 유한킴벌리, 일진그룹, 제일화재, (주)벽산, (주)코오롱, (주)태평양, 코리아나화장품, 포스코건설, 풀무원, 하이닉스반도체, 하이마트, 한솔제지(주), 한진중공업, 한진해운, 현대건설, 현대기아자동차그룹, 현대모비스(주), 현대상선, 현대오일뱅크, 현대종합상사, 현대하이스코, 효성그룹

공기업 - 신입사원 채용

KOTRA, KT, KT&G, 공무원연금관리공단, 교통안전공단, 국립공원관리공단, 국민연금관리공단, 국민체육진흥공단, 근로복지공단, 농수산물유통공사, 농업기반공사, 대한광업진흥공사, 대한법률구조공단, 대한주택공사, 대한주택보증, 대한지적공사, 마사회, 서울메트로, 서울시농수산물공사, 서울시도시철도공사, 수출보험공사, 에너지관리공단, 인천관광공사, 인천국제공항공사, 인천항만공사, 자산관리공사, 중소기업진흥공단, 중소기업협동조합중앙회, 한국가스공사, 한국공항공사, 한국관광공사, 한국국제협력단, 한국남동발전(주), 한국남부발전(주), 한국농촌공사, 한국도로공사, 한국동서발전(주), 한국방송광고공사, 한국산업단지공단, 한국산업안전공단, 한국서부발전(주), 한국석유공사, 한국소방검정공사, 한국수력원자력, 한국수자원공사, 한국수출입은행, 한국원자력연료(주), 한국인삼공사, 한국전력, 한국조폐공사, 한국주택금융공사, 한국중부발전(주), 한국지역난방공사, 한국철도공사, 한국철도시설공단, 한국컨테이너부두공단, 한국토지공사, 한국환경자원공사, 한전기공(주), 행원채용, 환경관리공단

금융권 - 신입사원 채용

LG화재, SK생명, 광주은행, 교보생명보험(주), 국민은행, 기술신용보증기금, 기업은행, 농협중앙회, 대우캐피털, 동양화재, 새마을금고연합회, 수협은행, 수협중앙회, 신동아화재, 신한은행, 신한카드, 쌍용화재, 알리안츠생명, 우리은행, 제일화재, 푸르덴셜생명(주), 하나은행, 현대해상화재보험(주)

언론사 - 기자, 아나운서, 직원 채용

기자, 아나운서, 직원 채용 - 경기방송, CBS, EBS, GTB(강원방송), KBS, MBC, PSB(부산방송), SBS, UBC(울산방송), YTN

기자, 직원 채용 - 경상일보, 대구매일신문, 동아일보, 매일신문, 부산일보, 서울경제신문, 연합뉴스, 영남일보, 전자신문, 조선일보, 중앙일보, 충청투데이, 파이낸셜 뉴스, 한국일보

직원 채용 - 한국방송위원회

외국계 - 직원 평가, 신입사원 채용

직원 평가 - (주)스타벅스커피 코리아, AB코리아, ABB코리아, 토비스, 푸르덴셜생명보험, 한국썬마이크로시스템즈, 한국하인즈, 한국화이자

신입사원 채용 - 마이크로소프트코리아(인턴), 소니코리아, 한국쓰리엠(주), 한국아스트라제네카

정부 기관 - 직원 채용, 해외 파견, 해외 연수, 직원 평가 등

강원도 교육청, 건설공제조합, 경기도 교육청, 경기도청, 경남교육청, 광주시교육청, 교육인적자원부, 국립암센터, 국립의료원, 국방부, 국방품질관리소, 국세청, 국제교육진흥원, 국회사무처, 금융감독원, 금융결제원, 기술표준원, 농촌진흥청, 대구시교육청, 대전시교육청, 대통령경호실, 대한상공회의소, 대한적십자사, 대한체육회, 법무부, 법원행정처, 보건복지부, 부산시교육청, 부산시청, 산림청, 산재의료관리원, 서울대병원, 서울시교육청, 서울시청, 서울지방경찰청, 소방협회, 여성부, 외교통상부, 인천시교육청, 전남교육청, 전북교육청, 정보통신부, 중앙공무원교육원, 충남교육청, 충북교육청, 충북지방경찰청, 한국감정원, 한국산업은행, 한국원자력연구소, 한국은행, 한국전산원, 한국전자통신연구원, 해양경찰청, 행정자치부

진단고사

진단고사

Questions 1-20 : Choose the one word that best fits the sentence. [Time: 6 minutes]

01 **A** This blouse is too ________ for me.
B So you'd like a larger size, ma'am?

(a) tough (b) loose
(c) tight (d) strong

02 **A** How much does this tie ________?
B Fifty dollars, sir.

(a) cost (b) charge
(c) spend (d) need

03 **A** So, where on earth are you right now?
B Oh, we're at the first ________ with Elm Street on the right-hand side.

(a) interaction (b) intersection
(c) express (d) exchange

04 **A** Tom, I really feel exhausted!
B OK. I'll ________ over to the side of the road.

(a) take (b) hand
(c) get (d) pull

05 **A** One hundred bucks? That's too much!
B I'm sorry, sir, but the price has already been ________ down.

(a) handed (b) marked
(c) turned (d) let

06 **A** How can I gain ________ to the library database?
B First, you need to register as a member.

(a) process (b) acquisition
(c) procedure (d) access

07 **A** Why did Whitney lose the election?
B Because of her feeble voice, she couldn't get her message ________.

(a) across (b) away
(c) by (d) through

08 **A** Why are so many people speaking ill of Brian?
B Because he's ________ military service.

(a) evaporated (b) evacuated
(c) evolved (d) evaded

09 **A** Jim, I honestly can't figure out what this guy is talking about!
B Try to read between the ________. Please!

(a) curves (b) lines
(c) sides (d) dots

10 **A** James is such a jerk!
B His ears must be ________.

(a) catching (b) flaming
(c) burning (d) firing

• 해설집 p.2

11 To our disappointment, several weeks of heavy rain was _________.

(a) calculated
(b) intended
(c) abandoned
(d) forecast

12 Jessica took out a huge _________ and bought her own house.

(a) load
(b) loan
(c) finance
(d) credit

13 Naturally _________, Natalie wants to know everything about the universe.

(a) indifferent
(b) insane
(c) inquisitive
(d) innovative

14 To get there in time, I think we need to make a _________.

(a) detour
(b) discount
(c) devotion
(d) dismissal

15 One of its _________ is that it cannot help develop communication skills.

(a) advances
(b) drawbacks
(c) increases
(d) advantages

16 A severe _________ made many people jobless.

(a) recession
(b) surge
(c) boom
(d) retention

17 Due to their great differences, they had difficulty reaching a _________.

(a) contention
(b) consent
(c) conservation
(d) consensus

18 Because of her low income, Madonna needed to practice _________.

(a) excess
(b) luxury
(c) thrift
(d) clarity

19 _________ observation cannot give you any insight.

(a) Profound
(b) Superficial
(c) Successive
(d) Progressive

20 We must do everything in our power to prevent an AIDS _________.

(a) ethics
(b) epilogue
(c) epidemic
(d) ethnicity

Unit 01 TEPS 어휘 영역 분석

어휘 영역 분석

어휘 학습 전략

600점 도전

600점 도전 연습

이야기로 챙기는 TEPS 표현 20

Just for FUN

어휘 영역 분석

1 정확한 표현력

진단고사를 풀어보면 느낄 수 있듯이, TEPS 어휘 영역을 제대로 대비하려면 정확한 표현력을 길러야만 한다. 바꾸어 말해, 뜻이 어떻게 영어로 정확히 표현되는지를 알아야만 제대로 문제를 풀어낼 수 있다.

예제 1

A I've __________ a terrible mistake.
B That's all right. Nobody is perfect, you know.

(a) done (b) held (c) taken (d) made

2 폭넓은 표현력

TEPS는 다양한 주제와 관련된 어휘력을 측정한다. 실용적인 주제뿐만 아니라, 언어학이나 철학 등의 학술적 주제와 관련된 단어들도 출제되므로, 평소에 다양한 분야의 어휘를 습득하는 데 노력을 기울여야 한다.

예제 2

To make sure equality, social __________ is needed.

(a) recess (b) reform (c) reflection (d) recruit

• 해설집 p.11

3 일상적 · 관용적 표현 구사력

TEPS는 구동사(phrasal verb)와 숙어(idiom)를 꼬박꼬박 측정한다. 이것은 이들 표현이 일상적으로 자주 쓰이기 때문이기도 하고 구어체를 강조하려는 의도 때문이기도 하다.

예제 3

A Guess what? I __________ into Tiger Woods!

B You mean *the* Tiger Woods? You must be kidding.

(a) broke (b) bumped (c) burst (d) turned

4 고급 어휘 구사력

여러 분야를 깊이 있게 다루지 않기 때문에 대체로 쉬운 단어가 출제되는 수능이나 TOEIC과 달리, TEPS는 미국의 대학입학시험인 SAT I 수준의 높은 어휘마저 출제된다. 따라서 고급 어휘를 착실하게 익혀야 한다.

예제 4

You are __________ invited to our wedding ceremony on July 7th.

(a) obnoxiously (b) copiously (c) obscurely (d) cordially

어휘 학습 전략

1 어휘의 맥락을 이해한다

영어 단어를 익힌다는 것은 그 뜻을 정확히 이해하는 것을 뜻한다. 영어 단어의 뜻을 대개 우리말 대응어(equivalent)의 암기로 생각하는 경향이 있는데, 이런 방식에는 문제가 많다. 영어 단어가 나타내는 대상이나 맥락(context)을 이해하려고 노력하는 것이 보다 효과적인 방식이다.

네이버 영어사전에서 embarrassed라는 단어를 검색하면 '어리둥절한, 당혹한, 창피한, 무안한, 난처한'이 첫째 의미로 제시된다. 우선 이 5개의 우리말 단어들은 서로 나타내는 바가 다르다. 따라서 영어 단어의 뜻을 우리말 대응어로 이해하는 데는 많은 무리가 따른다. embarrassed란 많은 사람들 앞에서 연설을 하는데 갑자기 옷이 찢어져서 민망한 경우 등에 쓰는 말이다. 이렇게 영어 단어와 관련된 상황(situation)이나 맥락을 이해해야만 단어의 뜻을 정확히 알았다고 할 수 있다.

Practice 1

(1) endic.naver.com에서 adequate를 검색한 결과를 쓰시오.

① ________ ② ________ ③ ________ ④ ________

(2) www.ldoceonline.com에서 adequate를 검색한 결과를 쓰시오.

① ____

② ____

(3) (1)의 ②의 뜻이 (2)에 제시되어 있는지 쓰시오.

____

2 어원을 활용한다

영어의 어휘는 크게 순수 영어 어휘와 라틴어 계열의 어휘로 나눌 수 있다. 어느 쪽이든 어원을 활용하면 많은 단어를 짧은 시간에 정확히 익힐 수 있다. 이때 영어 단어 전체를 분석해서 재구성할 수 있어야 보다 효과적인 학습이 가능하다. 예를 들어 appreciate라는 단어를 분석하면 다음과 같다.

ap(← ad 향해서) + prec(값) + i(연결 모음) + ate(만들다, 하다)

= 값을 향하도록 만들다

→ 의미 1: **값이 오르다**

→ 의미 2: **가치를 이해하다**

→ 의미 3: **감사하다**

이 단어에 쓰인 prec이라는 어근(word root)을 쓰는 다른 단어로 precious를 꼽을 수 있는데, 다음과 같이 분석된다.

prec(값) + i(연결 모음) + ous(가득한)

= 값으로 가득한

→ 의미: **소중한**

참고로 연결 모음이란 단어의 발음을 보다 자연스럽게 하기 위해 쓰이는 모음(a, e, i, o, u)으로 뜻은 없다.

Practice 2

(1) dictionary.msn.com에서 construct와 structure의 어원 설명 부분을 찾아 공통된 어원을 쓰시오. ______________

(2) www.m-w.com에서 insist와 persist의 어원 설명 부분을 찾아 공통된 어원을 쓰시오. ______________

600점 도전

• 해설집 p.13

Collocation

- □ honor a contract — □ 계약을 이행하다
- □ heavy accent — □ 심한 말투[사투리]
- □ heated debate — □ 격렬한 논쟁
- □ commit a crime — □ 범죄를 저지르다
- □ earn a degree — □ 학위를 받다

고급 표현

- □ aggravate — □ (=worsen) 악화시키다
- □ implicit — □ (=implied) 암시적인
- □ mollify — □ (=soothe) 달래다
- □ obsolete — □ (=out-of-date) 쓰이지 않는
- □ salient — □ (=noticeable) 뚜렷한

관용 표현

- □ add up — □ 합산하다; 말이 되다
- □ fill in for — □ ~를 대신해 일하다
- □ kick in — □ 효과를 나타내다; 기부하다
- □ set up — □ 설립하다; 함정에 빠뜨리다
- □ fill the bill — □ (필요로 하는 바에) 딱 맞다

Practice Match each word with its definition.

1	honor	a	not used anymore
2	commit	b	suggested but not said directly
3	aggravate	c	to do something bad
4	implicit	d	to start a new organization
5	obsolete	e	to make sense
6	add up	f	to make something worse
7	set up	g	to do according to a contract

600점 도전 연습

Questions 1-5 : Choose the one word that best fits the sentence.

• 해설집 p.13

01 **A** Did you hear Willow didn't show up at her own wedding?
B What? That doesn't ________. She really wanted to marry Xander.

(a) set up
(b) fill in
(c) kick in
(d) add up

02 Buffy's ________ German accent was an obstacle to her romance with Tom.

(a) heavy
(b) weak
(c) large
(d) great

03 As a responsible company, we will ________ our contract with you.

(a) charge
(b) ignore
(c) honor
(d) disregard

04 Unfortunately, their negative attitudes only ________ the situation.

(a) improved
(b) aggravated
(c) corresponded
(d) resolved

05 The ________ feature of children is their innocence.

(a) dependent
(b) lucrative
(c) salient
(d) blatant

Memoirs of a Country Girl ①

I grew up in a small village where legends and **myths** are still alive. The villagers **literally** "lived" with the spiritual forces. In a sense, they **took** them **for granted**, because the forces rarely **interfered with** village **matters**. But when the spirits felt threatened by what the villagers did, they punished the helpless people in **a variety of** ways.

One of the most common ways to punish the villagers was by making their children sick. In fact, I was once punished like that. The pain was **indescribable**. I had so severe a headache that I thought I would **go mad** in no time. When these things happened, the villagers went through a "**ritual**" whose purpose was to **make up with** the spirits.

Translation

시골 소녀 회고담 ①

나는 전설과 신화가 여전히 살아 숨쉬는 작은 마을에서 자라났다. 마을 사람들은 말 그대로 영혼들과 어울려 살았다. 어떤 점에서는, 영혼들이 당연시되기도 했는데, 왜냐하면 마을 일에 끼어들 때가 거의 없었으니까. 그러나 마을 사람들이 한 일로 위협을 느끼면, 영혼들은 힘없는 사람들을 여러 가지 방법으로 벌주었다.

가장 흔한 벌 중 하나가 자녀들이 병에 걸리게 만드는 것이었다. 사실은 나도 한 번 그렇게 벌을 받았다. 그 고통은 차마 말로는 설명할 수가 없었다. 머리가 너무도 아파서 금방이라도 미칠 것만 같았으니까. 이런 일이 생기면 영혼들과 화해하기 위해 일정한 의식을 치렀다.

Glossary

- □ myth 신화 (≒legend 전설; fable 우화)
- □ literally 말 그대로 (=factually 사실대로)
- □ take ~ for granted ~를 당연하게 여기다
- □ interfere with ~ ~을 간섭하다 (=meddle with); 방해하다 (=get in the way)
- □ matter 일, 문제 (=trouble, concern)
- □ a variety of 다양한 (=various, an assortment of)
- □ indescribable 형언할 수 없는 (=inexpressible)
- □ go mad 미치다 (=go crazy); 화나다 (=lose one's temper)
- □ ritual 의식, 의례 (=ceremony 의식, rite 의례)
- □ make up with ~ ~와 화해하다 (=bury the hatchet)

Just for FUN ☺

Hillary Clinton은 『It Takes a Village』의 오디오테이프에서, 딸 Chelsea에 관한 일화를 들려준다. 네 살 무렵 '어머니의 날'에 Chelsea는 어머니인 Hillary에게 주고 싶은 선물이 **life insurance**라고 말한다. 주위 어른들은 한바탕 웃고 넘겼지만 Hillary는 무슨 뜻으로 한 말인지 물어본다. Chelsea는 life insurance에 대한 이야기를 들었는데 그것이 **'영원히 살게 해주는 것'**인 줄 알았다고 말한다.

우선 life insurance에는 **'생명 보험'**이라는 뜻만 있지, Chelsea가 생각한 것처럼 '영원히 살게 해주는 것'이란 뜻이 없다. 그러면 Chelsea가 완전히 틀린 것일까? 그렇지 않다. 왜냐하면 insurance라는 말을 뜯어보면 Chelsea처럼 생각할 수도 있기 때문이다.

insurance　in(만들다) + sur(확실한) + ance(하고 있는 것)

따라서 본래 뜻은 **'어떤 것을 확실하게 만드는 것'**이다. 이 앞에 life가 붙으면 '생명을 확실하게 만드는 것'이 되니까 life insurance가 '영원히 살게 해 주는 것'이 될 수도 있다.

만약 이렇게 뜻이 구성되는지를 모른다면, 이 이야기를 어떻게 이해할 수 있을까? Chelsea가 본래는 '생명 보험'을 선물하고 싶었는데 그냥 변명한 것이라고 해석할까? 이렇게 되면, 정말로 어머니가 영원히 살기를 바라는 Chelsea의 애틋한 마음은 읽어낼 수가 없다.

이처럼 단어의 의미 구성에 대한 감각은 원어민의 생각이나 느낌을 정확히 이해하는 데 꼭 필요하다는 점을 명심하자!

Unit 02 필수 어휘 1

출제 경향 분석 및 전략
출제빈도순 기본어휘 - Level 0
출제빈도순 기본어휘 - Level 1
출제빈도순 기본어휘 - Level 2
출제빈도순 기본어휘 - Level 3
출제빈도순 기본어휘 - Review
600점 도전
600점 도전 연습
Actual Test
이야기로 챙기는 TEPS 표현 20
Just for FUN

출제 경향 분석 및 전략 – 필수 어휘 1

출제 경향

1 흔히 쓰이는 표현을 측정한다

이 유형은 '(돈을) 빌려주다'를 뜻하는 lend와 같이 흔히 쓰이는 표현을 측정한다. 따라서 중 · 고등학교 교과과정에서 학습하는 어휘를 다시 정리하며 표현을 정확히 익히도록 한다. 원어민들의 자연스러운 대화나 글을 많이 접하는 것이 효과적인 대비책이다.

2 필수 어휘의 범위를 점차 늘려가고 있다

일상적인 표현에서 주로 출제하던 종래의 경향과 달리, 최근에는 필수 어휘의 범위를 점차 늘려가고 있다. 따라서 Longman Dictionary of Contemporary English(www.ldoceonline.com) 등을 참고하여 중요도 순서로 학습한 다음, 다양한 문제를 통해 응용력을 기르도록 한다.

맛보기

예제 1

A I didn't know Naomi was so beautiful!

B Didn't you know she just ________ tons of makeup?

(a) operated (b) appointed (c) hired (d) applied

예제 2

To ________ out the difficult task, Xena gathered all her courage and strength.

(a) run (b) hand (c) carry (d) sort

• 해설집 p.16

전략

1 서로 어울려 쓰이는 표현을 익힌다

일정한 뜻은 대개 여러 단어로 표현되기 때문에, 서로 자주 어울려 쓰이는 표현들이 많이 생긴다. 예컨대 '빌리다'라는 뜻의 borrow는 흔히 money와 함께 쓰인다. 따라서 'borrow money(돈을 빌리다)'로 묶어서 익혀두는 것이 실전에서 문제를 빠른 속도로 풀어나갈 수 있는 비결이다. 따라서 평소에 서로 어울려 쓰이는 표현을 많이 익혀두도록 한다.

Practice 1

A If there are no __________ questions, we will discuss the effects of inflation.

B Professor, I'd like to ask one more question, please.

(a) farther (b) further (c) distant (d) near

2 다양한 표현을 익힌다

일상생활과 business 상황만을 다루는 TOEIC과 달리 TEPS는 정치, 경제, 과학, 의학 등 다양한 내용을 다룬다. 따라서 평소에 AFN Korea(www.afnkorea.net)와 같은 영어 방송이나 The Washington Post(www.washingtonpost.com)와 같은 신문을 통해 다양한 영역의 표현들을 익혀두는 것이 효과적이다.

Practice 2

These days, South Korea is __________ a large number of Japanese cars.

(a) inserting (b) imposing (c) injecting (d) importing

출제빈도순 기본어휘 – Level 0

• 해설집 p.18

1 recognize (~인지) 알아보다

Even after so many years, I can **recognize** her familiar face instantly.

S identify 확인하다

2 catch a disease 병에 걸리다

During her trip to Toronto, Casandra **caught a** serious **disease**.

S contract [come down with] a disease 병에 걸리다
A cure a disease 병을 치료하다

3 subscribe to ~을 구독하다

Many people **subscribe to** *The New Yorker* for its quality writing.

S make advance payment 값을 미리 치르다

4 refund 환불

Angry consumers went back to the store and demanded a **refund**.

S reimbursement 환급, 변제
A payment 지불

5 make a reservation 예약하다

You are advised to **make a reservation** at least two weeks in advance.

S book [reserve] 예약하다
A cancel 취소하다

출제빈도순 기본어휘 – Level 1

• 해설집 p.19

1 fare
(버스, 기차 등의) 요금

In comparison with other cities, Seoul's subway **fares** are too low.

S toll 통행료

2 get the door
(손님을 맞으러) 현관으로 나가다

Honey, stop watching that stupid TV and **get the door**! Please!

S answer the door 방문객을 맞으러 문간으로 나가다

3 catch a bus
버스를 잡다

Because of the big event, we needed to **catch an** early **bus** to Ithaca.

S take a bus 버스를 타다
A miss a bus 버스를 놓치다

4 do someone a favor
부탁을 들어주다

Could you **do me a favor** and babysit my little sister for a couple of hours?

S grant someone a favor 호의를 베풀다

5 heavy traffic
혼잡한 교통

There may be creative ways to deal with **heavy traffic**.

S bumper-to-bumper traffic (자동차끼리 서로 맞닿을 정도로) 혼잡한 교통
A light traffic 적은 교통량

출제빈도순 기본어휘 – Level 2

• 해설집 p.19

1 lend 빌려주다

The government decided to **lend** great amounts of money to poor families.

S loan (특히 돈을) 빌려주다
A borrow 빌리다

2 break the news (대개 좋지 않은) 소식을 전하다

Amy **broke the news** that she broke up with Kevin.

S spring the news (갑작스럽게) 소식을 전하다
A cover up the news 소식을 은폐하다

3 available 이용[입수]할 수 있는

In South Korea, beepers are no longer **available**.

S obtainable 얻을 수 있는
A unavailable 이용할 수 없는

4 make an effort 노력하다

Every **effort** has been **made** to find the missing girl.

S put forth an effort 노력을 기울이다

5 give [lend] someone a hand ~를 도와주다

Would you be so kind as to **give me a hand** with installing the program?

S assist [help out] 돕다
A hinder 저해하다

출제빈도순 기본어휘 – Level 3

• 해설집 p.20

1 take a left
좌회전하다

Take a left and you will see a cozy house.

S hang [make] a left 좌회전하다
A take a right 우회전하다

2 suit
~에 알맞다; 어울리다

A good company is supposed to produce products that **suit** the needs of customers.

S match [go with] ~와 어울리다
A clash with ~와 맞지 않다

3 discount
할인

Faculty members are entitled to a **discount**.

S markdown 할인

4 interrupt
(말이나 행동을) 가로막다; 중단시키다

Angela's singing was **interrupted** by the booing of the audience.

S disturb 방해하다

5 be faced with
~에 직면하다

Every senior **is faced with** a challenge.

S confront 직면하다
A avoid 피하다

출제빈도순 기본어휘 – Review

A Crossword Puzzle

Across

1 to know someone or something
2 when you are trying to do something
3 to prevent someone from doing or saying something
4 able to be obtained
5 a reduction in the usual price
6 great in degree

Down

1 returned money
2 to pay money to get something regularly
3 to be appropriate for something
4 when you do something kind to someone

• 해설집 p.20

B Match up the following.

1 If someone's face is badly injured, (   )
2 If you make a reservation, (   )
3 If you subscribe to Computerworld, (   )
4 If you continue to overwork, (   )
5 If you request a refund, (   )

a you'll catch a disease.
b you will get your money back.
c you arrange your seats or rooms beforehand.
d you will have great difficulty recognizing them.
e you must be a computer nerd.

C Fill in each blank with an appropriate word from the word box.

discount	faced	fares	interrupted	suit

1 Every effort has been made to ________ the needs of our customers.
2 The conversation was ________ by the ringing of the phone.
3 Items bought at a(n) ________ cannot be exchanged.
4 City officials announced that bus ________ were scheduled to rise by 20%.
5 American society is ________ with a variety of issues.

D Fill in each blank with an appropriate word from the word box.

available	catch	efforts	favor	lends

1 Success is the sum of small ________ – repeated day in and day out. (Robert Collier)
2 Luck never gives: it only ________ . (Swedish proverb)
3 Never start in Vegas. Do your liver and your wallet a(n) ________ . (George Clooney)
4 ________ the trade winds in your sails. Explore. Dream. Discover. (Mark Twain)
5 You have to use your mind, your heart, your sense of humor, every faculty ________ to you. (Joan Baez)

600점 도전

• 해설집 p.21

Collocation

□ endure agony	□ 고뇌를 감내하다
□ relate an anecdote	□ 일화를 이야기하다
□ voice one's approval for	□ ~에 대한 승인을 표명하다
□ steal a glance at	□ ~을 훔쳐 보다
□ incur [run up] a debt	□ 빚을 지다

고급 표현

□ discrepancy	□ (=difference) 서로 어긋남
□ incessant	□ (=never-ending) 끊임없는
□ devout	□ (=committed) 독실한
□ lucrative	□ (=profitable) 수지맞는
□ redress	□ (=put right) 시정하다

관용 표현

□ bear with sth	□ (인내심을 갖고) ~을 계속하다
□ come to	□ 의식을 되찾다
□ get by	□ (금전적으로) 그럭저럭 살 만하다
□ ratchet sth down	□ (양이나 정도를) 점차로 줄여나가다
□ play it by ear	□ 상황에 맞추어 대처하다

Practice Match each word with its definition.

1	relate	a	enabling you to make a lot of money
2	voice	b	to have just enough money to live with
3	discrepancy	c	to make up for something
4	lucrative	d	to become conscious again
5	redress	e	to tell a story about something
6	come to	f	when there are great differences
7	get by	g	to express your opinion

600점 도전 연습

Questions 1-5 : Choose the one word that best fits the sentence.

• 해설집 p.21

01 **A** What happened to Nick?

B Oh, he suddenly passed out and was sent to the hospital. But he came __________ in the emergency room.

(a) by
(b) out
(c) up
(d) to

02 A natural storyteller, E. B. White always __________ a fascinating anecdote.

(a) regarded
(b) rejected
(c) related
(d) relieved

03 Her strong faith in God enabled Jenny to __________ agony.

(a) remain
(b) endanger
(c) endure
(d) remind

04 Partly because I loved her, Clara's __________ laughter filled my heart with joy.

(a) hysterical
(b) incessant
(c) nervous
(d) depressing

05 Greedy people are always looking for __________ ventures.

(a) luminous
(b) eloquent
(c) lush
(d) lucrative

Actual Test

Questions 1-20 : Choose the one word that best fits the sentence. [Time: 6 minutes]

01 **A** I'm on the phone right now. Can you ________ the door, please?

B Yeah, sure. I really wonder who's knocking at the door.

(a) make (b) take
(c) have (d) get

02 **A** How come Alice was late for the conference?

B She couldn't ________ the bus.

(a) miss (b) catch
(c) jump (d) lose

03 **A** I can't believe Jimmy was arrested.

B According to the police, he ________ enormous amount of money from the company.

(a) robbed (b) borrowed
(c) stole (d) lent

04 **A** I need to discuss something with you. What time are you ________?

B Anytime after seven.

(a) available (b) reliable
(c) reasonable (d) sensible

05 **A** An interesting ________ was conducted by CNN.

B What was it about?

(a) election (b) sample
(c) poll (d) result

06 **A** What does Oprah Winfrey look like?

B Oh, you can ________ her instantly. She has a caring smile.

(a) remember (b) recognize
(c) respond (d) recommend

07 **A** I'd like to request a ________, please.

B Could you show me the receipt, ma'am?

(a) refund (b) refusal
(c) discount (d) rip-off

08 **A** Why did you buy a new notebook computer?

B Because it has lots of cutting-edge ________.

(a) quantities (b) traits
(c) personalities (d) features

09 **A** I won't buy any products of Kosume Group.

B I heard the company is notorious for its ________ products.

(a) flawless (b) defective
(c) ideal (d) effective

10 **A** I would like to check out some books, please.

B Do you have ________?

(a) isolation (b) classification
(c) identification (d) immigration

• 해설집 p.23

11 Unfortunately, many volunteers _________ a fatal disease.

(a) caught
(b) held
(c) took
(d) fell

12 _________ traffic is commonplace in large cities in the United States, causing a lot of trouble.

(a) Thin
(b) Deep
(c) Soft
(d) Heavy

13 The online school offers the course that _________ your needs best.

(a) agrees
(b) finds
(c) suits
(d) shows

14 This is a once-in-a-lifetime chance. Make a(n) _________ online and save 20%.

(a) observation
(b) reservation
(c) conservation
(d) renovation

15 I've _________ to *The Washington Post* for nearly twenty years.

(a) subscribed
(b) submitted
(c) ascribed
(d) described

16 Students ought to _________ the dress code at all times.

(a) reserve
(b) preserve
(c) observe
(d) deserve

17 Our company proudly _________ customers with the best products possible.

(a) demand
(b) supply
(c) deny
(d) suppose

18 Poor farmers were pressed to pay off _________ debts by selling their land.

(a) excellent
(b) solid
(c) remarkable
(d) outstanding

19 His loyal soldiers were eager to _________ his order to assassinate the queen.

(a) execute
(b) betray
(c) persecute
(d) forgo

20 Many experts believe that the advent of the 21st century _________ the beginning of the age of imagination.

(a) suppresses
(b) obscures
(c) imperils
(d) signifies

Memoirs of a Country Girl ②

The ritual **went** like this. We **prepared** a bowl of water, pulled out some hairs from the "patients," and had the **miserable** people **spit** into the bowl. After that, we put the bowl in front of their houses. Then, the spirits stopped **inflicting pain** on the villagers.

Of course, you are **free to** choose not to believe this story. But you can't **deny** what you see with your own eyes. Anyway, welcome to my **enticing** hometown and my **mysterious** past!

시골 소녀 회고담 ②

의식은 다음과 같이 진행되었다. 물 한 사발을 준비하고, '환자'에게서 머리카락 몇 가닥을 뽑은 다음, 그 가엾은 처지에 있는 사람으로 하여금 사발에 침을 뱉게 했다. 그런 다음에는 그 사람 집 앞에 사발을 놓아두었다. 그러면 영혼들은 마을 사람들에게 고통을 가하는 것을 멈추었다.

물론, 이런 이야기를 믿지 않아도 된다. 그렇지만 눈으로 직접 본 것을 부정할 수는 없으니까. 어쨌든, 매혹적인 내 고향과 신비스러운 내 과거 세계에 온 것을 환영한다!

- □ go 진행되다 (=proceed)
- □ prepare 준비하다 (=arrange)
- □ miserable 비참한 (=wretched)
- □ spit (침을) 뱉다 (≒splutter 침을 튀기다)
- □ inflict (고통을) 가하다 (=exact)
- □ pain 아픔 (=ache)
- □ free to V 자유롭게 ~할 수 있는 (=at liberty to V)
- □ deny 부인하다 (=reject)
- □ enticing 매혹적인 (=attractive)
- □ mysterious 신비스러운 (≒odd 기이한)

Just for FUN ☺

'네이버 지식iN'과 비슷한 서비스를 제공하는 사이트로 Yahoo!® Answers (answers.yahoo.com)를 들 수 있다. 한 번은 **'영어에서 가장 긴 단어가 무엇인가요?'**라는 질문이 올라왔다. 이에 대해 여러 사람들이 답했는데, 투표자들은 floccinaucinihilipilification를 '최고의 답'으로 택했다. 이 단어는 글자가 29개이다. 그렇지만 정답은 45개의 글자로 된 다음의 단어이다.

pneumonoultramicroscopicsilicovolcanoconiosis

흔히 '진폐증'으로 번역되는 이 단어는 다음과 같이 분석된다.

pneumono 허파 + ultra 넘어서 + micro 작은 + scop 보다 + ic ~한 + silico 이산화규소: 실리콘 화합물의 일종 + volcano 화산 + coni 먼지 + osis 비정상적인 상태

바꾸어 말하면, 이 병은 '화산재에 들어 있는 아주 작은 이산화규소가 폐에 들어가서 생기는 병'이란 뜻이다. 그리고 문제의 floccinaucinihilipilification에 대한 분석은 다음과 같다.

flocci 가치 없는 + nauci 가치 없는 + nihil(i) 가치 없는 + pili 가치 없는 + fic ~한 + at 만드는 + ion 것

바꾸어 말하면, '가치 없게 여기는 것'이란 뜻이다. 물론, 두 단어를 실제로 쓰는 경우는 상상하기 힘들지만, 어원 분석의 강력한 힘을 확인할 수 있는 계기가 될 수 있을 것이다.

Unit 03 필수 어휘 2

출제 경향 분석 및 전략

출제빈도순 기본어휘 - Level 0

출제빈도순 기본어휘 - Level 1

출제빈도순 기본어휘 - Level 2

출제빈도순 기본어휘 - Level 3

출제빈도순 기본어휘 - Review

600점 도전

600점 도전 연습

Actual Test

이야기로 챙기는 TEPS 표현 20

Just for FUN

출제 경향 분석 및 전략 – 필수 어휘 2

출제 경향

1 일상적인 상황과 관련된 표현을 자주 출제한다

이 유형에서는 특히 '코피가 난다(My nose is bleeding.)'와 같이 일상적인 상황에 관한 표현이 자주 출제된다. 따라서 '흔히 겪는 이런 일을 영어로는 어떻게 표현할까?'라는 의문을 갖고서 다양한 표현들을 정리해 두는 것이 효과적이다.

2 고급 수준의 표현을 측정하는 문제가 늘고 있다

'외딴 섬(a remote island)'과 같이 다소 까다로운 어휘를 쓰는 고급 수준의 표현이 출제되는 경우가 늘고 있다. 따라서 어렵지만 자주 접하게 되는 고급 표현들은 특히 신경을 써서 익혀둘 필요가 있다. 이를 위해 위키피디아(en.wikipedia.org)와 같은 자료를 활용하자.

맛보기

예제 1

A Can you tell me how I can relieve my __________ nose?
B You can take chlorpheniramine. It's an over-the-counter drug.

(a) big (b) hooked (c) long (d) runny

예제 2

In fact, there are many cases in which a __________ mistake turns into a major disaster.

(a) cheerful (b) brilliant (c) minor (d) mean

• 해설집 p.33

전략

1 고급 수준의 표현을 익힌다

이 유형에서도 다소 생소한 표현들이 출제될 수 있다. 예컨대 '질문에 답하다'라는 표현은 대개 'answer a question'으로 알고 있는데, 이밖에도 'field a question'이란 표현을 쓸 수 있다. 따라서 이처럼 고급 수준에 속하는 자연스러운 표현을 익혀두는 것이 바람직하다.

Practice 1

A I think Clara Cook is a superb teacher.

B I think so, too. She always finds the best way to ________ students' interest in any subject.

(a) diminish (b) arouse (c) stall (d) deter

2 정확한 표현을 익힌다

전반적으로 유창성(fluency)이 강조되는 수능시험에 비해, TEPS는 정확성(accuracy)이 특히 강조된다. 이 점은 문법이나 어휘에서 특히 두드러지기 때문에, 단어의 뜻을 대충 알아서는 TEPS에 제대로 대비할 수 없다. 따라서 비슷한 형태나 의미를 가지는 단어들도 그 차이를 정확히 익혀두고, 단어의 정확한 뜻과 쓰임새를 챙기려는 노력을 기울이자.

Practice 2

Traffic laws are supposed to protect ________ from possible dangers on the road.

(a) pediatrician (b) technician (c) pedestrians (d) humanitarian

출제빈도순 기본어휘 – Level 0

• 해설집 p.35

1 cancel 취소하다

The university was forced to **cancel** Dr. Vivian's course because she was a controversial figure.

S call off 취소하다

2 symptom 증상

Feeling hopeless is a common **symptom** of depression.

S indication 징후

3 require 요하다

Stem cell research **requires** enormous amounts of funding and, more importantly, patience.

S necessitate 요하다

4 factor 요인

Ironically, dispassion is one of the key **factors** in success.

S ingredient 요소

5 part 역할

Maintaining a healthy relationship can play a **part** in maintaining mental health.

S role 역할

출제빈도순 기본어휘 – Level 1

• 해설집 p.36

1 inhabit
거주하다

Innocent children often wonder what kinds of beings **inhabit** the stars.

S dwell 거주하다

2 run
(사업체 등을) 운영하다

My younger sister **runs** a small company serving the needs of the physically challenged.

S manage 운영하다

3 postpone
연기하다

Afraid of an attack from angry fans, Peggy **postponed** her flight to Togo.

S delay [put off] 연기하다

4 alternative
대안적인

Even today, the so-called orthodox doctors question the validity of **alternative** medicine.

S substitute 대체(代替)의

5 check
확인하다

Before I tell you the secret, I need to **check** that the door is closed tight.

S verify 확인하다

출제빈도순 기본어휘 – Level 2

• 해설집 p.36

1 improve 향상시키다

The truth is that you can significantly **improve** your life by believing in yourself.

S enhance 향상시키다
A deteriorate 악화시키다

2 confuse 혼동하다

These days, too many people tend to **confuse** wealth with happiness although they are radically different from each other.

S confound 혼동하다

3 renew 갱신하다

International students are kindly advised to **renew** their visas in their home countries, not in the United States.

S replace 대체하다

4 customs 세관

When you get through **customs**, you usually need to state your purpose of visit.

5 accuse 비난하다; 고소하다

Several politicians were **accused** of selling their country to one of the superpowers.

S reproach 비난하다; charge 고소하다

출제빈도순 기본어휘 – Level 3

• 해설집 p.37

1 monitor (수시로) 확인하다

A glucometer is a device that diabetics use to **monitor** their blood sugar levels.

S keep an eye on ~를 감시하다

2 compete 경쟁하다; 대적하다

By providing customized service, the small firm **competed** against large corporations.

S contend 경쟁하다; rival 대적하다

3 go on strike 파업을 벌이다

Enraged by their poor working conditions, thousands of bus drivers **went on strike**.

S stage a walkout 파업을 벌이다
A break a strike 파업을 끝내다

4 promotion 승진

Having exceeded her sales quota, Marriane finally got a long-awaited **promotion**.

S advancement 승진
A demotion 강등

5 solicit 간청하다

In the film *Spider-Man 3*, Peter Parker **solicits** assistance from his old friend Harry.

S plead for 간청하다
A grant (간청 등을) 들어주다

출제빈도순 기본어휘 – Review

A Crossword Puzzle

Across

1 something that affects a particular situation
2 to take the place of something used
3 things you experience when you are ill
4 to make something better
5 able to be used instead of something

Down

1 someone who is walking on the street
2 to need to do or have something
3 to watch something constantly
4 to get a more important position
5 to decide to do something later

• 해설집 p.37

B Match up the following.

1 If you cancel a concert, (   )
2 If you catch a cold, (   )
3 If you are required to do something, (   )
4 If something is a factor in an event, (   )
5 If you play a part in an event, (   )

a you really need to do it.
b it can affect the event.
c you contribute to it in a particular way.
d you will not sing in front of an audience.
e coughing will be one of your symptoms.

C Fill in each blank with an appropriate word from the word box.

accusing	check	confuse	improve	run

1 By relaxing your mind and body, meditation can greatly __________ your health.
2 In fact, I often __________ taekwondo with karate.
3 My dream is to __________ a business selling quality products at low prices.
4 Are you __________ me of lying? Or are you questioning my authority?
5 When meeting a new guy, always __________ whether he is a decent person.

D Fill in each blank with an appropriate word from the word box.

alternative	compete	factor	inhabit	symptom

1 The habit of common and continuous speech is a(n) __________ of mental deficiency. (Walter Bagehot)
2 It is change, continuing change, inevitable change, that is the dominant __________ in society today. (Isaac Asimov)
3 When we read a story, we __________ it. The covers of the book are like a roof and four walls. (John Berger)
4 As a comforter, philosophy cannot __________ with a good dinner. (Mason Cooley)
5 Set up __________ university program freeing a student from all curriculum responsibilities. (John Cage)

600점 도전

• 해설집 p.38

Collocation

□ abusive language	□ 욕설
□ blackmail	□ (상대의 약점을 이용하여) 강요하다
□ convene an assembly	□ 회의를 소집하다
□ overdue	□ 기한이 지난
□ make a scene	□ 소란을 피우다

고급 표현

□ adept at[in]	□ (=proficient) ~에 숙달된
□ contagious	□ (=infectious) 전염성이 있는
□ deficiency	□ (=deficiency) 결핍
□ impious	□ (=irreverent) 불경한
□ sparingly	□ (=thriftily) 아껴서

관용 표현

□ clog up	□ (일정한 장소를) 가로막다
□ hinge on sth	□ (온전히) ~에 달려 있다
□ miss out	□ (유익한 기회를) 놓치다
□ summon up sth	□ (기억이나 이미지를) 떠올리게 하다
□ pick up the tab	□ 비용을 치러주다

Practice Match each word with its definition.

1	blackmail	a	doing something very well
2	overdue	b	not respecting God
3	adept	c	to block something
4	deficiency	d	to threaten someone using their secret
5	impious	e	when there is not enough of something
6	clog up	f	to make someone remember something
7	summon up	g	not done by the scheduled time

600점 도전 연습

Questions 1-5 : Choose the one word that best fits the sentence.

• 해설집 p.38

01 **A** I'm afraid I can't make it to the concert.
B You see, I think you're __________ out on a rare chance.

(a) making
(b) missing
(c) giving
(d) taking

02 The assembly was __________ in order to discuss how to punish the traitors.

(a) conversed
(b) converted
(c) converged
(d) convened

03 The news on their release was long __________.

(a) overdone
(b) overcrowded
(c) overdue
(d) overdosed

04 Unfortunately, there is a(n) __________ of funds for helping women to become economically independent.

(a) defect
(b) excess
(c) excerpt
(d) deficiency

05 The secret of good writing is to use modifiers __________.

(a) sparingly
(b) amply
(c) profusely
(d) inadvertently

Actual Test

Questions 1-20 : Choose the one word that best fits the sentence. [Time: 6 minutes]

01 **A** Honey, I really like this lovely dress.
B I'm afraid we can't afford it. It's too much ________.

(a) cheap (b) common
(c) low (d) expensive

02 **A** This year's contest was a huge success.
B Yeah. Everybody played a ________ in it.

(a) parcel (b) part
(c) piece (d) pack

03 **A** Melissa has great difficulty fitting in.
B I think she'll ________ it in no time.

(a) overcome (b) overwork
(c) overreact (d) overeat

04 **A** Because we do not have enough money, we need to ________ the event.
B Is that the best solution you can come up with?

(a) insert (b) remove
(c) confirm (d) cancel

05 **A** Are pets allowed in the dormitory?
B Sorry, but no student is ________ to keep pets.

(a) prevented (b) excluded
(c) permitted (d) included

06 **A** Sarah's concert has been ________ to next Friday.
B What? I'll be out of town then. What should I do?

(a) proposed (b) produced
(c) composed (d) postponed

07 **A** Rose had been coughing all night.
B Were there any other ________?

(a) symptoms (b) omens
(c) hazards (d) warnings

08 **A** Professor, when is the term paper due?
B You must ________ it by next Tuesday.

(a) omit (b) submit
(c) admit (d) emit

09 **A** Here is my passport. I'd like to fly to New York next month.
B Sorry, ma'am. Your passport expires next Wednesday. You must ________ it.

(a) recharge (b) refresh
(c) renew (d) recall

10 **A** Sorry, but I've got to go. I should be home by ten.
B Are your parents imposing a ________ on you?

(a) curfew (b) curse
(c) liberty (d) variety

• 해설집 p.41

11 Mastering a foreign language __________ passion.

(a) acquires
(b) inquires
(c) requires
(d) coerces

12 Creativity is increasingly becoming an important __________ in success.

(a) cause
(b) factor
(c) faculty
(d) basis

13 Prior to the meeting, Kimberly gave us a broad __________ of the project.

(a) outfit
(b) outlook
(c) output
(d) outline

14 Tolerance can be a viable __________ to violence.

(a) interchange
(b) original
(c) fake
(d) alternative

15 Lower education budgets can lead to lower __________ rate.

(a) crime
(b) divorce
(c) literacy
(d) interest

16 The reconstruction of the country reached a critical __________.

(a) phase
(b) pattern
(c) sequence
(d) display

17 Experts have pointed out that tough measures should be taken to __________ peace in Iraq.

(a) recruit
(b) restrict
(c) resort
(d) restore

18 We are doing our best to fill the __________ in the position of head teacher.

(a) vacancy
(b) vaccine
(c) virtue
(d) vacuum

19 The coastal areas were __________ by rare species of crocodiles.

(a) inhibited
(b) inhabited
(c) resided
(d) resigned

20 To meet the needs of the poor students, we have no choice but to __________ funds from rich families.

(a) soothe
(b) afford
(c) solicit
(d) veto

Memoirs of a Country Girl ③

From the very beginning of my life, I was a **realist**: I **instantly** sensed what others wanted from me and was ready to make a **deal** with them. With my best **interests** in mind, of course. I dared to do "business" with the spiritual forces. In a sense, this ability of mine was supposed to **protect** me from any dangers that a little girl might **face** in her life.

As I mentioned earlier, my neighbors lived with the spiritual forces. But as time **went by**, the villagers became **attracted** to modern technology. And along with it came a "modern" religion. The followers believed in the biggest god. Their temples were **huge** and beautiful. So many villagers began to believe in the "outside" god, which was a **threat** to the spiritual forces.

Translation

시골 소녀 회고담 ③

태어나면서부터 나는 현실주의자였기에, 다른 이들이 내게서 원하는 것이 무엇인지를 금방 알아차렸고 기꺼이 거래를 할 준비가 되어 있었다. 물론, 나 자신에게 가장 이익이 되는 것을 염두에 두고서. 나는 감히 영혼들과도 '거래'를 하려고 했다. 어떻게 보면, 내 이런 능력은 어린 소녀인 내가 삶에서 마주치게 될 위험으로부터 나를 지켜내기 위한 것이었으리라.

앞에서 말했듯이, 우리 이웃들은 영혼들과 삶을 공유했다. 그렇지만 세월이 흐르면서, 마을 사람들은 현대 기술에 매력을 느끼게 되었다. 그와 함께 '현대적인' 종교도 들어오게 되었다. 그 종교를 따르는 이들은 가장 큰 신을 섬겼다. 사원은 거대하면서도 아름다웠다. 많은 마을 사람들이 이 '외래의' 신을 믿기 시작했는데, 이것은 영혼들에게는 위협이었다.

Glossary

- □ realist 현실주의자(=down-to-earth person)
- □ instantly 즉각적으로, 금방 (=instantaneously)
- □ deal 거래 (=transaction)
- □ interest 이익 (=gain)
- □ protect 보호하다 (=safeguard)
- □ face 직면하다 (=confront)
- □ go by (시간이) 흐르다 (=pass by)
- □ attract 매혹시키다 (≒entice 유혹하다)
- □ huge 거대한 (=gigantic)
- □ threat 위협 (=intimidation)

Just for FUN ☺

'스펀지'라는 방송 프로그램이 있다. 2006년 4월 29일에는 '영어 86'에 대한 내용이 방송되었다. 이 방송에서는 영어의 **eighty-six**가 무슨 뜻인지, 그리고 그 유래가 무엇이며, 언제부터 통용되기 시작했는지가 소개되었다. '스펀지'에 따르면 eighty-six는 **'내쫓다'**라는 뜻으로 **'골치 아픈 손님을 내보려는 뜻의 식당종업원 사이의 암호'**에서 비롯되었다고 한다. 또한 이 표현이 **'1968년 7월 31일 The New York Times에 사용되면서 통용되기 시작했다'**라고 주장한다. 뜻은 엇비슷하지만, 단어의 유래와 통용 시기에 대한 설명은 잘못되었다.

우선, eighty-six의 뜻에 대해서는 대체로 정확하다고 말할 수 있다. 단어에 대한 엄정한 정의로 유명한 『Encarta® World English Dictionary』에서는 이 단어를 크게 **'제거하다'**와 **'손님을 접대하지 않다'**라는 뜻으로 설명한다. 문제가 되는 것은 이 단어의 유래와 통용 시기이다.

첫째, 이 단어의 유래와 관련하여 가장 타당한 설명은 eighty-six가 **'거부하다'**라는 뜻의 nix와 운(rhyme)을 맞춘 속어라는 입장이다. 이것이 『The Oxford English Dictionary, 2nd Edition』과 『Webster's Third New International Dictionary, Unabridged』가 취하는 입장이다.

둘째, 이 표현의 통용 시기에 대한 '스펀지'의 설명은 잘못되었다. 『Merriam-Webster Collegiate Dictionary, 11th Edition』은 **1959년**을 통용 시기로 파악한다. 그리고 『The Oxford English Dictionary, 2nd Edition』은 **1936년**을 통용 시기로 잡고 있다.

이처럼 정확한 정보를 제공하는 미국이나 영국의 사전처럼 **우리도 우리말에 대한 방대한 자료를 제공하는 사전을 갖추어야 하지 않을까?**

(보다 자세한 내용은 저자가 mollitia라는 아이디로 '스펀지 시청자 게시판'에 '영어 86 관련 내용에 대한 소고 [No. 44030]'라고 쓴 글을 참고하세요.)

Unit 04 고급 어휘 1

출제 경향 분석 및 전략

출제빈도순 기본어휘 - Level 0

출제빈도순 기본어휘 - Level 1

출제빈도순 기본어휘 - Level 2

출제빈도순 기본어휘 - Level 3

출제빈도순 기본어휘 - Review

600점 도전

600점 도전 연습

Actual Test

이야기로 챙기는 TEPS 표현 20

Just for FUN

출제 경향 분석 및 전략 – 고급 어휘 1

출제 경향

1 라틴어 계열의 고급 어휘를 측정한다

이 유형은 본래 'arbitrary(자의적인)'와 같이 라틴어 계열에 속하는 고급 어휘를 측정한다. 의미가 까다로울 뿐만 아니라 한번 익혀도 완벽하게 기억하기 힘들기 때문에 학습에서나 실전에서나 부담이 큰 부분이라는 점에 주의할 필요가 있다.

2 SAT 수준의 난이도 높은 어휘를 출제한다

문어체의 후반부 5문제 정도는 미국의 대입 시험이라고 할 수 있는 SAT 수준의 어휘를 측정한다. 'vim(활력)'과 같이 평소에 접하기 힘든 표현들을 측정하기 때문에 평소에 학습 범위를 넓히려는 노력이 요구된다.

맛보기

예제 1

A What do you think is your strength as a manager?
B I think I'm very good at __________ teamwork among my team members.

(a) hampering (b) facilitating (c) impending (d) defying

예제 2

Being a sensitive teacher, Diana sensed that Bob's __________ behavior was a plea for attention.

(a) normal (b) passive (c) eccentric (d) compliant

• 해설집 p.50

전략

1 고급 어휘의 구성 원리를 활용하라

고급 어휘는 모두 어원을 활용하여 분석할 수 있다는 특징이 있다. 특히, 부분적인 어원 분석이 아니라 전체에 걸친 어원 분석이 훨씬 효과적임에 유의해야 한다. 전체적인 분석을 할 때는 Encarta® World English Dictionary(dictionary.msn.com)와 같은 자료를 참고하는 것이 도움이 된다.

Practice 1

A Christmas is just a week away. I'm so excited.
B Well, I just ________ to spend some time with my mother.

(a) extend (b) intend (c) contend (d) attend

2 맥락을 활용하여 고급 어휘를 익히라

이처럼 어원 분석은 매우 강력한 도구이다. 그렇지만 어휘 학습의 보다 강력한 도구는 언제나 맥락 활용이라는 점을 명심하자. 왜냐하면 단어는 모두 일정한 맥락에서만 뜻을 가질 수 있기 때문이다. 따라서 앞뒤에 오는 말이나 일정한 상황을 고려하여 고급 어휘가 가지는 의미를 짐작하는 습관을 들일 필요가 있다.

Practice 2

The recent surge in oil prices is an ________ sign for many developing countries.

(a) enthusiastic (b) omissive (c) auspicious (d) ominous

출제빈도순 기본어휘 – Level 0

• 해설집 p.52

1 eligible 자격이 있는

All students from low-income families are **eligible** for the scholarship.

S entitled 자격이 있는
A ineligible 자격이 없는

2 confidential 기밀의

The greedy military officers were more than willing to leak **confidential** information to their archenemy.

S classified 기밀의
A open 공개된, 개방된

3 accommodate 수용하다

The state-of-the-art health center was specially designed to **accommodate** the physically challenged.

S billet 숙영시키다

4 interim 과도적인

To our great disappointment, the **interim** government was too weak and corrupt to effect a radical reform.

S ad hoc 임시적인
A permanent 영구적인

5 tentative 잠정적인

Surprisingly, the company's **tentative** steps produced long-lasting, positive results.

S provisional 잠정적인
A definite 확정된

출제빈도순 기본어휘 – Level 1

• 해설집 p.53

1 compatible 양립할 수 있는

White supremacists need to realize that intolerance toward minority groups is not **compatible** with the ideal of democracy.

S congruent 잘 조화되는
A incompatible 양립할 수 없는

2 benign 양성의

Although they are not so serious as malignant tumors, **benign** tumors can cause serious damage to the patient's organs.

S benevolent 선의의
A malignant 악성의

3 endorse 지지하다

Logan's radical ideas were not **endorsed** by the majority of members.

S sanction 인가하다
A reject 거부하다

4 cautious 조심성 있는

In order to avoid unnecessary trouble, be extremely **cautious** about opening attached files.

S wary (문제를 감안하여) 신중한
A rash 무모한

5 ingredient 요소; 재료

Exposure to spiritual teachings is an essential **ingredient** in developing character.

S factor 요인

출제빈도순 기본어휘 – Level 2

• 해설집 p.54

1 sanction 승인하다

It is highly unlikely that the United Nations will **sanction** an attack on the autocratic regime.

S authorize 승인하다
A veto 거부하다

2 vivid 생생한

Ella still had **vivid** memories of a boy crying for independence from Sparta.

S graphic 생생한
A vague 흐릿한

3 complacent 자만하는

With the world rapidly changing, nobody has the luxury of being **complacent**.

S smug 자만하는
A modest 겸손한

4 frivolous 사소한

Never let **frivolous** worries frustrate your ambition.

S trivial 사소한
A serious 중대한

5 mandate 위임하다

The committee was **mandated** to investigate the cause of the mysterious event.

S authorize 위임하다

출제빈도순 기본어휘 – Level 3

• 해설집 p.54

1 unprecedented

전례 없는

Right after the release of her new album, Britney enjoyed **unprecedented** popularity.

S unparalleled 비길 데 없는
A ordinary 평범한

2 pretext

구실, 핑계

The rule of the majority is often used as a convenient **pretext** for suppressing the rights of the minority.

S excuse 핑계

3 barren

불모의

Many young farmers were disheartened by the sight of **barren** land.

S sterile 불모의
A fertile 다산의

4 gratuitous

불필요한

Many TV companies are trying to play down the impact of **gratuitous** violence in TV shows.

S unwarranted 합당하지 않은

5 blatant

뻔뻔한

The President was severely criticized for his **blatant** disrespect for the Constitution.

S flagrant (거짓말, 실수 등이) 명백한
A furtive 은밀한

출제빈도순 기본어휘 – Review

A Crossword Puzzle

Across

1 bringing bad luck
2 done without a good purpose; unnecessary
3 able to exist together
4 serving a purpose for a short time

Down

1 meant to be secret
2 permitted to do or have something
3 careful about something
4 making clear images in your mind
5 to allow you to do something
6 to publicly say that you agree with someone

• 해설집 p.55

B Match up the following.

1 If you are eligible for something, (   )
2 If something is confidential, (   )
3 If a place accommodates a number of people, (   )
4 If an interim report is made, (   )
5 If you make tentative plans, (   )

a it is not likely to be conclusive.
b they are likely to change.
c you are allowed to get it.
d they can stay in it.
e there are few people who can access it.

C Fill in each blank with an appropriate word from the word box.

cautious	complacent	frivolous	ingredient	vivid

1 Having faith in yourself is a vital ______ in success.
2 Unfortunately, today's youth are preoccupied with ______ pursuits.
3 Brooke had ______ memories of those years when she had served as a naval officer.
4 Being so ______, the company failed to respond to the challenge effectively.
5 You can't be ______ enough about choosing a friend.

D Fill in each blank with an appropriate word from the word box.

compatible	confidential	endorse	frivolous	pretext

1 ... and love is ______ with universal wisdom. (Ralph Waldo Emerson)
2 Consumer wants can have bizarre, ______, or even immoral origins... (John Kenneth Galbraith)
3 Caution is the ______ agent of selfishness. (Woodrow Wilson)
4 I refuse, and the Republican Party refuses, to ______ that method of sham and shoddy economy. (Calvin Coolidge)
5 If this phrase of the "balance of power" is to be always an argument for war, the ______ for war will never be wanting... (John Bright)

600점 도전

• 해설집 p.56

Collocation

- □ a legal loophole — □ 법의 허점
- □ take revenge on ~ — □ ~에게 복수하다
- □ densely populated — □ 인구가 밀집되어 있는
- □ make mischief — □ 이간질하다
- □ a sequel to ~ — □ ~의 후속편

고급 표현

- □ preliminary — □ (=preparatory) 예비의
- □ faction — □ (=clique) 파벌
- □ malicious — □ (=malevolent) 악의적인
- □ diversify — □ (=branch out) 다각화하다
- □ elucidate — □ (=clarify) 명확하게 밝히다

관용 표현

- □ bottle sth up — □ (강한 감정을) 간신히 억누르다
- □ fade away — □ (점차) 사라지다
- □ play sth down — □ 평가절하하다
- □ take sth in — □ (지식이나 정보를) 흡수하다
- □ get the hang of sth — □ ~을 다루는 요령을 터득하다

Practice Match each word with its definition.

1	revenge	a	occurring before something else
2	densely	b	to learn how to do something
3	preliminary	c	to regard something as less important
4	malicious	d	with so many people or things
5	elucidate	e	something done as a punishment
6	play sth down	f	wanting to hurt other people
7	get the hang of sth	g	to make something clear

600점 도전 연습

Questions 1-5 : Choose the one word that best fits the sentence.

• 해설집 p.56

01 **A** Everybody says you're a superb cook. What's your secret?

B Once I got the __________ of how to cook, I dedicated myself to developing my own recipes.

(a) bang
(b) slang
(c) hang
(d) pang

02 With its population constantly increasing, Seoul is definitely one of the most __________ populated cities in the world.

(a) sparsely
(b) meagerly
(c) densely
(d) sporadically

03 Ironically, lawyers are excellent at taking advantage of legal __________.

(a) manholes
(b) potholes
(c) loots
(d) loopholes

04 Hankering after immediate profits, the entrepreneur turned into a __________ monster.

(a) benign
(b) malicious
(c) munificent
(d) magnanimous

05 In order to survive and thrive, we have no alternative but to __________ our business base, seeking entry into other markets.

(a) specialize
(b) specify
(c) stipulate
(d) diversify

Actual Test

Questions 1-20 : Choose the one word that best fits the sentence. [Time: 6 minutes]

01 **A** Are you sure Clara will meet the deadline?
B Positive. She is a very __________ author.

(a) religious (b) reliable
(c) relevant (d) relative

02 **A** How many people can the meeting room __________?
B Up to 300 people.

(a) accompany (b) accomplish
(c) account (d) accommodate

03 **A** What happened? Why was Patrick hospitalized?
B He was involved in a head-on __________.

(a) division (b) supervision
(c) collision (d) precision

04 **A** You look worn out.
B Yeah. I've had a(n) __________ schedule.

(a) serene (b) hectic
(c) agile (d) placid

05 **A** How can I be __________ for a scholarship?
B First of all, you need to have a high GPA.

(a) eligible (b) intangible
(c) legible (d) incurable

06 **A** Is this anti-virus software __________ with Apple computers?
B Yes, it is. In fact, you can use it on any computer.

(a) susceptible (b) inevitable
(c) compatible (d) insurmountable

07 **A** Can you give me information about my __________?
B Even if he didn't pay rent, we can't give you any information about him. It's against the law.

(a) landlord (b) loan shark
(c) creditor (d) tenant

08 **A** Is it true that he developed a tumor?
B Yes, but fortunately, it turned out to be a(n) __________ one.

(a) benign (b) malignant
(c) malevolent (d) altruistic

09 **A** Which candidate do you __________?
B Definitely Willow Rosenberg. She is really a forward-thinking politician.

(a) censure (b) endorse
(c) decry (d) repent

10 **A** What makes you like Sarah so much?
B I like it when she __________. It gives me a sense of liveliness.

(a) restrains (b) sequesters
(c) improvises (d) incarcerates

• 해설집 p.59

11 Research has found that ________ is closely associated with heart diseases because of extra weight.

(a) adversity
(b) diversity
(c) density
(d) obesity

12 Politicians should be harshly ________ for failing to improve the lives of ordinary citizens.

(a) admonished
(b) vanished
(c) replenished
(d) extolled

13 The corrupt government official was eager to leak the ________ data to anyone willing to give him money.

(a) potential
(b) confidential
(c) unhampered
(d) maladroit

14 The inefficient government took some ________ measures to curb inflation.

(a) putative
(b) profane
(c) tentative
(d) hallowed

15 Surprisingly, we can get interesting facts from a country's ________ data.

(a) epistemological
(b) anatomical
(c) physiological
(d) demographic

16 The appeal was ________ by a righteous judge.

(a) overruled
(b) impeached
(c) arraigned
(d) indicted

17 Many military experts were baffled by the ________ report on the situation in Iraq.

(a) pacific
(b) interim
(c) rapacious
(d) innocuous

18 Cruel by nature, the criminal thought nothing of committing a ________.

(a) felony
(b) magnanimity
(c) philanthropy
(d) contrition

19 Disgusted by its violent scenes, the committee was unwilling to ________ the release of the controversial DVD.

(a) proscribe
(b) consecrate
(c) dissent
(d) sanction

20 Largely due to its messages of hope and love, the religion is enjoying ________ popularity.

(a) divergent
(b) demure
(c) unprecedented
(d) subsiding

이야기로 챙기는 TEPS 표현 20

Memoirs of a Country Girl ④

I became interested in the **outside** god, too. This was partly because I came to **hate** the spiritual forces. They made me sick! They seemed **disgusting**! So I went to the nice temple of the outside god. The building was **gorgeous**. And the followers gave me a book, which was small but **shiny**. I felt extremely happy. **Naturally**, I decided to believe in the outside god.

But my newly-found faith was **persecuted** by the spiritual forces of my village. One night, they **rendered** me **unconscious**. After a while, I woke up but couldn't open my eyes. One of the spirits ordered that I not go to the temple again. I couldn't **resist** and gave up easily. "OK, I won't go there again. But let me open my eyes first!" I yelled. "It's a deal, little girl," they replied.

Translation

시골 소녀 회고담 ④

나도 또한 외래의 신에 관심을 갖게 되었다. 이는 한편으로는 영혼들이 미워져서이기도 했다. 나를 병들게 만들었으니까! 역겨운 거 같았으니까! 그래서 나는 외래의 신의 근사한 사원으로 갔다. 사원은 화려하기 짝이 없었다. 신도들은 내게 책을 주었는데, 작지만 반짝이는 책이었다. 너무도 행복에 겨웠다. 당연히 외래의 신을 믿기로 마음먹었다.

그렇지만 새롭게 찾은 내 신앙 때문에 나는 우리 마을의 영혼들로부터 박해를 받았다. 어느 밤, 영혼들은 내가 의식을 잃도록 만들었다. 한참 후에 깨어났지만 눈을 뜰 수가 없었다. 영혼들 가운데 하나가 다시는 그 사원에 가지 말라고 명령했다. 저항할 수가 없었기에 쉽게 포기해 버렸다. "좋아요, 다시는 가지 않을게요. 그렇지만 먼저 눈을 뜨게 해 줘요!"라고 소리쳤다. "꼬마야, 약속한 거야."라고 영혼들이 답했다.

Glossary

- □ outside 외부의; 외래의 (=external)
- □ hate 몹시 미워하다 (=detest)
- □ disgusting 역겨운 (=repulsive)
- □ gorgeous (눈부시게) 화려한 (=dazzling)
- □ shiny 반짝이는 (=glistening)
- □ naturally 당연히 (=of course)
- □ persecute 박해하다 (=oppress)
- □ render ~하도록 만들다 (=cause)
- □ unconscious 의식을 잃은 (≒insentient 의식이 없는)
- □ resist 저항하다 (≒oppose 반대하다)

Just for FUN ☺

언어 순수주의자들(language purists)로부터 호평을 받는 『The American Heritage® Book of English Usage』에는 **affect와 effect의 차이**에 대한 내용이 실려 있다.

우선 이 표현을 왜 원어민들이 혼동하는지를 알아야 한다. 보통 우리는 effect에서 e의 발음이 '이'에 가깝다고 생각하지만 실제로는 '어'에 약간 가깝게 소리 난다. 따라서 보통 원어민들은 affect와 effect를 똑같게 소리 낸다. 이처럼 소리가 같기 때문에 같은 말로 혼동할 수도 있다. affect와 effect를 분석하면 다음과 같다.

affect = af(← ad, 향해서) + fect(만들다)
→ ~를 향해 무엇인가를 만들어내다
→ ~에 영향을 미치다

effect = ef(← ex, 밖으로) + fect(만들다)
→ 만들어서 밖으로 드러나는 것
→ 효과 ; ~를 초래하다

『The American Heritage® Book of English Usage』에서는 다음과 같이 affect를 제대로 사용한 예를 들고 있다.

The Surgeon General's report outlined how smoking affects health.
(미국) 보건국장 보고서는 흡연이 건강에 미치는 영향을 정리했다.

많은 원어민들은 이때도 affect와 effect 중 어느 쪽을 써야 하는지 고민한다.

영어 능력 시험에 이들 언어 순수주의자들의 영향이 꽤 강하다는 점을 생각할 때, 이들의 입장은 일단 정확히 알아두는 것이 현명한 전략이 아닐까?

Unit 05 고급 어휘 2

출제 경향 분석 및 전략

출제빈도순 기본어휘 - Level 0

출제빈도순 기본어휘 - Level 1

출제빈도순 기본어휘 - Level 2

출제빈도순 기본어휘 - Level 3

출제빈도순 기본어휘 - Review

600점 도전

600점 도전 연습

Actual Test

이야기로 챙기는 TEPS 표현 20

Just for FUN

출제 경향 분석 및 전략 - 고급 어휘 2

출제 경향

1 주요 고급 어휘를 반복해서 출제한다

예컨대 'authentic(진정한)'이란 단어와 같이 중요한 고급 어휘들은 반복적으로 출제되는 경향이 있다. 이와 같은 어휘는 대개 고급 수준의 글을 읽을 때 꼭 필요한 표현들인 경우가 많다. 따라서 U.S. News & World Report(www.usnews.com)와 같은 자료를 활용해서 자주 등장하는 고급 어휘를 정리해 두어야 한다.

2 의미가 혼동되는 어휘를 측정한다

예컨대 'corroborate(입증하다)'와 같이 뜻이 헷갈리기 쉬운 표현들이 많이 출제된다. 발음이나 형태가 비슷한 다른 단어 때문에 혼동하기 쉬운 표현들을 정확히 익혀두는 것이 효과적인 대비책이다.

맛보기

예제 1

A What kind of girl is she?
B She is __________ and does not cause any trouble.

(a) mischievous (b) defiant (c) obedient (d) indolent

예제 2

Stock prices tend to __________ widely.

(a) collaborate (b) inaugurate (c) relinquish (d) fluctuate

• 해설집 p.69

전략

1 어원에 대한 감각을 최대한 활용하라

고급 어휘와 관련된 문제에 대해서는 어원에 대한 감각을 많이 활용하는 것이 효과적이다. 고급 어휘가 쉽게 접할 수 있는 단어들이 아니기 때문에, 한 번 익혔다 하더라도 완전하게 습득하기까지 일정한 시간이 필요하다. 자연스러운 맥락의 활용을 통해 이 시간을 어느 정도 단축시킬 수 있긴 하지만, 여전히 시간이 소요된다. 따라서 어원에 대한 감각을 최대한 활용하는 것이 보다 나은 접근법이다.

Practice 1

A Do you know why Eva can't come to the prom?
B Well, her parents didn't give their ________.

(a) dissent (b) disapproval (c) consent (d) inadequacy

2 섬세한 의미 차이에 주목하라

고급 어휘들은 일단 익히기도 힘들지만, 익혔다 하더라도 섬세한 의미 차이 때문에 적절하게 활용하는 데 어려움을 겪는 경우가 많다. 이것은 다양한 상황에서 널리 쓰일 수 있는 순수 영어 어휘와 달리 라틴어 계열 어휘가 정밀한 뜻을 나타내기 때문이다. 따라서 어원 분석 등을 통해 섬세한 의미 차이를 익혀두어야 한다.

Practice 2

Help other human beings out of ________, not out of sympathy.

(a) scorn (b) empathy (c) illiteracy (d) commiseration

출제빈도순 기본어휘 – Level 0

• 해설집 p.71

1 precaution 예방

Choosing products with care is always a wise **precaution**.

S safeguard 방어책

2 priority 우선권

Being truthful to yourself is a top **priority** in your life.

S precedence 우선권

3 agenda 의제

Producing healthy citizens is high on the **agenda** for any true democracy.

S laundry list 처리 대상 목록

4 obituary 부고

In her **obituary** for her father, Ava sadly recounted how many times he had made her laugh hard.

S necrology 부고

5 equivocate 얼버무리다

Whenever the subject of his divorce came up, the shrewd politician **equivocated**.

S beat around the bush 말을 빙빙 둘러대다
A talk turkey 단도직입적으로 말하다

출제빈도순 기본어휘 – Level 1

• 해설집 p.72

1 candid 진솔한

The **candid** woman openly admitted that she had an affair with the senator.

S frank 솔직한
A guarded (정보 제공에 관해) 신중한

2 futile 헛된

Attempts to save the Earth proved **futile** because it was being attacked by too many alien spaceships.

S vain 헛된
A fruitful 좋은 결실을 맺는

3 encompass 포괄하다

Cognitive science **encompasses** many aspects of philosophy, psychology, linguistics, neurobiology, and computer science.

S incorporate 통합하다

4 emphatic 단호한

Hannah's mother was **emphatic** that she should not apply cosmetics.

S categorical 단정적인
A hesitant 주저하는

5 languish 쇠퇴하다

In spite of all our sincere efforts, new product sales continued to **languish** in the third quarter.

S deteriorate 악화되다
A thrive 번창하다

출제빈도순 기본어휘 – Level 2

• 해설집 p.72

1 instill (가르침 등을 마음에) 심어주다

Would it be possible for scientists to **instill** creativity into computers?

S impart (특성 등을) 부여하다

2 rudimentary 기본적인

By reading Strunk and White's *Elements of Style*, you can gain a **rudimentary** knowledge of English usage.

S basic 기본적인
A advanced 고급의

3 voracious (간절히) 열망하는

Being a **voracious** reader, Sophia read everything she could get her hands on and then came across a book that fascinated her immensely.

S avid 열광하는
A sated (욕망 등이) 완전히 충족된

4 gregarious 붙임성이 있는

Gregarious Greg had so many friends that he couldn't remember all their names.

S sociable 붙임성이 있는
A shy 수줍어하는

5 ludicrous 어처구니없는

No wise person would espouse such a **ludicrous** idea.

S nonsensical 터무니없는
A sensible 지각 있는

출제빈도순 기본어휘 – Level 3

• 해설집 p.73

1 myopic 근시안적인

The **myopic** pursuit of material wealth could lead to a disastrous result.

S short-sighted 근시안적인
A farsighted 선견지명이 있는

2 lethargy 무기력

With its positive effects on mental health, yoga can help you fight back **lethargy**.

S listlessness 무기력
A vigor 활력

3 abdicate 의무를 저버리다

Once addicted to gambling, Ethan **abdicated** all responsibility for his family.

S neglect (의무 등을) 소홀히 하다

4 paucity 결핍

Our modern society is characterized by a **paucity** of morality.

S scarcity 결여
A abundance 풍부함

5 facade (기만적) 외양

Behind his pompous **facade**, Jacob is a very humble person.

S pretense 가장

출제빈도순 기본어휘 – Review

A Crossword Puzzle

Across

1 when you hide your true colors
2 willing to say anything about you
3 unable to think about long-term effects
4 to change very often
5 really simple and basic

Down

1 tending to enjoy being with others
2 something that is most important
3 when you do not have enough of something
4 strongly expressed
5 when you write about the life of a dead person

• 해설집 p.74

B Match up the following.

1 If you take precautions, (   )
2 If something is a priority, (   )
3 If something is an agenda, (   )
4 If you write an obituary for someone, (   )
5 If you equivocate, (   )

a you need to deal with it.
b he or she is dead.
c you believe that it is very important.
d you do not answer clearly.
e you do something to protect yourself from danger.

C Fill in each blank with an appropriate word from the word box.

emphatic   gregarious   languished   rudimentary   voracious

1 While she worked as a waitress in a French restaurant, Belle gained a(n) ________ knowledge of French.
2 ________ people are not likely to feel lonely.
3 The thief was ________ that they should stick to the original scheme.
4 Since Evan had a(n) ________ appetite, it was impossible to satiate his craving for food.
5 Although she was an outstanding writer, Abigail ________ in obscurity for most of her lifetime.

D Fill in each blank with an appropriate word from the word box.

candid   equivocate   futile   instill   priority

1 I am in earnest – I will not ________ – I will not excuse... (William Lloyd Garrison)
2 Many older wealthy families have learned to ________ a sense of public service in their offspring. (David Elkind)
3 It can be fairly argued that the highest ________ for mankind is to save itself from extinction. (Selma Fraiberg)
4 Smile to show how transparent, how ________ you are. (Jean Baudrillard)
5 It would be ________ to attempt to fit women into a masculine pattern of attitudes, skills and abilities... (Arianna Stassinopoulos)

600점 도전

• 해설집 p.75

● Collocation

- □ go awry □ (계획이) 어긋나다
- □ make a conjecture □ 짐작하다
- □ taxi □ (비행기가) 지상을 활주하다
- □ by a quirk of fate □ 운명의 장난으로
- □ pay homage to □ 공경심을 표시하다

● 고급 표현

- □ idiosyncratic □ (=quirky) 기벽(奇癖)의
- □ hilarious □ (=sidesplitting) 익살맞은
- □ enervate □ (=debilitate) 기운을 약화시키다
- □ laudable □ (=meritorious) 칭송할 만한
- □ slander □ (=calumny) 중상모략

● 관용 표현

- □ freak out □ 매우 언짢거나 걱정스럽다
- □ confide in □ (사적인 일을) 털어놓다
- □ fall through □ (계획 등이) 좌초되다
- □ take a rain check □ 다음 기회로 미루다
- □ make the grade □ (기준을 충족시킴으로써) 성공하다

Practice Match each word with its definition.

1 conjecture
2 homage
3 idiosyncratic
4 enervate
5 slander
6 fall through
7 make the grade

a to fail to happen as expected
b a false statement about someone
c to make someone weak
d to meet the necessary standard
e peculiar to someone
f when you show respect for someone
g when you make a guess

600점 도전 연습

Questions 1-5 : Choose the one word that best fits the sentence.

• 해설집 p.75

01 **A** I guess you're coming to Linda's wedding. Right?
B Sorry, but I'll take a rain __________ on that. Something's come up.

(a) check
(b) fall
(c) proof
(d) coat

02 Every time your plan __________ awry, try to comfort yourself by saying "I'm only human."

(a) takes
(b) brings
(c) gives
(d) goes

03 When confronted with a difficult math problem, take a deep breath and make a wild __________.

(a) congestion
(b) congregation
(c) conjecture
(d) configuration

04 Alice's __________ stories always make us laugh hard, but they also have important messages for all of us.

(a) desolate
(b) hilarious
(c) woeful
(d) doleful

05 Rachel's __________ ambition to build a strong and healthy community was restrained by harsh reality.

(a) inaudible
(b) inedible
(c) potable
(d) laudable

Actual Test

Questions 1-20 : Choose the one word that best fits the sentence. [Time: 6 minutes]

01 A What's high on the ________?
B Definitely, we need to attack the problem of boosting our sales.

(a) profile (b) agency
(c) framework (d) agenda

02 A I'm not satisfied with this product. I want a full refund right now!
B Of course, ma'am. Customer satisfaction is our top ________.

(a) premiere (b) priority
(c) prelude (d) privilege

03 A I'm so excited about next month's trip to Thailand!
B As a ________, be sure to take out travel insurance.

(a) precipitation (b) preface
(c) precaution (d) prejudice

04 A What do you think of Jodie?
B Well, she is an unusually ________ person ready to share her deepest secrets.

(a) cautious (b) candid
(c) discreet (d) restrained

05 A What's the status of the investigation?
B Unfortunately, all our efforts to catch the suspect turned out ________.

(a) fertile (b) constructive
(c) favorable (d) futile

06 A Do you know why Josephine can't make it to the prom?
B Her father remains ________ that she can't have fun with boys.

(a) obedient (b) permissive
(c) obdurate (d) lenient

07 A What was the customers' response to our new commercial?
B Enthusiastic. We were ________ with requests for samples.

(a) sapped (b) inundated
(c) wearied (d) starved

08 A Why were the Wilsons in trouble?
B Because so many ________ happened to them.

(a) attainments (b) triumphs
(c) calamities (d) capacities

09 A What type of person is Tara Carpenters?
B Well, she is quite ________. She is easy to talk to.

(a) hostile (b) affable
(c) ominous (d) adverse

10 A How could Xander make such an insensitive comment?
B Oh, didn't you know he is a racist ________?

(a) bilingual (b) bigamist
(c) billionaire (d) bigot

• 해설집 p.77

11 An __________ for a famous person usually describes what kind of life he or she has led.

(a) obituary
(b) acknowledgment
(c) award
(d) affront

12 Whenever the question of equal opportunities for women arose, the male chauvinist __________.

(a) advocated
(b) allocated
(c) equivocated
(d) suffocated

13 The concept of art __________ everything from crude graffiti to great paintings.

(a) enchants
(b) eliminates
(c) enacts
(d) encompasses

14 Helen Keller __________ aspirations for greatness into her audiences.

(a) instituted
(b) instigated
(c) installed
(d) instilled

15 Sometimes, the most __________ thing in your life can give you the greatest joy.

(a) mundane
(b) glamorous
(c) dazzling
(d) sensational

16 The imaginative author could find interesting things in the __________ story.

(a) infinitesimal
(b) prosaic
(c) hefty
(d) insolent

17 Afraid of losing her love, Jenny remained __________ about her dark past.

(a) verbose
(b) pompous
(c) haughty
(d) reticent

18 Unable to get the big picture of the situation, the __________ director worsened it.

(a) judicious
(b) myopic
(c) astute
(d) perceptive

19 Her patriotic sacrifice will act as a(n) __________ for political change.

(a) acrimony
(b) rancor
(c) catalyst
(d) benevolence

20 It may be considered __________ to claim that logic cannot explain grammatical rules.

(a) heresy
(b) piety
(c) hypocrisy
(d) martyrdom

Memoirs of a Country Girl ⑤

By a **quirk** of fate, I attended a **prestigious** private school. Because my parents were so poor, they couldn't afford to send me to private school. **Unaware** of this **reality**, I insisted that they send me to the school. After graduating from junior high school, most of my friends were forced to work at factories. But I didn't want such a life. I did want to do something great with my life.

Although he was brought up **traditionally**, my father believed that women had the same rights as men. And he wanted me to become a public prosecutor. This was partly because that was his **unfulfilled** dream. Also, he **firmly** believed that a good government official was supposed to **improve** the lives of ordinary citizens. More often than not, he **stressed** the **importance** of self-sacrifice. The problem was, however, that he did not have enough money.

Translation

시골 소녀 회고담 ⑤

운명의 장난으로 나는 명문 사립학교에 다녔다. 부모님은 너무도 가난하셨기에 나를 사립학교에 보낼 만큼 여유가 되지 않으셨다. 이런 현실도 모르고, 나는 부모님께서 그 학교에 보내달라고 졸랐다. 중학교를 졸업하고 나서, 친구들 대부분은 공장에서 일해야만 했다. 그렇지만 난 그런 삶을 원하지 않았다. 나는 내 삶을 통해 정말 위대한 일을 하고 싶었다.

전통적인 방식으로 자라셨지만, 아버지는 여성에게도 남성과 똑같은 권리가 있다고 믿으셨다. 그리고 아버지는 내가 검사가 되길 원하셨다. 한편으로 아버지가 못다 이룬 꿈이 검사였기 때문이기도 했다. 또한 아버지는 훌륭한 공무원이란 보통 사람들의 삶을 더 낫게 해주어야 한다고 굳게 믿으셨다. 아버지는 종종 자기희생의 가치를 강조하셨다. 그렇지만 아버지에게 돈이 충분하지 않다는 게 문제였다.

Glossary

- □ quirk (운명의) 반전 (=twist); 기벽(奇癖) (=idiosyncrasy)
- □ prestigious 명문의 (≒esteemed 높이 평가되는)
- □ unaware (~를) 의식하지 못하는 (=oblivious)
- □ reality 현실 (=actuality)
- □ traditionally 전통적으로 (=conventionally)
- □ unfulfilled 이루지 못한 (≒frustrated 좌절된)
- □ firmly 굳게, 확고하게 (=steadfastly)
- □ improve 향상시키다 (=enhance)
- □ stress 강조하다 (=underline)
- □ importance 중요성 (=significance)

Just for FUN ☺

영화 '일곱가지 유혹'의 한 장면이 어떤 잡지에서 다뤄진 적이 있다.

The Devil:	Promise not to tell anyone?	아무한테도 말 안 한다고 약속할 수 있어요?
Elliott:	OK.	물론이죠.
The Devil:	Cross your heart and hope to die?	맹세코 죽기를 바라는 거예요?
Elliott:	Yeah.	그렇소.
The Devil:	I'm the devil.	난 악마예요.
Elliott:	OK.	그렇군요.

— 『CNN ez』, p. 111, 2001년 1월호, 서울: 시사영어사

이 잡지에서 **"Cross your heart and hope to die?"**라는 표현을 어떻게 해석해야 할까? 이 해석이 올바르다면 이 영화에서 '악마'가 '엘리엇'을 죽여야 하지 않을까? 그런데 왜 악마는 갑자기 자기가 '악마'라는 말을 할까? 그리고 엘리엇은 아무 생각 없이 죽기를 바라는 인물일까? 약간만 생각해 봐도 뭔가 잘못되었다는 것을 느낄 수 있다.

이 잡지의 잘못된 설명과 달리 "Cross your heart and hope to die?"라는 표현은 **"진정이에요?"** 또는 **"진심이에요?"**라는 말이다. 보통 어떤 일을 꼭 하겠다고 약속하려는지 또는 진실을 말하고 있는지를 확인할 때 쓰는 표현이다. 사실 이렇게 해석해야만 악마와 엘리엇의 대화를 이해할 수 있다. 결국 영어로는 지극히 자연스러운 대화가 우리말로는 도저히 이해가 되지 않는 대화로 바뀌어 버렸다. 이처럼 숙어의 뜻을 정확히 파악하는 것은 영어를 이해하는 데 필수적이다.

앞에서도 말했듯이, 이 대화의 앞뒤 맥락을 생각해 본다면 결코 "맹세코 죽기를 바라는 거예요?"라는 터무니없는 해석은 나오지 않았을 것이다. 이처럼 **숙어 학습에서도 맥락(context)의 활용이 매우 긴요하다**는 점을 생각해서, 표현을 접할 때마다 자연스럽게 쓰이는 맥락을 생각하는 습관을 들이자.

Unit 06 Collocation 1

출제 경향 분석 및 전략

출제빈도순 기본어휘 - Level 0

출제빈도순 기본어휘 - Level 1

출제빈도순 기본어휘 - Level 2

출제빈도순 기본어휘 - Level 3

출제빈도순 기본어휘 - Review

600점 도전

600점 도전 연습

Actual Test

이야기로 챙기는 TEPS 표현 20

Just for FUN

출제 경향 분석 및 전략 - Collocation 1

출제 경향

1 활용도가 높은 collocation을 자주 출제한다

예컨대 '실수하다(make a mistake)'와 같이 일상적으로 빈번하게 쓰이는 collocation이 주로 출제된다. 이때 우리말에 이끌려 'do a mistake'로 생각해서는 안 된다는 점에 유의하면서, 흔히 쓰이는 collocation을 정리해두는 것이 효과적인 대비책이다.

2 생소한 collocation이 종종 출제된다

최근에는 '택시를 불러 세우다(hail a cab)'와 같이 생소한 collocation이 종종 출제된다. 이와 같은 collocation의 특징은 우리에게 생소하긴 하지만 일상적인 상황과 관련이 깊다는 점이다. 따라서 이와 같은 표현에 관심을 기울일 필요가 있다.

맛보기

예제 1

A Do you think I ________ a chance of getting promoted?

B I'm afraid not.

(a) make (b) do (c) sit (d) stand

예제 2

Good people try to ________ their goals by making great efforts.

(a) arrive (b) attain (c) succeed (d) attend

• 해설집 p.87

전략

1 Collocation에 들어 있는 원어민의 발상을 이해한다

우리가 '실수를 저지르다'라는 말이 자연스럽게 느껴지는 것처럼 영어를 모국어로 쓰는 원어민들도 collocation을 정확하게 써야만 자연스럽다고 느낀다. 그렇지 않으면 매우 어색하다고 생각한다. 왜냐하면 우리말에서든 영어에서든 collocation에는 원어민들의 사고방식이 들어 있기 때문이다. make a mistake의 경우에 make는 '일정한 결과를 만들어내다'라는 뜻을 나타내는데, 이 때문에 mistake와 자연스럽게 어울릴 수 있다. 왜냐하면 실수의 결과는 어떤 식으로든 나타나기 때문이다. 이것이 이 표현에 들어 있는 원어민의 감각이다. 이와 같은 점을 생각해서 collocation이 자연스럽게 느껴질 때까지 반복 학습하는 것이 현명한 대비책이다.

Practice 1

A Congratulations! I heard your wife's ________ a baby.

B Thank you. She's careful about everything, you know.

(a) inspecting (b) wanting (c) expecting (d) exhausting

2 단어의 다양한 쓰임새에 유의한다

collocation에는 '형용사 + 명사', '동사 + 명사', '부사 + 형용사' 등의 다양한 형태가 있다. 하나의 단어가 여러 품사로 쓰이기도 하기 때문에, 품사에 따라 함께 쓰이는 표현들을 익혀두는 것이 점차로 난이도가 높아져가는 collocation 문제에 대한 현명한 대비책이다.

Practice 2

CNN will begin ________ coverage of the awards ceremony.

(a) gone (b) live (c) alive (d) dead

출제빈도순 기본어휘 – Level 0

• 해설집 p.89

1 address a problem 문제를 다루다

We ought to **address the problem** of discrimination against women.

S attack [deal with, tackle] a problem 문제를 다루다

2 meet a condition 조건을 충족시키다

We rejected their proposals because they did not **meet** essential **conditions**.

S fulfill [satisfy] a condition 조건을 충족시키다

3 place an order 주문하다

Surprisingly, Sally **placed an order** for a large number of pizzas.

S put in an order (정식으로) 주문하다

4 take measures 조치를 취하다

A sensible manager, Madeleine **took** realistic **measures** to protect her company.

S carry out measures 조치를 취하다

5 exercise caution 주의하다

Exercise caution in dealing with foreign affairs because your country's future is at stake.

S use caution 주의하다

출제빈도순 기본어휘 – Level 1

• 해설집 p.90

1 attend a lecture 강의에 출석하다

A large number of students **attended** his controversial **lectures**.

S go to a lecture 강의에 출석하다

2 take a pill 약을 복용하다

Unfortunately, women **taking the pill** are in serious danger.

S swallow a pill 약을 삼키다

3 make an allegation 혐의를 주장하다

Several patriotic citizens **made allegations** of corruption against the infamous politician.

S make an accusation 혐의를 주장하다

4 apply for admission 입학을 지원하다

Despite being a bright student, Amanda **applied for admission** to a college that nobody had ever heard of.

5 strike a balance 균형을 맞추다

It is very difficult to **strike a balance** between being strict and giving freedom.

출제빈도순 기본어휘 – Level 2

• 해설집 p.90

1 enter a race 경주에 참가하다

In order to **enter the race**, you need to have a physical checkup.

S compete in a race 경주에 참가하다

2 prescribe a pill 약을 처방하다

It's shocking that doctors **prescribe** the sleeping **pill** so often.

S order a pill 약을 처방하다

3 set a limit 제한을 설정하다

It is a good idea to **set a limit** on how long your children can watch TV.

S impose [place] a limit 제한을 설정하다

4 take a guess 짐작하다

Take a guess at what the population of Tonga is.

S make [hazard] a guess 짐작하다

5 resume work 일을 재개하다

After a gap of seven years, Tara **resumed work** as a romantic novelist.

S recommence work 일을 재개하다

출제빈도순 기본어휘 – Level 3

• 해설집 p.91

1 recover one's health 건강을 회복하다

Unfortunately, Juliet never **recovered her health** and passed away on her birthday.

S regain one's health 건강을 회복하다

2 administer a dose 투약하다

After being **administered a dose** of medicine, the little girl fell asleep.

S give a dose 투약하다

3 bring about change 변화를 초래하다

Several forward-thinking principals **brought about change** in education by adopting a new concept of intelligence.

S effect a change 변화를 초래하다

4 take advice 충고를 따르다

If we had **taken** her **advice**, we would now be a millionaire.

S follow [act on] advice 충고를 따르다

5 forge a passport 여권을 위조하다

Desperate to see her Japanese boyfriend, Judith **forged a passport** and called herself Junko Sakai.

S falsify a passport 여권을 위조하다

출제빈도순 기본어휘 – Review

A Crossword Puzzle

Across

1 to accept something such as advice
2 when two things are in harmony
3 to give someone something such as medicine
4 to order that a patient take a specific medicine
5 to ask for something formally

Down

1 when you say, without proof, that someone did something wrong
2 when you do something to tackle a problem
3 when you are careful
4 to deal with a problem
5 to copy something illegally

• 해설집 p.91

B Match up the following.

1 If you do not know how to address a problem, (   )
2 If something does not meet certain conditions, (   )
3 If you place an order at Amazon.com, (   )
4 If you take immediate measures, (   )
5 If you tend to exercise caution, (   )

a you will probably be given a discount.
b you are not a careless person.
c you act right away.
d people do not think it will work.
e you should seek professional help.

C Fill in each blank with an appropriate word from the word box.

applied	prescribed	set	strike	take

1 Some parents believe that they have the right to __________ a limit on how often their children surf the Internet.
2 Even if you do not know the correct answer, be sure to __________ a guess.
3 Aspiring to become a top designer, Nicole __________ for admission to Parsons School of Design.
4 The pill is usually __________ for depression.
5 How can we __________ a balance between being rational and being creative?

D Fill in each blank with an appropriate word from the word box.

advice	balance	caution	health	problem

1 A(n) __________ is something you have hopes of changing. (C. R. Smith)
2 Good friends are good for your __________. (Dr. Irwin Sarason)
3 My __________ to actresses is don't worry about your looks. (Estelle Winwood)
4 The crucial task of old age is __________. (Florida Scott-Maxwell)
5 In the writing of memoirs, as in the production of shows, too much __________ causes the audience to nod and think of other channels. (Gerald Clarke)

600점 도전

• 해설집 p.92

Collocation

□ heavy precipitation	□ 많은 강우량
□ exert pressure on ~	□ ~에 대해 압력을 행사하다
□ hone a skill	□ 기량을 갈고닦다
□ lethal poison	□ 치명적인 독
□ a minute particle	□ 미세 입자

고급 표현

□ overt	□ (=explicit) 공공연한
□ replete with ~	□ (=brimming with ~) ~으로 가득한
□ meticulous	□ (=painstaking) 꼼꼼한
□ brevity	□ (=succinctness) 간결함
□ derelict	□ (=dilapidated) 방치된

관용 표현

□ zero in on	□ 주의를 집중시키다
□ summon up	□ (힘이나 용기를) 내다
□ round up	□ 검거하다
□ opt out of	□ (의무를) 저버리다
□ pull one's leg	□ (농담 등으로) 놀리다

Practice Match each word with its definition.

1 precipitation	a capable of killing people
2 lethal	b abandoned by the owner
3 overt	c how much rain or snow falls
4 meticulous	d to tease someone
5 derelict	e done openly
6 summon up	f to gather strength or courage
7 pull one's leg	g extremely careful

600점 도전 연습

Questions 1-5 : Choose the one word that best fits the sentence.

• 해설집 p.92

01 **A** I didn't know Tony was such an unreliable person.

B Me, neither. How could he __________ out of his responsibility for his own family?

(a) pick
(b) act
(c) opt
(d) single

02 Many analysts predict that China will __________ pressure on North Korea to neutralize its nuclear capability.

(a) exhaust
(b) exert
(c) execute
(d) exempt

03 You can __________ your writing skills by reading William Zinsser's *On Writing Well*, which is a must for every writer.

(a) impair
(b) degrade
(c) atone
(d) hone

04 In reality, American history is __________ with many incidents involving conflicts between whites and African Americans.

(a) replete
(b) depleted
(c) satiated
(d) replicated

05 With so many people leaving for the city, the once-glorious town lay __________ for several years.

(a) burgeoning
(b) nascent
(c) embryonic
(d) derelict

Actual Test

Questions 1-20 : Choose the one word that best fits the sentence. [Time: 6 minutes]

01 **A** Doctor Laura, how often should I __________ the pill?

B Three times a day, after each meal.

(a) make (b) set
(c) put (d) take

02 **A** Some 500 people __________ the race!

B Wow! This year's race was really a great success.

(a) entered (b) lost
(c) left (d) appeared

03 **A** Christie's Computers. How may I help you?

B This is Kevin Rosenberg, and I'd like to __________ a bulk order, please.

(a) get (b) place
(c) sit (d) lay

04 **A** I heard your brother was hospitalized. How's he doing?

B Thanks for asking. He's gradually __________ his health.

(a) recording (b) recovering
(c) recollecting (d) recounting

05 **A** I'd like to buy the latest __________ of XD Software, please.

B Sorry, ma'am, but we're sold out.

(a) vision (b) decision
(c) version (d) mission

06 **A** Oh gosh! I think I lost my dorm key.

B You'd better go see the __________. She'll tell you what to do.

(a) janitor (b) chauffeur
(c) chef (d) babysitter

07 **A** I'm gonna go on a blind date! I'm so excited!

B You'd better __________ extreme caution. There are so many bad people out there.

(a) play (b) train
(c) study (d) exercise

08 **A** Would I look good in a mini skirt? Every woman is wearing one.

B Forget it, Linda. That's just a __________. You don't need to follow suit.

(a) fable (b) fad
(c) factor (d) fair

09 **A** Doctor Summers, what do you think of the recent outbreak of avian flu?

B That'll definitely pose a __________ to the public health.

(a) defense (b) haze
(c) hazard (d) shelter

10 **A** There was a murder on Elm Street. I was so shocked.

B I know. Unfortunately, the police haven't caught the __________ yet.

(a) plaintiff (b) prosecutor
(c) petitioner (d) culprit

• 해설집 p.95

11 In order to be classified as "eco-friendly," products need to ________ several conditions.

(a) meet
(b) gather
(c) join
(d) break

12 As an expert in the field, Beth ________ the problem satisfactorily.

(a) delivered
(b) referred
(c) directed
(d) addressed

13 The brilliant student ________ physics lectures given by a famous college professor.

(a) pretended
(b) attended
(c) intended
(d) extended

14 Given the gravity of the situation, we must take appropriate ________ immediately.

(a) degrees
(b) portions
(c) dimensions
(d) measures

15 In some Muslim countries, murderers and drug traffickers are ________ for the death penalty.

(a) liable
(b) unpredictable
(c) variable
(d) sociable

16 Primarily motivated by a sense of betrayal, Anna made ________ of child abuse against her ex-husband.

(a) litigation
(b) instigation
(c) allegations
(d) alliances

17 Largely because of his graceful style, E.B. White has been a(n) ________ for generations of writers.

(a) respiration
(b) inspiration
(c) inauguration
(d) illustration

18 Many theories have been proposed about the ________ of dinosaurs, but none of them have been proven.

(a) extinction
(b) detention
(c) punctuation
(d) rejection

19 Due to our constant ________ with material wealth, we are oblivious to the intrinsic value of experience.

(a) repression
(b) aggression
(c) recession
(d) obsession

20 As a social scientist, you need to keep in mind that ________ research is complementary to quantitative research.

(a) legislative
(b) imitative
(c) qualitative
(d) facilitative

이야기로 챙기는 TEPS 표현 20

Memoirs of a Country Girl ⑥

There was another problem. I needed to **pass** the entrance examinations for the prestigious school. Every year, thousands of **brilliant** students competed to attend this private school. Many **prospective** students took special courses that cost them tens of thousands of dollars. **Needless** to say, I couldn't take such courses. To make matters worse, my junior high school couldn't prepare me for the entrance examinations.

After borrowing **huge** amounts of money from a close friend, my father decided to move to the city where the school was **located**. (In order to **pay off** his debt, he was **compelled** to work too hard, which led to his **tragic** death. I'm terribly sorry, Daddy!) I studied on my own, **burning the candle at both ends**. On the night before the exams, the spiritual forces helped me clear my mind. The next day, I got the second highest score on the examinations.

시골 소녀 회고담 ⑥

문제는 또 있었다. 내가 그 명문학교 입학시험에 합격해야 한다는 것이었다. 매년, 수천 명의 뛰어난 학생들이 그 사립학교에 다니기 위해 경쟁했다. 입학을 바라는 학생들 가운데 상당수는 수만 달러나 들어가는 특별 수업을 받기도 했다. 물론, 난 그런 수업을 받을 수가 없었다. 설상가상으로 내 중학교는 입학시험 준비를 시켜줄 수가 없었다.

친분이 두터운 친구분으로부터 막대한 돈을 빌리시고 나서, 아버지는 그 학교가 있는 도시로 이사하기로 마음먹으셨다. (빚을 갚기 위해 아버지는 고되게 일을 하셔야 했고 이 때문에 비극적으로 돌아가시게 되었다. 아빠, 정말 미안해요!) 나는 밤을 새가면서 독학을 했다. 시험 바로 전날, 영혼들은 내가 정신을 맑게 하는 걸 도왔다. 그 다음날, 나는 입학시험에서 차석을 차지했다.

Glossary

- □ pass (시험에) 합격하다 (≒make the grade 기준을 충족시켜 성공하다)
- □ brilliant 아주 뛰어난 (=superb)
- □ prospective 장래의, 예비의 (≒potential 잠재적인)
- □ needless 쓸모없는 (=pointless)
- □ huge 막대한 (=colossal)
- □ locate (일정한) 위치에 두다 (=situate)
- □ pay off (빚을) 갚다 (=settle)
- □ compel 강제하다 (=coerce)
- □ tragic 비극적인 (≒wretched 비참한)
- □ burn the candle at both ends 밤늦게까지 일하다 (=burn the midnight oil)

Just for FUN ☺

영화 '미녀는 괴로워'에 다음과 같은 대사가 나온다.

"우리 컨셉이 노래야. 너희들은 뭐니? 딸기우유니?"

이 대사에 나오는 **'컨셉'**이 정확히 어떤 뜻인지는 분명하지 않다. 우리말에서 '컨셉'이란 말은 대개 **'새로운 제품에 대한 창의적 발상'** 정도로 쓰인다. 이것은 영어의 concept을 일본어로 바꾼 'コンセプト(콘쎄프또)'를 우리말 발음으로 바꾼 것으로 이해할 수 있다. 우선 이 뜻의 concept에 대해 알아본 다음 '미녀는 괴로워'의 대사에 쓰인 '컨셉'이 어떤 뜻인지를 생각해 보자.

『Encarta® World English Dictionary』에서는 concept에 **'a method, plan, or type of product or design'**이란 뜻이 있다고 설명한다. 우리말로는 **'제품이나 디자인에 대한 방법, 계획, 또는 타입'**이라고 할 수 있다. 그렇지만 이 영화에 쓰인 '컨셉'은 이런 뜻이 아니다. 음반 프로듀서역인 한상준이 새로운 제품을 만들려고 하는 게 아니기 때문이다.

그러면 이 대사의 전후 맥락을 살펴보자. 제니가 '마리아'라는 노래로 첫 방송을 하게 되는데 열렬한 반응을 얻게 되자, 한상준은 자신감에 넘쳐 핑크의 매니저에게 위의 대사를 말하게 된다. 따라서 이때 한상준이 하고 싶었던 말은 **"우리가 지향하는 바는 정말로 좋은 노래를 만드는 것이야."**로 이해할 수 있다. 영어로 바꾸어 표현한다면, "Our philosophy is to create really good songs."라고 할 수 있다. 곧, 이때의 '컨셉'은 영어로 보면 **'philosophy'** 또는 **'guiding principle(지도 원리)'** 정도로 이해할 수 있다.

좀 생뚱맞은 예이긴 하지만, 맥락 파악의 강력한 위력을 확인할 수 있었다.

Unit 07 Collocation 2

출제 경향 분석 및 전략

출제빈도순 기본어휘 – Level 0

출제빈도순 기본어휘 – Level 1

출제빈도순 기본어휘 – Level 2

출제빈도순 기본어휘 – Level 3

출제빈도순 기본어휘 – Review

600점 도전

600점 도전 연습

Actual Test

이야기로 챙기는 TEPS 표현 20

Just for FUN

출제 경향 분석 및 전략 - Collocation 2

출제 경향

1 비격식체에서 쓰이는 collocation을 자주 출제한다

예컨대 '화가 나다(get mad)'처럼 비격식체에서 주로 쓰이는 collocation에 대한 출제 비중이 높다. 따라서 미국 영화나 드라마를 통해서 비격식체의 자연스러운 표현을 많이 접하고 정리해 두자.

2 격식체에서 전형적으로 쓰이는 collocation을 종종 측정한다

예컨대 '소송을 제기하다(file a suit)'처럼 격식체에서 거의 하나의 단위로 쓰이는 collocation이 종종 출제된다. 이와 같은 표현은 영어로 된 글을 읽으면서 자주 접하므로 그때그때 정리해 두는 습관을 들이자.

맛보기

예제 1

A Mom will go ________ if she finds out I lost her credit card. What should I do?

B I know it will be difficult but you should tell her the truth.

(a) sour (b) nuts (c) awry (d) dry

예제 2

The IT company is getting ready to ________ a revolutionary product for struggling students.

(a) wire (b) slaughter (c) infest (d) launch

• 해설집 p.105

전략

1 Collocation에 들어 있는 원어민의 문화를 이해한다

우리말이 우리 문화를 반영하듯이 영어도 영미 문화를 반영한다. 따라서 영미 문화 특유의 표현들도 생겨날 수밖에 없다. 이런 표현 가운데는 실제 시험에 출제되지 않는 표현들도 있지만, 일상적으로 흔히 쓰이는 표현은 출제된다. 예컨대 우리 문화에는 없는 '예비 신부 파티를 열어주다'를 뜻하는 throw a bridal shower는 출제 범위에 속한다. 이 표현에서는 throw와 shower에 특히 유의해야 한다. 이처럼 우리 문화에 없는 영미 문화 특유의 표현에도 관심을 가질 필요가 있다.

Practice 1

A Did you send a thank-you __________ to Mary Jones?

B Oh gosh! It completely slipped my mind.

(a) notice (b) note (c) indication (d) signal

2 기본적인 뜻이 활용되는 표현에 유의한다

본래 collocation이란 단어가 갖는 기본적인 뜻을 최대한 활용한 표현 방식이다. 따라서 collocation을 이루는 각 단어의 기본적인 뜻을 생각해 보는 습관을 길러야 한다. 이와 같은 기본적인 뜻은 dictionary.msn.com에서 확인할 수 있으므로 이 사전의 각 항목의 끝에 오는 Etymology 부분을 확인하는 습관을 들이자.

Practice 2

Her easy-to-understand approach to grammar __________ a positive response from readers.

(a) got (b) made (c) set (d) came

출제빈도순 기본어휘 – Level 0

• 해설집 p.107

1 take effect (법률이나 정책이) 시행되다

The revised dress code will **take effect** on October 25, 2007.

S come into force[effect] (법률 등이) 시행되다

2 cause damage to ~에 피해를 입히다

A tsunami hitting the southern part of the country **caused** extensive **damage to** the entire country.

S do [inflict] damage to ~에 피해를 입히다

3 make a decision 결정하다

Our customer-friendly guide will help you **make** the right **decision** every step of the way.

S reach [come to] a decision 결정하다

4 gain entry into 진입하다

With the help of a naive nurse, the thief **gained entry into** the only general hospital in town.

5 sign a contract 계약서에 서명하다

Aaron was so desperate that he **signed the contract** without ever reading it.

출제빈도순 기본어휘 – Level 1

• 해설집 p.108

1 make a payment 지불하다

Make an annual **payment** and save up to $700.

S remunerate (보수를) 지불하다
A receive 지급받다

2 run a fever 열이 나다

Some patients who developed pancreatitis did not **run a fever**.

S have a fever 열이 나다

3 pay raise 급여 인상

Believing in the intrinsic value of her work, Isabella found it awkward to ask for a **pay raise**.

4 gain popularity 인기를 얻다

Because of its simple rhythm, Jenny's new song **gained popularity** among elementary school students.

S win popularity 인기를 얻다
A lose popularity 인기를 잃다

5 turn pale 창백해지다

After hearing about the accident involving her daughter, Charlotte **turned pale** and fainted.

S go pale 창백해지다

출제빈도순 기본어휘 – Level 2

• 해설집 p.108

1 form one's character

인격을 형성하다

Unfortunately, the mass media tend to have negative effects on **forming one's character**.

S mold one's character 인격을 형성하다

2 do the laundry

세탁하다

Willing to share the burden of housework, Caleb **does the laundry** most of the time.

S do a wash 빨래하다

3 get therapy

(심리 등의) 치료를 받다

Patients **getting chemotherapy** are likely to lose large numbers of white blood cells.

S undergo therapy 치료를 받다

4 hold office

공직에 재직하다

While **holding office** as Mayor, Chloe made great efforts to improve the lives of the poor.

S resign from office 공직에서 물러나다

5 pay respect to

~에게 경의를 표하다

Many students firmly said that they would not **pay respect to** the greedy principal.

S show respect to ~에게 경의를 표하다

출제빈도순 기본어휘 – Level 3

• 해설집 p.109

1 win a lottery 복권에 당첨되다

After **winning a lottery**, Daniel invested all his money into stocks.

2 draw an inference 추론하다

In order to **draw** the right **inference**, you need to think logically and critically.

S make an inference 추론하다

3 attract an audience 청중을 끌어들이다

Her seminar on corporate responsibility **attracted a** large **audience**.

S draw an audience 청중을 끌어들이다

4 develop arthritis 관절염에 걸리다

After **developing arthritis**, Patrick wrote a comprehensive book on the disease.

S come down with arthritis 관절염에 걸리다

5 warm up leftovers 남은 음식을 데우다

With nobody at home, Sandra **warmed up leftovers**, feeling extremely lonely.

출제빈도순 기본어휘 – Review

A Crossword Puzzle

Across

1 how someone reacts to something
2 qualities that a good person should have
3 to make someone take an interest in something
4 clothes that you are going to wash or have washed
5 when you think something is true because you have information about it

Down

1 something bad that has happened to something else
2 when a lot of people like something
3 when you make up your mind to do something
4 when your body temperature is unusually high
5 when you agree to do something with someone

• 해설집 p.109

B Match up the following.

1 If a law takes effect, ( )
2 If something causes damage to your reputation, ( )
3 If you make a decision to do something, ( )
4 If you gain entry into a place, ( )
5 If you sign a contract, ( )

a people will think badly of you.
b you should honor it.
c you can enter it.
d it will start to affect you.
e you will probably do it.

C Fill in each blank with an appropriate word from the word box.

did gained getting hold turned

1 In fact, you can greatly improve your health by __________ aromatherapy.
2 Chomsky's theories __________ popularity in the late 1960s.
3 The United States Constitution forbids members of Congress to __________ another office "under the authority of the United Sates."
4 Every time he __________ the laundry, Boyd felt relaxed.
5 The corrupt politician __________ pale when his scandal was revealed.

D Fill in each blank with an appropriate word from the word box.

character contract damage popularity respect

1 A verbal __________ isn't worth the paper it is written on. (Samuel Goldwyn)
2 A woman's college, no matter how excellent it pretends to be, cannot evade its fundamental feminist responsibilities without doing serious __________ to its students. (Liz Schneider)
3 __________ is like a tree and reputation like its shadow. (Abraham Lincoln)
4 __________ is not fear and awe; it... [is] the ability to see a person as he is, to be aware of his unique individuality. (Erich Fromm)
5 __________ is the crown of laurel which the world puts on bad art. (Oscar Wilde)

600점 도전

• 해설집 p.110

Collocation

- □ latent ability — □ 잠재능력
- □ spread propaganda — □ 선전 공세를 벌이다
- □ rebuke sternly — □ 심하게 비난하다
- □ a dissenting opinion — □ 소수 의견
- □ a lasting legacy — □ 오래도록 지속되는 유산

고급 표현

- □ berate — □ (=upbraid) 심하게 비난하다
- □ commiserate — □ (=sympathize) 동정하다
- □ perennial — □ (=perpetual) 영속적인
- □ edify — □ (=enlighten) 교화하다
- □ impeccable — □ (=flawless) 흠 잡을 데 없는

관용 표현

- □ win sb over — □ ~를 설득하여 자기편으로 만들다
- □ take sth over — □ ~를 떠맡다
- □ conjure up — □ (이미지나 생각을) 떠올리게 하다
- □ let up — □ 그치다
- □ give sb the cold shoulder — □ ~를 냉대하다

Practice Match each word with its definition.

1 latent
2 legacy
3 berate
4 commiserate
5 impeccable
6 win sb over
7 let up

a perfect, faultless
b hidden but capable of being developed
c to persuade someone to support you
d to criticize harshly
e something from the past
f to stop, to slow down
g to feel sorry for someone

600점 도전 연습

Questions 1-5 : Choose the one word that best fits the sentence.

• 해설집 p.110

01 **A** I'm sick and tired of this rain. And it doesn't look like it will _________ up any time soon.

B Look on the bright side. You can spend more quality time with us.

(a) let
(b) mess
(c) pass
(d) set

02 The true purpose of education is to develop students' _________ ability so that they may become all they can be.

(a) clandestine
(b) illicit
(c) latent
(d) fraudulent

03 By spreading vicious _________ against the government, the political group tried to stir up a rebellion.

(a) tribute
(b) reverence
(c) adversity
(d) propaganda

04 Being a good teacher, Sally _________ with her students over their lack of opportunity to receive a good education.

(a) relished
(b) lavished
(c) commiserated
(d) maneuvered

05 Contrary to popular belief, Noam Chomsky's syntactic theory is not so _________ largely because he misunderstands the nature of language.

(a) indiscernible
(b) impeccable
(c) impenitent
(d) impetuous

Actual Test

Questions 1-20 : Choose the one word that best fits the sentence. [Time: 6 minutes]

01 **A** I heard you decided to leave your abusive husband.

B Yeah. That was the hardest decision I've ever __________.

(a) gotten (b) done
(c) made (d) held

02 **A** Tracy, you look so pale. Are you ill?

B I'm just tired. My son __________ a fever all night last night and I didn't get any sleep at all.

(a) walked (b) ran
(c) threw (d) moved

03 **A** I'd like to buy this van by installments.

B In that case, you need to __________ a payment every three weeks, ma'am.

(a) make (b) stay
(c) break (d) go

04 **A** When are you going to buy your own house?

B I would consider it only if I __________ a lottery.

(a) lost (b) worked
(c) missed (d) won

05 **A** Why does the boss like Wesley so much?

B Because he's never asked for a pay __________. I really wonder whether he's loyal or just plain stupid.

(a) cut (b) raise
(c) drop (d) spread

06 **A** I heard you've just __________ the employment contract. Congratulations!

B Thanks. I'm so excited about working for a major multinational company.

(a) breached (b) leaped
(c) signed (d) laid

07 **A** What? A tsunami hit your hometown?

B Yes, and it had already __________ severe damage to the entire village.

(a) effected (b) delayed
(c) ceased (d) caused

08 **A** Doctor Pascal, what do you think of today's youth?

B Well, I __________ the fact that they are only chasing after material wealth.

(a) lament (b) rejoice
(c) command (d) commend

09 **A** I think their arguments are very convincing.

B But they are __________ to criticism on several grounds.

(a) adorable (b) vulnerable
(c) comparable (d) admirable

10 **A** Hey, Maggie! How are your plans going?

B Much to my dismay, they've been __________ by a lack of funding.

(a) stymied (b) implemented
(c) mystified (d) expanded

• 해설집 p.113

11 All members are reminded that the new ethics code will take _________ on October 25, 2007.

(a) effort
(b) effect
(c) affect
(d) affair

12 With long-term profits in mind, the cosmetics company gained _________ into the emerging markets.

(a) record
(b) attempt
(c) permission
(d) entry

13 Many factors including one's upbringing play a part in _________ one's character.

(a) forming
(b) arising
(c) stemming
(d) withdrawing

14 After stealing his purse, the _________ tried to run away but couldn't move at all.

(a) sticker
(b) sneaker
(c) pickpocket
(d) sieve

15 Some historians argue that yellow journalism contributed to the _________ of the Spanish-American War.

(a) outbreak
(b) outcast
(c) outlet
(d) outlaw

16 The mass media's obsession with glamorizing the rich and famous can _________ the very foundation of our society.

(a) undergo
(b) undertake
(c) undermine
(d) underwrite

17 Tolerance toward different ideas is likely to _________ the healthy growth of democracy.

(a) stifle
(b) adopt
(c) dismay
(d) foster

18 Joan of Arc was widely _________ for her fervent patriotism and selfless sacrifice.

(a) acclaimed
(b) acclimatized
(c) accrued
(d) accorded

19 Modern politicians should feel ashamed of their lack of _________, which can weaken the very values that they claim to protect.

(a) integrity
(b) temerity
(c) disparity
(d) celebrity

20 Maintaining a low-profile _________ was her secret to holding the top position in the firm for so many years.

(a) larceny
(b) infringement
(c) delinquency
(d) demeanor

Memoirs of a Country Girl ⑦

In my senior year, I was **elected** class president. This was strange.

First of all, most of my classmates told me that they hadn't voted for me. This was **mainly** because they **hated** my **candidate** speech. In that speech, I said, "This year is very important for our future. If we rise to the challenge, we will **prosper**. Otherwise, we will **fail**. The choice is ours." Many classmates thought that I would not let them have "fun" in class.

Second, because I was so poor, I couldn't afford to give them anything that would change their minds. **Ironically**, I did not want to be elected class president, in the first place. I did not have any **luxury** to take on such a **ridiculous** role. Because I wanted to attend prestigious college, I planned to focus my efforts on school studies.

Again, by a quirk of fate, I won the election, which **led to** another tragedy in my life.

Translation

시골 소녀 회고담 ⑦

졸업반이 되었을 때, 나는 반장으로 뽑혔다. 참 이상한 일이었다.

무엇보다도, 급우들 대부분이 나한테 나를 찍지 않았다고 말했다. 이는 내 후보 연설이 너무도 싫었기 때문이었다. 후보 연설에서 나는 "올해는 우리 장래를 위해 매우 중요한 해입니다. 우리가 도전에 응한다면 번창할 것입니다. 그렇지 않으면 우리는 실패를 맞이하게 될 것입니다. 선택은 우리의 몫입니다." 많은 급우들은 나 때문에 수업 시간에 '재미'를 잃게 될 것이라고 생각했다.

다음으로, 나는 너무도 가난했기에, 급우들의 마음을 바꿀 어떤 것도 줄 수가 없었다. 아이러니하게도, 나는 처음부터 반장으로 뽑히고 싶지 않았다. 그처럼 터무니없는 역할을 맡을 여유가 없었다. 명문대학에 진학하기를 바랐기 때문에, 나는 학업에 노력을 집중할 생각이었다.

다시 한 번 운명의 장난으로 선거에서 이겼는데, 이는 내 삶에서 또 하나의 비극적 사건으로 이어졌다.

Glossary

- □ elect 선출하다 (=ballot); 선택하다 (=opt)
- □ mainly 주로 (=primarily)
- □ hate 증오하다 (≒loathe 몹시 싫어하다)
- □ candidate 후보자 (≒contender (유력한) 경쟁자)
- □ prosper 번창하다 (=thrive)
- □ fail 실패하다 (≒bomb (흥행에) 실패하다)
- □ ironically 아이러니하게도 (≒paradoxically 역설적이게도)
- □ luxury 사치 (=extravagance)
- □ ridiculous 터무니없는 (=preposterous)
- □ lead to ~로 귀결되다 (=result in)

Just for FUN ☺

『문화의 오역』을 통해 이재호 교수는 이윤기 씨의 번역을 날카롭게 비판했다. 다음은 이 책의 일부이다.

> [英] The abbey where I was staying was **probably** the last to boast of excellence in the production and reproduction of **learning**. (p.184)
>
> [正] 내가 머물고 있던 수도원은 **아마도 학문**의 생산과 재생산의 탁월함을 뽐낼 수 있는 마지막 수도원이었으리라.
>
> — 이재호, 『문화의 오역』 p. 279, 서울: 동인, 2005

[英]으로 표시된 것이 영어 원문이고, [正]으로 표시된 것이 이재호 교수의 올바른 번역이다. 영어 원문의 probably를 '아마도'로, 그리고 learning을 '학문'으로 각각 옮겼다.

우리말의 **'아마도'**에 대응하는 영어 단어는 **maybe** 또는 **perhaps**이다. 『Merriam-Webster's Collegiate® Thesaurus』의 단어 설명을 살펴보자.

> perhaps ↔ certainly 확실히
>
> probably = almost certainly 거의 확실히

따라서 probably를 perhaps의 똑같이 '아마도'로 번역하는 것은 영어 본래 어감에 어긋난다. **learning**에 대해서는 『Webster's Third New International Dictionary, Unabridged』가 다음과 같이 설명한다.

> learning
>
> knowledge accumulated and handed down by generations of scholars
>
> 여러 세대의 학자들에 의해 축적되고 전수된 지식

따라서 '학문의 생산과 재생산'보다는 '**지식**의 생산과 재생산'이 보다 자연스럽게 읽힌다.

이처럼 번역이란 힘들고 어려운 과정이다.

Unit 08 Collocation 3

출제 경향 분석 및 전략

출제빈도순 기본어휘 - Level 0

출제빈도순 기본어휘 - Level 1

출제빈도순 기본어휘 - Level 2

출제빈도순 기본어휘 - Level 3

출제빈도순 기본어휘 - Review

600점 도전

600점 도전 연습

Actual Test

이야기로 챙기는 TEPS 표현 20

Just for FUN

출제 경향 분석 및 전략 - Collocation 3

출제 경향

1 다양한 뜻으로 쓰이는 단어가 들어 있는 collocation이 자주 출제된다

예컨대 '돈을 모으다(raise money)'에서 raise는 '올리다'라는 뜻으로 쓰이지 않는데, 이처럼 다양한 뜻을 갖는 단어가 쓰이는 collocation의 출제 비중이 높다. 단어에 대한 섬세한 감각을 측정하려고 하기 때문이다. 따라서 다의어 가운데 활용도가 높은 단어들이 들어 있는 표현들을 정리해 두는 것이 바람직하다.

2 여러 품사로 쓰이는 단어가 들어 있는 collocation이 종종 출제된다

예컨대 '기록을 세우다(set a record)'에서 record는 명사로 쓰이지만 '기록하다'라는 뜻의 동사로도 쓰인다. 이처럼 여러 품사로 활용될 수 있는 단어를 활용한 collocation은 출제 비중이 높으므로 정확히 익혀두어야 한다.

맛보기

예제 1

A Mm... Yummy. Can you show me how to ________ this food?

B Sure. In fact, it's so easy that anybody can make it.

(a) cool (b) freeze (c) melt (d) prepare

예제 2

Paul was devastated by the bitter legal fighting between his ________ parents and his biological parents.

(a) strict (b) foster (c) lenient (d) foul

• 해설집 p.123

전략

1 중요한 collocation을 익힌다

영어 학습 과정에서 마주치게 되는 collocation의 수는 너무도 많다. 그렇기 때문에 모든 collocation을 완벽하게 익힌다는 것은 매우 힘들다. 따라서 TEPS에 자주 출제되는 중요한 collocation을 학습하는 것이 핵심적인 대비책이다.

Practice 1

A I'm so excited about my trip to Canada next month! Any advice on the trip?

B Just __________ common sense. Don't go to nightclubs after midnight.

(a) distort (b) distinguish (c) exorcise (d) exercise

2 다양한 collocation을 익힌다

일단 단어의 기본적인 뜻을 바탕으로 collocation을 익혀나가면 원어민의 발상을 제대로 이해할 수 있게 된다. 이러한 이해를 바탕으로 다양한 collocation을 학습한다면 TEPS 고득점의 길은 그리 멀지 않음을 명심하고, 학습의 폭을 넓히려는 노력을 기울이자.

Practice 2

Many small business owners __________ benefit from her innovative lectures on business expansion.

(a) reaped (b) mowed (c) trimmed (d) pruned

출제빈도순 기본어휘 – Level 0

• 해설집 p.125

1 raise an issue 쟁점을 제기하다

Mia **raised a** sensitive **issue** whenever she attended the committee meetings.

S bring up an issue 쟁점을 제기하다

2 take a course 강좌를 수강하다

Surprisingly, Gertrude was the only female student who **took** the introductory **course** on women's studies.

3 put on weight 살이 찌다

Anorexics feel that they are **putting on** a lot of **weight** when they are actually not.

S gain weight 살이 찌다
A lose weight 살이 빠지다

4 a strong likelihood 높은 가능성

Given the rapid development of technology, there is **a strong likelihood** that completely human-like robots will appear.

S a good likelihood 높은 가능성
A little likelihood 희박한 가능성

5 late fee 연체료

The company's new policy on **late fees** received a mixed response from consumers.

출제빈도순 기본어휘 – Level 1

• 해설집 p.126

1 sick leave 병가

According to the U.S. Department of Labor, there are no federal laws requiring paid **sick leave**.

2 resolve a dispute 분쟁을 해결하다

Learning how to **resolve a dispute** peacefully is a requirement for adulthood.

S settle a dispute 분쟁을 해소하다

3 a striking difference 뚜렷한 차이

Interestingly enough, there are **striking differences** between the two groups in their ability to remember numbers.

S a marked[considerable] difference 상당한 차이

4 adopt a proposal 제안을 채택하다

If we **adopt** his unrealistic **proposal**, that will be the beginning of a catastrophe for the entire city.

S accept a proposal 제안을 받아들이다
A kill [turn down] a proposal 제안을 거부하다

5 hand in an assignment 과제를 제출하다

When in college, Brady never **handed in** his **assignments** on time.

S submit an assignment 과제를 제출하다

출제빈도순 기본어휘 – Level 2

• 해설집 p.126

1 make a comment 논평하다

Without ever trying to understand its complex plot, a large number of people **made** harsh **comments** on the movie.

S pass a comment 논평하다

2 bear a burden 부담을 지다

After the President stepped down, many people began to wonder who would **bear the burden** of restoring the economy of the country.

S shoulder a burden 부담을 지다

3 highly motivated 대단히 의욕적인

Even **highly motivated** entrepreneurs get frustrated with the complex procedures for establishing a new company.

S strongly motivated 대단히 의욕적인

4 a chronic ailment 만성 질환

Sadly for us, Amy's health was undermined by **a chronic ailment** for many years.

5 observe attentively 주의 깊게 관찰하다

When you **observe** a person **attentively**, you will see his or her intrinsic beauty.

S observe closely 주의 깊게 관찰하다

출제빈도순 기본어휘 – Level 3

• 해설집 p.127

1 indulge in fantasy

환상에 빠지다

When young, Scott used to **indulge in fantasy** about leading a rich life.

2 compelling argument

설득력 있는 주장

According to Veronica O'Dea, there is a **compelling argument** against the consumption of sleeping pills.

S cogent argument 설득력 있는 주장

3 claim one's baggage

수하물을 찾다

Most airlines recommend that passengers **claim their baggage** immediately upon arrival.

4 give birth to

~를 낳다

Historically speaking, ancient Greek civilization **gave birth to** modern European civilization.

5 scrutinize closely

면밀히 조사하다

If the police had **scrutinized** the case more **closely**, they would have found out who the real murderer was.

출제빈도순 기본어휘 – Review

A Crossword Puzzle

Across

1 when you are slightly ill
2 when people disagree with each other
3 how heavy you are
4 what you need to do as part of your job
5 easily noticeable

Down

1 to decide to do something according to a suggestion
2 how likely something is going to happen
3 when you learn something at school
4 something difficult you should do
5 making you believe something is true or right

• 해설집 p.127

B Match up the following.

1 If you raise an issue, (   )
2 If you take a course on something, (   )
3 If you are putting on a lot of weight, (   )
4 If there is a strong likelihood that something will happen, (   )
5 If you pay a late fee, (   )

a people will probably avoid you.
b you actually lose some money.
c people need to discuss it.
d you learn about it.
e it will probably occur.

C Fill in each blank with an appropriate word from the word box.

adopted   bear   chronic   hands   highly

1 Being a(n) __________ motivated researcher, Audrey is trying really hard to find a cure for cancer.
2 Being a good student, Amber always __________ in her assignments on time.
3 Michael's life was totally ruined by a(n) __________ ailment.
4 Several corrupt city officials __________ the proposal without ever thinking about its consequences.
5 Even today, women tend to __________ the burden of doing housework.

D Fill in each blank with an appropriate word from the word box.

ailment   burden   issue   likelihood   scrutinize

1 Like a bad doctor who has fallen down sick you are cast down, and cannot find what sort of drugs would cure your __________. (Aeschylus)
2 ... a knowledge of one other culture should sharpen our ability to __________ more steadily, to appreciate more lovingly, our own. (Margaret Mead)
3 Fat is a social disease, and fat is a feminist __________. (Susie Orbach)
4 What __________ is there of corrupting a man who has no ambition? (Samuel Richardson)
5 The __________ of being black is that you have to be superior just to be equal. (Jesse Jackson)

600점 도전

• 해설집 p.128

Collocation

□ a dire predicament	□ 심한 곤경
□ levy a tax on ~	□ ~에 과세하다
□ fill a quota	□ 할당량을 채우다
□ curb one's passion	□ 정열을 억누르다
□ medical malpractice	□ 의료 과오

고급 표현

□ abort	□ (=abandon) (초기 단계에서) 중단하다
□ implacable	□ (=unyielding) 달랠 수 없는
□ unanimous	□ (=undisputed) 만장일치의
□ feasible	□ (=practicable) 실현 가능한
□ tantamount to ~	□ (=synonymous with ~) ~와 다를 바 없는

관용 표현

□ see to sb/sth	□ ~를 다루다
□ tell sb off	□ 꾸짖다
□ pull off	□ (힘겨운 일을) 해내다
□ kick off	□ (일이나 토의를) 시작하다
□ with no strings attached	□ 아무런 조건 없이

Practice Match each word with its definition.

1	predicament	a	to control or restrain something
2	curb	b	almost the same as something
3	implacable	c	with everyone agreeing
4	unanimous	d	a difficult or puzzling situation
5	tantamount	e	impossible to placate
6	pull off	f	to start doing something
7	kick off	g	to manage to do something difficult

600점 도전 연습

Questions 1-5 : Choose the one word that best fits the sentence.

• 해설집 p.128

01 **A** They've decided to grant me a full scholarship with no ________ attached.
B Wow! Congratulations! You must be on cloud nine.

(a) threads
(b) strokes
(c) chains
(d) strings

02 Millions of people are in a dire ________ because they are trapped in a vicious circle of poverty.

(a) constipation
(b) conscription
(c) predicament
(d) preemption

03 Not having filled his sales ________, Andrew began to be worried that he would get fired.

(a) quorum
(b) quota
(c) quarantine
(d) qualm

04 Unless we ________ the ridiculous project immediately, our company will suffer irreparable losses.

(a) abound
(b) prolong
(c) abort
(d) dawdle

05 Regarding Nazism as legitimate would be ________ to massacring thousands of innocent people.

(a) tantalizing
(b) tantamount
(c) strenuous
(d) abstruse

Actual Test

Questions 1-20 : Choose the one word that best fits the sentence. [Time: 6 minutes]

01 **A** I think I'm __________ on weight. What do I do?

B I don't think you're overweight. Accept yourself just as you are.

(a) getting (b) putting
(c) setting (d) running

02 **A** Are you gonna __________ Professor Swanson's course on macroeconomics?

B No, absolutely not! All his courses are terrible, don't you think?

(a) make (b) sit
(c) take (d) drop

03 **A** Would you like to __________ any comment on our new policy?

B For the record, it fails to take into account the needs of our precious customers.

(a) do (b) make
(c) miss (d) hit

04 **A** I don't understand why you __________ such a sensitive issue at the meeting.

B I believe it's time we confronted the issue of child care at work.

(a) rose (b) fell
(c) raised (d) felled

05 **A** I'm seriously thinking about asking for sick __________.

B You can't be serious, Maggie. You look perfectly healthy.

(a) holiday (b) vacation
(c) trip (d) leave

06 **A** I'm sick and tired of this __________ job of memorizing the so-called "important" dates in history.

B Me, too! What the heck do they mean, anyway?

(a) tedious (b) previous
(c) precious (d) envious

07 **A** You're flying a lot these days, Amelia.

B Yeah. In fact, that's one of the __________ of my job. All flight expenses are paid for by my company.

(a) perks (b) quirks
(c) bucks (d) barks

08 **A** Do you know anything about the Holocaust, Debbie?

B It usually refers to the __________ of European Jews by the Nazis.

(a) compassion (b) genocide
(c) altruism (d) aloofness

09 **A** I'm going to launch a career coaching company next month.

B I don't think it's a(n) __________ plan. It will probably fail.

(a) viable (b) insatiable
(c) amicable (d) irreparable

10 **A** What makes you like Plato's dialogues so much?

B I'm just fascinated by his __________ reasoning. I mean, Socrates's reasoning. In fact, his arguments are easy to follow.

(a) unintelligible (b) delirious
(c) lucid (d) entangled

• 해설집 p.131

11 We regret to inform you that your accumulated late __________ have reached $100.

(a) incomes (b) fees
(c) payments (d) salaries

12 Given her ruthless campaign strategies, there is a strong __________ that Hillary Clinton will be elected President of the United States.

(a) likeness (b) likelihood
(c) neglect (d) neighborhood

13 Some linguists such as Deborah Tannen argue that __________ differences between the genders greatly affect the way in which they communicate with each other.

(a) attractive (b) gorgeous
(c) disgusting (d) striking

14 All religious teachings recommend that disputes be __________ in a peaceful, harmonious manner.

(a) reported (b) resisted
(c) resolved (d) resonated

15 According to many experts, we are living in an __________ of creativity, which requires us to constantly seek better ways to do things.

(a) errand (b) error
(c) equality (d) era

16 Several naval officers were severely __________ for breaching the code of conduct concerning drug abuse and weapons.

(a) magnified (b) applauded
(c) lauded (d) reprimanded

17 Unfortunately, few people are aware of the __________ of challenge and change that our society is facing today.

(a) magnitude (b) aptitude
(c) solitude (d) gratitude

18 As Max Shulman pointed out in one of his short stories, "love is a __________" in the sense that it cannot be explained logically.

(a) hypothesis (b) fallacy
(c) concept (d) construct

19 After having seen the cruelty of humans, Valerie renounced her belief that people have a(n) __________ capacity for compassion.

(a) subordinate (b) alternate
(c) innate (d) inquisitive

20 From his unrealistic arguments, we can safely conclude that oblivious to the harsh reality of poverty, Tony __________ in fantasy.

(a) refutes (b) declines
(c) deteriorates (d) indulges

Memoirs of a Country Girl ⑧

At the **annual** Class Presidents' Meeting, I **came across** a mysterious guy. His name was Patrick Carpenters. He sat just beside me. He smiled at me. (Even today, I can remember his bright eyes.) I **instantly** sensed something **outlandish** about him. I whispered to the spiritual forces, "Is this guy from another planet? And... is he the love of my life?" They remained **silent**, which surprised me because they always answered my questions.

The meeting **dealt with** "creative" ways to build a better relationship between seniors and juniors. This was because there was a great deal of **tension** between the two groups. One of the class presidents suggested we **launch** the "Smile Campaign." According to her, the campaign would **encourage** seniors and juniors to exchange a smile whenever they met. What a cute idea!

But **all of a sudden**, the strange guy stood up and began to speak.

Translation

시골 소녀 회고담 ⑧

연례 대의원회의에서 나는 신비스러운 아이를 만나게 되었다. 그의 이름은 Patrick Carpenters였다. 그는 바로 내 곁에 앉았다. 내게 미소를 지었다. (지금도 그의 밝은 눈빛이 기억난다.) 나는 금방 그에게서 기이한 점을 느꼈다. 영혼들에게 "얘는 다른 행성에서 온 애인가요? 그리고... 얘가 제 배필인가요?"라고 속삭임으로 물어보았다. 영혼들은 말이 없었는데, 늘 내 질문에 답해주었기 때문에 나는 좀 놀랐다.

회의는 졸업반과 (바로 아래 학년인) 3학년 사이의 관계를 개선하기 위한 '창의적인' 방안을 논의했다. 왜냐하면 두 집단 사이에 상당한 긴장 관계가 있었기 때문이었다. 어떤 반장이 '스마일 캠페인'을 벌여야 한다고 제안했다. 그 반장에 따르면, 이 캠페인은 졸업반과 3학년이 만날 때면 서로 미소를 주고받도록 하는 것이었다. 정말 깜찍한 아이디어야!

그런데 갑자기 그 이상한 애가 일어서더니 말을 하기 시작했다.

Glossary

- □ annual 연례의 (=yearly)
- □ come across (우연히) 마주치다 (=run into)
- □ instantly 즉시 (=instantaneously)
- □ outlandish 기이한 (=bizarre)
- □ silent 침묵하는 (=mute)
- □ deal with (문제를) 다루다 (=handle)
- □ tension 긴장 (≒conflict 갈등)
- □ launch 개시하다 (=initiate)
- □ encourage 장려하다 (=foster)
- □ all of a sudden 갑자기 (≒abruptly 돌연히)

Just for FUN ☺

히딩크 감독은 2002년 월드컵이 한창일 때 "I'm still hungry."라는 말을 했다. 이를 대부분의 언론들이 **"나는 아직도 배가 고프다."**라고 옮겼는데, 이것은 명백한 오역이다. 사실 이 말을 들으면서 '히딩크 감독이나 축구 대표단이 굶고 사는 사람들인가?'하는 의문이 떠올랐다. 이 말이 어떻게 나왔는가 하는 맥락(context)을 살펴보자.

질문 16강이라는 큰 목표를 이루었는데……

대답 우리는 힘든 과정을 거치며 첫 번째 목표는 달성했다. 하지만 나는 아직도 배가 고프다. 남은 토너먼트에서 해 오던 대로 공격적인 경기를 펼칠 것이다.

— (인천-연합뉴스) 2002년 6월 15일

히딩크 감독의 대답을 분석해 보면, 목표 달성에 대한 감회를 이야기하고 나서 "I'm still hungry."라고 한 다음 이후 경기에 대한 전망을 얘기했다. 따라서 여기서 히딩크 감독이 하고 싶었던 말은 **"나는 아직도 (승리를) 갈망한다."**이다. **본래, 우리말의 '배고프다'에는 영어와 달리 '갈구하다' 또는 '갈망하다'라는 뜻이 없다.**

현대적 국어사전인 『연세한국어사전』에서는 '배고프다'를 다음과 같이 정의한다.

1) (먹은 지가 오래 되어) 음식이 먹고 싶다

2) (끼니를 잇지 못할 정도로) 생활이 넉넉하지 못하고 궁핍하다

어떤 뜻을 보더라도, '갈망하다'라는 뜻이 없다. 그렇기 때문에 김지하 시인은 '타는 목마름으로'라고 읊었지 '심한 배고픔으로'라고 읊지 않았다. '심한 배고픔으로'는 정말로 배가 심하게 고픈 상태에 대한 시(詩)일 뿐이다.

히딩크 감독은 자신의 말이 이렇게 왜곡되었다는 것을 알았을까?

Unit 09 구동사

출제 경향 분석 및 전략

출제빈도순 기본어휘 - Level 0

출제빈도순 기본어휘 - Level 1

출제빈도순 기본어휘 - Level 2

출제빈도순 기본어휘 - Level 3

출제빈도순 기본어휘 - Review

600점 도전

600점 도전 연습

Actual Test

이야기로 챙기는 TEPS 표현 20

Just for FUN

출제 경향 분석 및 전략-구동사

출제 경향

1 일상적으로 자주 쓰이는 구동사를 측정한다

예컨대 'make up(구성하다, 화해하다)'과 같이 일상적으로 사용 빈도가 높은 구동사가 주로 출제된다. 따라서 중 · 고등학교에서 '숙어'라고 생각하고 외웠던 구동사들을 다시 정리하는 것도 바람직한 전략이다. 그런 다음 미국 영화나 드라마에 등장하는 보다 다양한 구동사를 익혀나가는 것이 효과적이다.

2 생소한 구동사가 종종 출제된다

구동사는 본래 3~5개가 출제될 정도로 중요하게 다루어졌는데, 최근에는 1~3개 정도로 조정되었다. 이처럼 구동사의 출제 비중이 줄어들면서 생소한 구동사가 제시되는 경향이 있음에 유의하자.

맛보기

예제 1

A I can't stand my boss anymore. He ________ at me again!

B Just calm down and tell me what happened.

(a) brushed up (b) blew up (c) took after (d) accounted for

예제 2

Even though all her friends turned their backs on her, her husband ________ her all through the rough times.

(a) turned down (b) cheated on (c) stood by (d) narrowed down

• 해설집 p.141

전략

1 구동사의 구성 원리를 이해한다

본래 영어의 구동사는 핵심적인 뜻을 나타내는 particle과 그와 자연스럽게 연결되는 동사의 결합으로 이루어진다. 예컨대 make up의 경우, up은 본래 '위로'라는 뜻을 나타내지만 이 뜻으로부터 '완전히'라는 뜻이 나온다. 왜냐하면 '위'에 해당하는 곳은 하늘이고, 하늘은 완전함을 상징하기 때문이다. 따라서 make up은 본래 '완전하게 만든다'는 뜻을 나타낸다. 이 뜻으로부터 일정한 대상을 '구성하다'라는 뜻과 '관계를 완전하게 하다'라는 발상에서 '화해하다'라는 중요한 두 가지 뜻이 나왔다.

Practice 1

If this bad weather __________, we'll take a trip to San Diego.

(a) takes over (b) sets out (c) deals with (d) clears up

2 다양한 구동사를 익힌다

앞서 살펴봤듯이, TEPS 초기에는 일상적으로 활용도가 높은 구동사를 주로 출제했었는데, 최근에는 점차 출제 범위를 늘려가는 추세이다. 따라서 각 particle의 뜻을 중심으로 다양하게 구동사를 익혀두어야만 실전에서 당황하지 않을 수 있다.

Practice 2

A When I told her the truth, she just forgave me.
B Honesty always __________, you know.

(a) grows up (b) carries out (c) pays off (d) pulls off

출제빈도순 기본어휘 – Level 0

• 해설집 p.143

1 come up with (해결책 등을) 생각해내다

The little children **came up with** many creative ideas for saving the earth.

S think up 생각해내다

2 work out 계획을 이끌어내다; 운동하다

When a problem arises, husband and wife are supposed to **work out** the best way to solve it.

S figure out 알아내다; exercise 운동하다

3 end up ~한 상황으로 귀결되다

Even in the United States, many single mothers **end up** relying completely on the government.

S wind up ~한 상황으로 귀결되다

4 figure sth out 이해하다

Many researchers are trying to **figure out** how to improve one's memory.

S work out 알아내다

5 bring sth up (이야기 등을) 꺼내다

Washington is planning to **bring up** the subject of nuclear disarmament at the next plenary session.

S raise (문제 등을) 제기하다

출제빈도순 기본어휘 – Level 1

• 해설집 p.144

1 come down with
병에 걸리다

When he **came down with** leukemia, James couldn't help missing his grandfather who had always cheered him up.

S contract a disease 병에 걸리다

2 let sb down
실망시키다

Not wanting to **let** her mother **down**, Sabrina burnt the midnight oil.

S disappoint 실망시키다

3 break up
(이성끼리) 갈라서다

When he **broke up** with Vivian, Jonathan were all in tears.

S split up 갈라서다

4 make up for
보상하다; 만회하다

In order to **make up for** the lost time, they even skipped meals.

S compensate for 보상하다

5 fit in
(집단의 구성원들과) 어울리다

Dillan is in the process of **fitting in** with his new environment, so be patient with him.

S blend in 어울리다

출제빈도순 기본어휘 – Level 2

• 해설집 p.144

1 show up — 창피를 주다; 나타나다

My girlfriend completely **showed** me **up** by scolding me in front of my friends.

S embarrass 창피를 주다; turn up 나타나다

2 hold sb/sth up — 지연시키다

Unfortunately, negotiations were **held up** by Chinese reluctance to let America gain more ground.

S delay [set back] 지연시키다

3 go over sth — 검토하다

After **going over** her controversial proposal for banning marriage, the committee pronounced her insane.

S review, go through, look at 검토하다

4 mess sth up — 망치다

Cindy **messed up** her life by running away with Lowell.

S spoil [foul up] 망치다

5 look sth up — (정보를) 찾아보다

Unlike what the so-called "experts" say, you really need to **look up** a new word in a good dictionary.

S consult (정보를) 찾아보다

출제빈도순 기본어휘 – Level 3

• 해설집 p.145

1 lag behind
뒤처지다

Surprisingly, the United States is **lagging** far **behind** other countries in improving the lives of ordinary workers.

S fall behind 뒤처지다

2 cut back on
(비용, 지출 등을) 줄이다

Cutting back on staff is not an ideal way to boost productivity.

S cut down, curtail 감축하다

3 get away with
(비난이나 처벌을) 모면하다

Once you commit a sin, you cannot **get away with** it.

S get off (처벌을) 면하다

4 fool around
(쓸데없는 일을 하며) 빈둥대다

Lazy by nature, Todd just **fooled around**, doing nothing.

S mess around 빈둥대다

5 run into sb/sth
우연히 만나다; (어려움에) 부딪치다

When Ryan **ran into** an old friend of his, he couldn't remember her name.

S bump into, come across (우연히) 만나다

출제빈도순 기본어휘 – Review

A Crossword Puzzle

Across

1 to turn up
2 to bring up a subject
3 to come up with a solution
4 to let someone down
5 to show someone up

Down

1 to make up for something
2 to stand by someone
3 to mess something up
4 to figure out how something works
5 to cut back on the number of something

• 해설집 p.145

B Match up the following.

1 If you come up with an idea, ( )
2 If you work out a solution to a problem, ( )
3 If you end up doing something, ( )
4 If you figure something out, ( )
5 If you bring up a subject, ( )

a you will probably solve the problem.
b you eventually do it.
c you start to talk about it.
d you think of it.
e you understand it.

C Fill in each blank with an appropriate word from the word box.

fit	go	held	make	mess

1 So, you were __________ up in traffic again? That can't be true!
2 Give me more time. I need to __________ over the proposal.
3 In fact, nothing can __________ up for the loss of trust.
4 Don't __________ up your life by getting addicted to gambling.
5 Drusilla __________ in so well that everybody thought she had lived there for a long time.

D Fill in each blank with an appropriate word from the word box.

appear	compensate	embarrass	ruin	support

1 For __________, I fall back on my heart. (Haniel Long)
2 Did he know? Did the subject anger or __________ him? (Alice Walker)
3 Tonight I __________ for the first time before a Boston audience – 4,000 critics. (Mark Twain)
4 The loss of enemies does not __________ for the loss of friends. (Abraham Lincoln)
5 The surest way to __________ a man who doesn't know how to handle money is to give him some. (George Bernard Shaw)

600점 도전

• 해설집 p.146

● Collocation

- □ file for divorce □ 이혼 소송을 제기하다
- □ sip champagne □ 샴페인을 홀짝거리다
- □ lodge a complain □ 고소를 제기하다
- □ adverse circumstances □ 역경
- □ a pride of lions □ 사자 무리

● 고급 표현

- □ tenacious □ (=resolute) 단호한; 결연한
- □ extraneous □ (=irrelevant) 관련성이 없는
- □ accede to □ (=assent to ~) ~에 응하다
- □ lenient □ (=merciful) (잘못을 다루는 데) 관대한
- □ hyperbole □ (=exaggeration) (현란한) 과장

● 관용 표현

- □ clamp down □ 단속을 강화하다
- □ gloss over □ 언급을 회피하다
- □ screw sth up □ (계획 등을) 망치다
- □ blow sb off □ ~를 무시하다
- □ smell a rat □ 이상한 낌새를 알아차리다

Practice Match each word with its definition.

1	sip	a	not related to something
2	adverse	b	not harsh in punishment
3	tenacious	c	to drink in small amounts
4	extraneous	d	to avoid discussing something
5	lenient	e	affecting harmfully
6	gloss over	f	to ignore someone
7	blow sb off	g	determined to achieve something

600점 도전 연습

Questions 1-5 : Choose the one word that best fits the sentence.

• 해설집 p.146

01 **A** It was so stupid of you to ___________ up the plan!
B I know I made a terrible mistake. But sometimes things just happen, you know.

(a) spring
(b) screw
(c) sweep
(d) straighten

02 In her romantic scene with Paul, Rose was ___________ champagne, looking back on their past.

(a) dipping
(b) ripping
(c) tipping
(d) sipping

03 By firmly believing in herself and praying for her family, Jennifer has survived ___________ circumstances.

(a) adverse
(b) virtuous
(c) righteous
(d) averse

04 For many people, the name Aung San Suu Kyi still conjures up an image of a(n) ___________ woman determined to bring democracy to her country.

(a) unscrupulous
(b) sumptuous
(c) tenacious
(d) insipid

05 Some cognitive grammarians have pointed out that the concept of logic is ___________ to understanding and explaining grammar rules in that those rules are essentially based on experience and intuition.

(a) cardinal
(b) extraneous
(c) germane
(d) vivacious

Actual Test

Questions 1-20 : Choose the one word that best fits the sentence. [Time: 6 minutes]

01 **A** Can you ________ out why the meeting was called off?
B Something just came up, I guess.

(a) take (b) carry
(c) figure (d) pick

02 **A** Do you know why Rachel broke ________ with her boyfriend?
B They couldn't overcome religious differences.

(a) down (b) up
(c) in (d) out

03 **A** Caroline, do you know how important this project is to our company?
B Yes, I do. I'll do my best not to ________ you down.

(a) calm (b) hold
(c) set (d) let

04 **A** Harold called in sick for the second day in a row.
B What? I can't believe he came ________ with a disease. It must be a sham.

(a) down (b) up
(c) by (d) over

05 **A** We're trying really hard to work ________ how to boost students' performance in math.
B Reminding them of the real purpose of learning math might be the first step.

(a) in (b) out
(c) over (d) off

06 **A** Is it OK for us to load the goods on the truck?
B Sure. Its special system keeps them in place when the truck is in ________.

(a) emotion (b) journey
(c) flight (d) motion

07 **A** Her new grammar is selling like hot cakes!
B I think it's because the book is written in ________ English.

(a) bald (b) plain
(c) vain (d) harsh

08 **A** Where can I obtain a certified copy of my marriage ________?
B Probably, you need to contact your local court.

(a) advocate (b) credential
(c) certificate (d) reference

09 **A** Wow, so many students are attending the cheerleading ________!
B Yeah. The competition is so tense.

(a) tryout (b) audit
(c) estimation (d) typo

10 **A** Did you know America is still looking for the ________ of its dead soldiers?
B Oh really? Now I understand why America has the most powerful military forces in the world.

(a) remainders (b) residues
(c) legacies (d) remains

• 해설집 p.149

11 Valerie completely showed me __________ by calling me nasty names.

(a) around (b) up
(c) off (d) over

12 Sherry __________ up with a brilliant idea to advance our company's image.

(a) came (b) made
(c) split (d) took

13 Although we are aware that this is a subject hard to __________ up, we need to discuss your divorce.

(a) cheer (b) clear
(c) perk (d) bring

14 Despite all their efforts to better their lives, they __________ up relying on their relatives.

(a) dug (b) popped
(c) ended (d) sat

15 In spite of a fierce controversy over her concert, so many avid fans were eager to put __________ posters of the famous singer.

(a) up (b) forth
(c) off (d) on

16 A large number of educators are concerned that American students are __________ far behind their counterparts in Japan and South Korea.

(a) getting (b) waiting
(c) leaving (d) lagging

17 Even though so many people are reluctant to admit it, honesty is the best policy in the long __________.

(a) walk (b) route
(c) run (d) course

18 Not understanding its underlying structure, several critics have claimed that the film *Dragon Wars* is not in the same __________ as *Star Wars*.

(a) league (b) federation
(c) chain (d) liaison

19 Given the long-standing animosity between Israel and the surrounding Arab states, there is a __________ possibility that peace will come to Palestine.

(a) prolific (b) sturdy
(c) potent (d) slim

20 Every time the hypocritical professor raised the issue of morality, many disgusted students __________ at him.

(a) scowled (b) reveled
(c) wallowed (d) exulted

Memoirs of a Country Girl ⑨

Basically, Patrick was **opposed to** the suggestion. He gave us two reasons.

First of all, he asked us why we needed to use English words to express our ideas. Instead, he proposed that we use our **native** words. If we **accepted** his proposal, the title of the campaign would be "Misoháigre Saenetas." (Because of this **anecdote**, he became known as a "nationalist.")

Second, he **pointed out** that because our school was a co-ed one, such a campaign would lead to absurd situations. For instance, if a senior female student smiled at a junior male student, what was that supposed to mean? Or if a junior male student smiled at a senior female student, what would that mean?

Many class presidents got his point and Patrick became an **instant** hero. (**Plus**, he was the most **handsome** boy in school.) Many girls loved him **in secret** and I was one of them.

시골 소녀 회고담 ⑨

기본적으로 Patrick은 그 제안에 반대했다. 두 가지 이유를 제시했다.

무엇보다도, 왜 우리 생각을 나타내는 데 영어 단어를 써야 하는지 반문했다. 대신 그는 순수 우리말을 쓸 것을 제안했다. 그의 제안을 받아들인다면, 캠페인의 제목은 'Misoháigre Saenetas'가 될 것이었다. (이 일화 때문에, Patrick은 '민족주의자'로 알려지게 된다.)

다음으로 그는 우리 학교가 남녀공학이기 때문에 그런 캠페인이 어처구니없는 상황으로 귀결될 것이라고 지적했다. 예컨대, 졸업반 여학생이 3학년 남학생을 향해 미소를 지으면 그것이 무슨 뜻이 될까? 또는 3학년 남학생이 졸업반 여학생에게 미소를 지으면 그것은 무슨 뜻이 될까?

반장들 상당수가 그의 말을 알아들었고 Patrick은 곧바로 영웅이 되었다. (게다가 Patrick은 학교에서 가장 잘 생긴 애였다.) 많은 여학생들이 Patrick을 몰래 사랑했는데, 나도 그런 여학생 가운데 하나였다.

- □ basically 근본적으로 (=fundamentally)
- □ opposed to ~에 반대하는 (=antagonistic to)
- □ native 토착의 (=indigenous)
- □ accept 받아들이다 (≒consent 동의하다)
- □ anecdote 일화 (≒yarn 흥미롭게 지어낸 이야기)
- □ point out 지적하다 (≒bring up 문제를 제기하다)
- □ instant 즉각적인 (=immediate)
- □ plus 게다가 (=furthermore)
- □ handsome 잘생긴 (≒fetching 매력적인)
- □ in secret 몰래 (=clandestinely)

* Misoháigre Saenetas(메죠헤그라 쎄네라): Emerald Isle(에메랄드섬)로 알려진, 신화의 나라 아일랜드의 말로 'Smile Campaign'에 해당하는 표현의 변형

Just for FUN ☺

『통역번역입문』에 다음과 같은 내용이 나온다.

앞서 말했듯이 늘 맥락 속에서의 단어의 뜻을 알아야 하며 관용어법의 경우는 어떤 동사와 함께 쓰이냐를 아는 것이 중요하다.

have the floor　　　　발언권을 얻다

— 최정화, 『통역번역입문』 p. 21, 서울: 신론사, 1998

우선 최정화 교수가 '관용어법'이라고 이해하는 것은 정확히 말하면 lexical collocation(어휘적 연어)이다. 그리고 '발언권을 얻다'는 대개 get [take] the floor로 표현된다. have the floor는 '발언권을 가지다'로 옮기는 편이 보다 자연스럽다. 이 점은 『Longman Dictionary of Contemporary English』의 설명을 통해 명확히 확인할 수 있다.

take the floor

to begin speaking at an important public meeting

중요한 공적 회의에서 발언하기 시작하다

have the floor

to be speaking or have the right to speak at an important public meeting

중요한 공적 회의에서 발언하거나 발언할 권리를 지니다

— 『Longman Dictionary of Contemporary English』

『연세한국어사전』에는 '얻다'와 '가지다'를 다음과 같이 설명한다.

얻다　　(권리 등을) 차지하다

가지다　　(행할 권리나 의무 등을) 지니다

— 『연세한국어사전』

이것은 '가지다'가 소유 관계를 나타내는 데 반해 '얻다'가 획득 관계를 나타내기 때문인 것으로 분석된다.

물론 매우 섬세한 차이이지만, 언어란 본래 그렇게 섬세한 것이 아닐까?

Unit 10 숙어

출제 경향 분석 및 전략

출제빈도순 기본어휘 - Level 0

출제빈도순 기본어휘 - Level 1

출제빈도순 기본어휘 - Level 2

출제빈도순 기본어휘 - Level 3

출제빈도순 기본어휘 - Review

600점 도전

600점 도전 연습

Actual Test

이야기로 챙기는 TEPS 표현 20

Just for FUN

출제 경향 분석 및 전략-숙어

출제 경향

1 일상적으로 자주 쓰이는 숙어를 측정한다

예컨대 'a piece of cake(누워서 떡 먹기)'와 같이 일상적으로 사용 빈도가 높은 숙어를 주로 측정한다. 특히 TEPS 시행 초기에는 이런 숙어의 출제 비중이 높았었다. 최근에 와서 약간의 변화가 있지만 이처럼 활용도가 높은 숙어는 기본적으로 익혀 두어야만 출제 경향의 변화에 제대로 대비할 수 있다는 점에 주목해야 한다.

2 생소한 숙어가 종종 출제된다

본래 숙어는 1~3개 정도가 출제되는 것이 일반적이었는데, 최근에는 전혀 나오지 않는 경우도 있고 1개만이 나오는 경우도 있다. 이에 따라 변별력을 높이기 위해 생소한 숙어가 출제된다는 점도 기억하자.

맛보기

예제 1

A Have you seen Susan's beautiful garden? I'm sure she has a green ________!

B Actually, she just took horticulture courses in college.

(a) finger (b) thumb (c) toes (d) arms

예제 2

Because she lost her job, Nancy had to ________ her belt.

(a) remove (b) loosen (c) tighten (d) tie

• 해설집 p.159

전략

1 숙어의 구성 원리를 활용하라

숙어는 대개 구성하는 단어들의 뜻을 조합해서 생각해 보면 전체적인 의미를 짐작할 수 있다. 예컨대 keep something under one's hat이라는 숙어가 있다. 일단 우리말로 그대로 옮기면 '어떤 것을 모자 밑에 두다'라는 뜻이다. 이 뜻으로부터 '어떤 것을 비밀로 하다'라는 뜻이 나왔다.

Practice 1

A Wow, Jennifer got the highest score on the test!
B I know. You see, she had ________ the candle at both ends for a month.

(a) fired (b) bought (c) lighted (d) burned

2 맥락을 활용하여 숙어를 익히라

숙어를 포함한 모든 어휘 학습의 가장 중요한 원리는 맥락(context)의 활용이다. 앞뒤에 오는 말이나 주어진 상황에 가장 잘 어울리는 뜻을 찾아내는 것이 맥락을 활용하는 방법의 핵심이다. 따라서 숙어를 접하게 되면 어떤 상황에서 쓰이는 말인지 짐작하는 습관을 들이는 것이 긴요함을 꼭 기억하자.

Practice 2

Given the urgency of the situation, the two parties agreed to ________ the hatchet for the time being.

(a) conceal (b) burst (c) bury (d) display

출제빈도순 기본어휘 – Level 0

• 해설집 p.161

1 beat around the bush
(말을) 빙빙 둘러대다

Being a candid woman, Belle is not good at **beating around the bush**.

S equivocate 얼버무리다
A talk turkey 단도직입적으로 말하다

2 make head or tail of
완전히 이해하다

I regret to inform you that nobody can **make head or tail of** your ideas for developing the so-called memory chip.

S grasp, comprehend 이해하다

3 break the ice
어색한 분위기를 깨다

Before giving a presentation, think about creative ways to **break the ice**.

4 call it a day
하루 일과를 끝내기로 하다

After getting a call from an old friend, Erica desperately wanted to **call it a day**.

5 on the right track
올바른 길에 들어선

You know you're **on the right track** when you begin to dream in English.

출제빈도순 기본어휘 – Level 1

• 해설집 p.162

1 not sleep a wink
한숨도 못자다

Even though she had**n't slept a wink**, Maria worked extremely efficiently.

S not get a wink of sleep 한숨도 못자다

2 the icing on the cake
금상첨화

To travel to a beautiful country is a great joy. To meet its affectionate people is **the icing on the cake**.

S the frosting on the cake 금상첨화 (미국식 영어)

3 a pain in the neck
골칫거리

My cellphone is **a pain in the neck**; it never leaves me alone.

S nuisance 골칫거리

4 hit the road
(여행을 떠나기 위해) 출발하다

Because we needed to **hit the road** early in the morning, I hit the sack early.

S set out 여행을 떠나다

5 from scratch
아무것도 갖추어지지 않은 상황에서

In order to renew our economy, we must be willing to start again **from scratch**.

출제빈도순 기본어휘 – Level 2

• 해설집 p.162

1 off the record 비공개를 전제로

Off the record, I do not think Leo Tolstoy is great. He was simply a hypocritical misogynist.

S on the record 공개를 전제로

2 let off steam 억눌린 감정을 해소하다

Sometimes, watching violent movies is a good way of **letting off steam**.

S blow off steam 억눌린 감정을 해소하다

3 through thick and thin 온갖 시련에도 불구하고

Some people mistakenly argue that Hillary Clinton has supported her husband **through thick and thin**.

4 hit the ceiling 버럭 화를 내며 고함지르다

If you didn't follow her orders, Angela would certainly **hit the ceiling**.

S hit the roof 버럭 화를 내다

5 be all ears 귀를 바짝 기울이다

When his ex-wife revealed the scandal about the CEO, the reporters **were all ears**.

S listen attentively 경청하다

출제빈도순 기본어휘 – Level 3

• 해설집 p.163

1 cut out for sth ~에 잘 맞는

Because of her conservative beliefs, Buffy was not **cut out for** Yale University.

S suited to[for] ~에 잘 맞는

2 in one's shoes ~의 입장이나 상황에

If I were **in your shoes**, I would tell her the truth. I know it would be painful, but it's the only way to improve the situation.

S in someone's place[stead] ~의 입장이나 상황에

3 get the picture 상황을 헤아리다

As a shrewd politician, Catherine **got the picture** instantly and refused to answer any questions.

S catch on, get it 상황을 이해하다

4 hit the nail on the head 정곡을 찌르다

Proponents of free trade **hit the nail on the head** when it comes to economic growth.

S hit the bull's-eye 정곡을 찌르다

5 in the same boat 같은 (어려운) 처지인

All the researchers are **in the same boat**, regarding the pressure to develop innovative products.

출제빈도순 기본어휘 – Review

A Crossword Puzzle

Across

1 to beat around the bush

2 the __________ on the cake: something that makes something else better

3 on the right __________: doing in a way that is likely to succeed

4 hit the __________ on the head: to be completely accurate

5 off the __________: stated in private

Down

1 a pain in the neck

2 be all ears: to listen __________

3 make head or __________ of: to comprehend

4 from __________: just from the beginning

5 through __________ and thin: whatever happens

• 해설집 p.163

B Match up the following.

1 If you beat around the bush, (   )

2 If you can't make head or tail of something, (   )

3 If you break the ice, (   )

4 If you call it a day, (   )

5 If you get the picture, (   )

a then you feel much more comfortable than before.

b you are ready to go home.

c you do not say something that people want to hear from you.

d you are confused about it.

e you know what a situation is really like.

C Fill in each blank with an appropriate word from the word box.

ceiling   road   boat   steam   nail

1 When the storm struck the village, all the villagers were in the same ________.

2 So many students wanted to let off ________ about the hysterical teacher.

3 Sometimes, even a foolish person can hit the ________ on the head.

4 Peter was excited about hitting the ________ with Mary.

5 When the tax increase was announced, everyone hit the ________.

D Fill in each blank with an appropriate word from the word box.

comprehend   place   scratch   thin   track

1 The best of us start from ________ with every new book. (Raymond Chandler)

2 Our children will learn to respect others if they are used to imagining themselves in another's ________. (Neil Kurshan)

3 Through thick and ________, both over hill and plain. (Guillaume de Salluste Du Bartas)

4 So as to ________ that the sky is blue everywhere one doesn't need to travel around the world. (Johann Wolfgang Von Goethe)

5 Even if you're on the right ________, you'll get run over if you just sit there. (Will Rogers)

600점 도전

• 해설집 p.164

Collocation

□ surmount an obstacle	□ 장애를 극복하다
□ deliver a sermon	□ 설교하다
□ a heroic sacrifice	□ 영웅적 희생
□ a staunch ally	□ 확고한 동맹
□ repress one's anger	□ 분노를 억누르다

고급 표현

□ refine	□ (=polish) 정교화하다
□ imminent	□ (=pending) 임박한
□ apathy	□ (=indifference) 무관심
□ chagrin	□ (=mortification) 속상함
□ superfluous	□ (=surplus) 과잉의

관용 표현

□ border on sth	□ ~와 다를 바 없다
□ perk sb up	□ ~가 기운을 차리게 하다
□ throw up	□ 토하다
□ shrug sth up	□ ~을 폄하하다
□ get cold feet	□ (소심하여) 주저하다

Practice Match each word with its definition.

1	surmount	a	being about to happen
2	staunch	b	more than is needed
3	imminent	c	to be nearly the same as something
4	apathy	d	to feel afraid to do something
5	superfluous	e	to overcome a difficulty
6	border on	f	when you do not care about something
7	get cold feet	g	remaining loyal to someone

600점 도전 연습

Questions 1-5 : Choose the one word that best fits the sentence.

• 해설집 p.164

01 **A** I can't believe their wedding was canceled!

B You know, Karen got cold ________ at the last moment.

(a) arms
(b) hands
(c) ears
(d) feet

02 Although we have many obstacles to ________, we firmly believe that we will prevail.

(a) surge
(b) surrogate
(c) surmount
(d) surrender

03 Volatile by nature, Debbie has difficulty ________ her anger.

(a) compressing
(b) repressing
(c) depressing
(d) oppressing

04 Widespread ________ toward politics could lead to the emergence of dictatorship.

(a) apathy
(b) sloth
(c) sympathy
(d) telepathy

05 ________ intervention by the government can hamper economic growth to a great extent.

(a) Superb
(b) Superstitious
(c) Servile
(d) Superfluous

Actual Test

Questions 1-20 : Choose the one word that best fits the sentence. [Time: 6 minutes]

01 A Many condolences. Your father was a wonderful man.
B Thank you. He certainly ________ a great life.

(a) took (b) led
(c) gave (d) cost

02 A I think we need to refresh ourselves. Everybody's tired.
B OK. Let's call it a(n) ________.

(a) evening (b) month
(c) day (d) year

03 A Betty looks perfectly normal. I can't believe she didn't sleep a ________ last night.
B I guess yoga gives her lots of energy.

(a) flash (b) beam
(c) frown (d) wink

04 A Dylan is definitely a pain in the ________.
B I know what you mean. He is really annoying.

(a) neck (b) back
(c) bottom (d) shoulder

05 A Did you hear Joseph got the ________?
B Serves him right. He was mean to everybody.

(a) sag (b) bag
(c) pack (d) sack

06 A Why do you think Senator Campbell stepped down?
B Off the ________, he was involved in a corruption scandal.

(a) record (b) performance
(c) score (d) recount

07 A Why do people beat around the ________?
B Because they fear the truth. They can't handle it.

(a) shrub (b) bush
(c) bustle (d) tree

08 A What do you wanna do with your life?
B I wanna work for a(n) ________ organization. I wanna serve others.

(a) irritable (b) delectable
(c) gullible (d) charitable

09 A I'm sorry I'm late home. I studied at the library.
B Well, that's a ________ excuse. I don't buy it!

(a) lively (b) diligent
(c) lame (d) thorough

10 A Can you tell me more about the course?
B Of course. This course is ________ for those who want to enjoy origami as a hobby.

(a) tailored (b) garnered
(c) divulged (d) adored

• 해설집 p.166

11 After getting a pink slip, Laurel made a(n) __________ face.

(a) famous
(b) old
(c) green
(d) long

12 Because women of her time couldn't become a novelist, Mary Ann Evans was compelled to write under the __________ name of George Eliot.

(a) maiden
(b) pen
(c) stage
(d) pencil

13 Since she is so irresponsible and inconsiderate, Sally is not cut __________ for a teaching job.

(a) back
(b) down
(c) in
(d) out

14 Because of her gregariousness, Drina is good at __________ the ice.

(a) breaking
(b) melting
(c) cracking
(d) forming

15 Contrary to the government's expectations, few people believe that our economy is on the __________ track.

(a) left
(b) right
(c) east
(d) west

16 Living a healthy life is a great joy, and meeting a truly good person is the __________ on the cake.

(a) pacing
(b) saucing
(c) icing
(d) piercing

17 Because Barbara McClintock was far ahead of her time, few people were able to make head or __________ of her theories.

(a) tail
(b) foot
(c) tale
(d) tag

18 As few people were aware of the existence of the hotel, the need for publicity forced the hotel to __________ its rates.

(a) induce
(b) seduce
(c) deduce
(d) reduce

19 Although she is a police officer by __________, Nina has a sensitive heart and cries for others.

(a) anticipation
(b) occupation
(c) dissipation
(d) occurrence

20 Even if you may go through a(n) __________, you have to be strong to create a better future.

(a) ordination
(b) ordinance
(c) ordeal
(d) countenance

Memoirs of a Country Girl ⑩

On a rainy night, I whispered to the spiritual forces, "I really wonder if he'll ever love me." "Wait for him on his way home and you'll see," they replied.

I did **exactly** what they told me to do. I waited and waited, out in the rain. One hour **passed**, then two hours, then three hours. Patrick didn't **show up**. I burst into tears. "Your **karma** does not allow your **romance** with him," said the spiritual forces. "I don't believe in karma or **destiny**. This is my life. I alone have the power to **determine** what my life will be like. Just get out of my life!" I yelled. The spiritual forces kept silent. I thought that they would **attack** me again. But they didn't. Perhaps, that was their way of saying goodbye to me. After all, an **ambitious** girl like me would be too much of a **burden** for them. Anyway, that was the end of one chapter of my life.

Translation

시골 소녀 회고담 ⑩

어느 비 오는 날 밤에, 나는 영혼들에게 "Patrick이 절 사랑할지 정말 궁금해요."라고 속삭였다. 그들은 "그의 귀가 길에서 기다려 보면 알 수 있을 거야."라고 답해주었다.

나는 영혼들이 하라는 대로 그대로 했다. 비가 오는 밖에서 기다리고 또 기다렸다. 한 시간이 지났고, 두 시간이 지났고, 그리고 세 시간이 지났다. Patrick은 나타나지 않았다. 나는 울음을 터뜨렸다. 영혼들은 "네 업(業)이 그와의 사랑을 허락하지 않는구나."라고 말했다. "전 업(業)이나 운명 따위를 믿지 않아요. 제 삶이에요. 오직 저에게만 제 삶의 모습을 결정할 힘이 있어요. 제 삶에서 사라져 버려요!"라고 외쳤다. 영혼들은 아무 말이 없었다. 나는 영혼들이 다시 나를 공격할 거라 생각했었다. 하지만 그들은 그러지 않았다. 어쩌면 그렇게 영혼들은 내게 작별을 고했는지도 모른다. 어떻든, 나처럼 야망이 큰 소녀가 영혼들에게는 너무도 큰 부담이었으리라. 어쨌든, 그것으로 내 삶의 한 장(章)은 끝이 났다.

Glossary

- □ exactly 정확히 (=precisely)
- □ pass (시간이) 지나다 (=elapse)
- □ show up 나타나다 (=turn up)
- □ karma 업(業); 운명 (=fate); 분위기 (=atmosphere)
- □ romance 사랑, 열애 (=love affair)
- □ destiny 운명 (=fate)
- □ determine 결정하다 (=decide)
- □ attack 공격하다 (=assail)
- □ ambitious 야망이 큰 (=aspiring)
- □ burden 부담 (=onus)

Just for FUN ☺

누구나 한번쯤은 낯선 사람을 보고서 그 사람과 닮았다고 느껴지는 사람을 떠올린 기억이 있다. 정말로 그 두 사람이 완전히 똑같을까? 사실 시간이 지나고 나서 차분히 관찰해 보면 두 사람 사이에는 많은 차이가 드러나게 된다. 어째서 이런 일이 생길까? 그것은 이해(understanding)의 속성 때문이다.

새로운 대상을 접할 때 우리는 보통 이미 알고 있는 것과 견주어 보는 경향이 있다. 그래야만 그 대상을 의미 있게 해석할 수 있기 때문이다. 그래서 **우리는 새로운 영어 단어를 접할 때도 이게 우리말로 무슨 뜻일까를 먼저 생각한다.** 왜냐하면 우리는 우리말 단어를 이미 알고 있기 때문이다.

enthusiastic이라는 단어에 대한 영한사전의 설명은 다음과 같다.

enthusiastic　열광적인, 열심인, 열렬한

이 세 단어는 정말 우리말에서도 그 쓰임새가 다르다. 이 단어는 대개 '**특정한 화제나 활동에 대해 대단히 강한 열정을 나타내는**'이란 뜻으로 쓰인다.

따라서 **진정한 영어 실력을 기르기 위해서는 영어 단어를 우리말로 바꾸지 않고 뜻을 이해하려는 노력이 필요하다.** 이것은 영어 단어가 나타내는 대상을 떠올리거나 그 단어가 쓰이는 맥락을 떠올리는 것을 뜻한다. 예컨대 sad라는 말을 접하면 우리말의 '슬픈'이 아니라 '좋지 않은 일로 괴로워하는' 상황이 떠올라야 한다.

이를 위해서는 『Longman Dictionary of Contemporary English』와 같은 좋은 영영사전을 열심히 보아야 한다. 그래야만 TEPS 고득점의 꿈이 이루어질 수 있음을 명심하고 그날을 위해 함께 열심히 노력하자.

MEMO

MEMO

3 〔톡톡〕 VOCA TEST

- TEPS의 어휘를 완벽하게 정복해 보세요. 「**How to TEPS VOCA**」 100% 활용
- 이벤트 둘! 매월 상위권에 Rank 되신 분께는 다양한 선물을 드립니다.

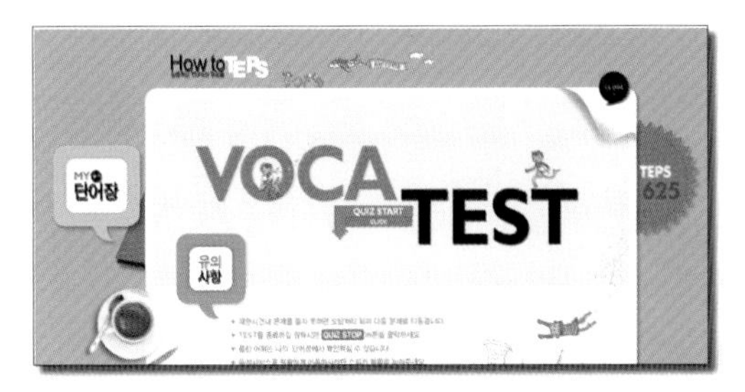

4 〔8주 완성〕 텝스완전정복

- 혼자 학습하기 어려우셨습니까? 8주 완성! 교재 학습 코스를 설계해 드립니다.
- 매일/매주 학습하는 분량에 따른 진도 및 성적 체크 (개인 성적 및 타 회원과의 성적 비교 분석)
- 이벤트 셋! 매월 상위권에 Rank 되신 분께는 다양한 선물을 드립니다.

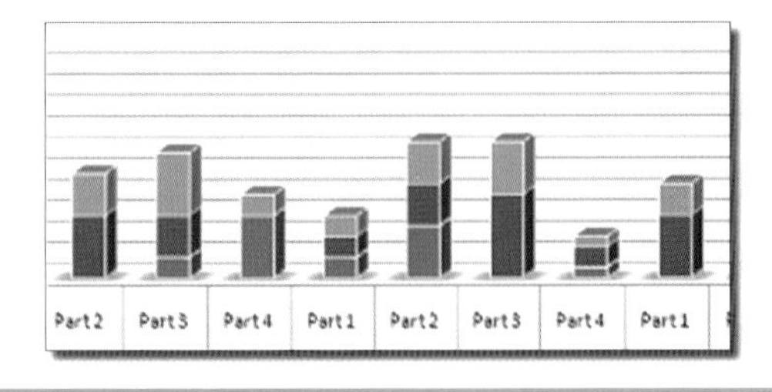

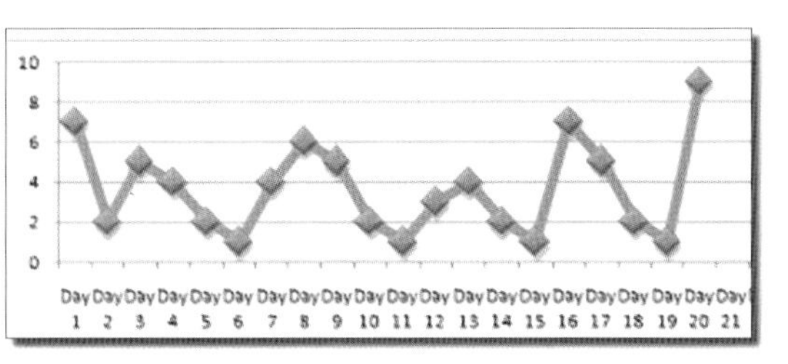

5 〔영어!〕 상상플러스

- TEPS의 다양한 idiom을 활용한 **오늘의 케찹(catchup)! / 뉴요커처럼 말하기**
- 당당하게 자신을 소개하는 「**About ME♡**」
- Writing의 시작은 영어일기부터! 「**"S" Diary**」

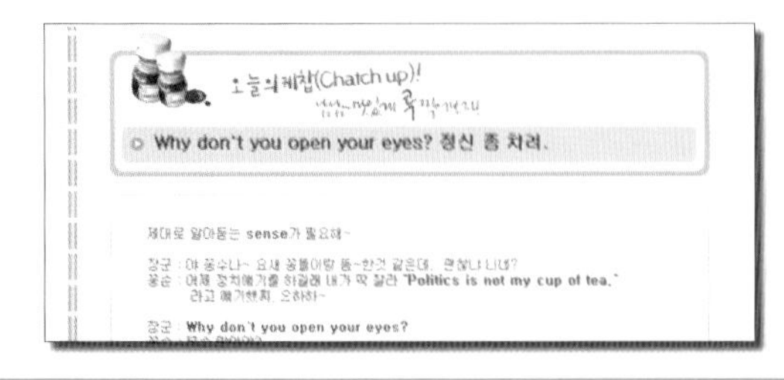

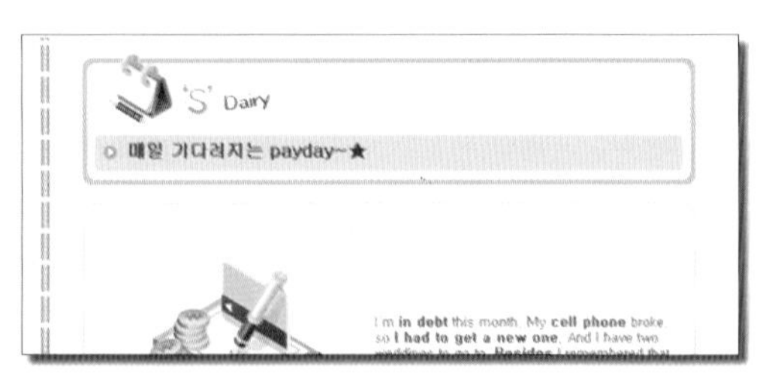

여러분을 TEPS의 강자,
TEPS의 리더로 만들어 드립니다!

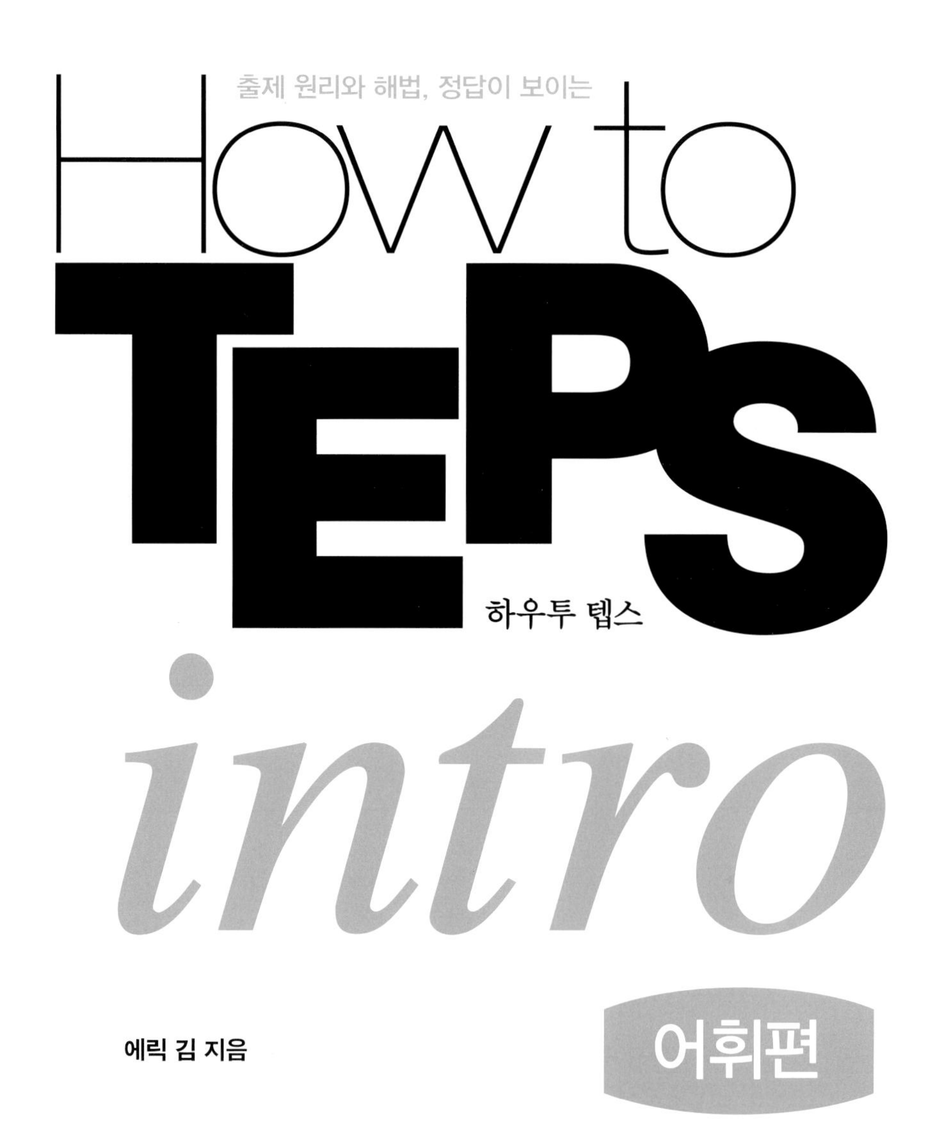

어휘편

에릭 김 지음

정답 및 해설

넥서스

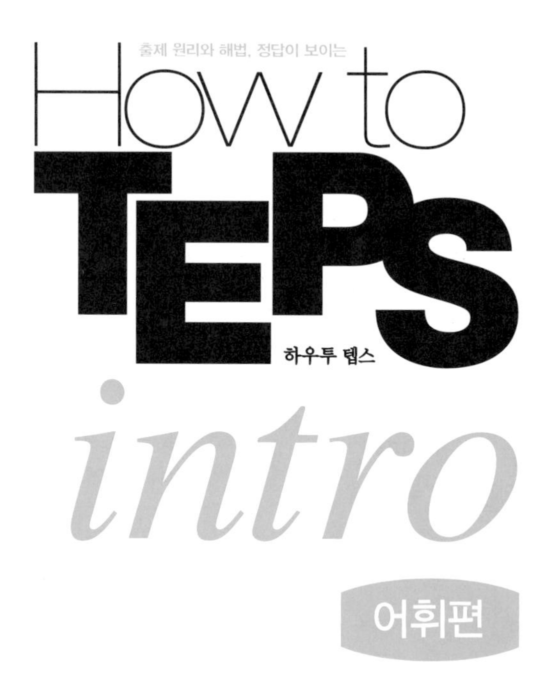

정답 및 해설

넥서스

최다 빈출 유형
가장 자주 출제되는 어휘로
구성된 문제

빈출 유형
출제 빈도가 높은 어휘로
구성된 문제

600점 유형
난이도가 높은 어휘로
구성된 문제

진단고사

p.34

01 (c)	02 (a)	03 (b)	04 (d)	05 (b)	06 (d)	07 (a)	08 (d)	09 (b)	10 (c)
11 (d)	12 (b)	13 (c)	14 (a)	15 (b)	16 (a)	17 (d)	18 (c)	19 (b)	20 (c)

01 ●●● 필수 어휘

A This blouse is too ________ for me.
B So you'd like a larger size, ma'am?

(a) tough
(b) loose
(c) tight
(d) strong

A 이 블라우스가 너무 꽉 끼어요.
B 그러면 더 큰 치수를 원하시는 거죠, 손님?

(a) 단단한
(b) 헐거운
(c) 꽉 끼는
(d) 튼튼한

해설 '더 큰 치수를' 원한다고 했으므로 블라우스가 '꽉 끼다'라는 불만 사항이 제시되어야 한다. 따라서 정답은 (c)이다. 이와 반대되는 loose는 특히 '잃다'는 뜻의 동사 lose와 혼동해서는 안 된다. 참고로 (a)에 '힘든'이라는 뜻이 있음도 익혀두자.

정답 **(c)**

02 ●●● 필수 어휘

A How much does this tie ___________?
B Fifty dollars, sir.

(a) cost
(b) charge
(c) spend
(d) need

A 이 넥타이 얼마예요?
B 50달러입니다, 손님.

(a) 비용이 들다
(b) (요금을) 청구하다
(c) (시간이나 돈을) 소비하다
(d) 필요로 하다

해설 '비용이 들다'는 뜻의 (a) cost가 들어가야 '얼마입니까?'라는 뜻을 나타낼 수 있다. 본래 '짐을 싣다'라는 뜻의 (b) charge는 다양한 의미를 나타내므로 여러 뜻을 함께 익혀두어야 하고, (c)의 spend에 '돈을 소비하다'라는 뜻이 있다는 것도 기억해 두어야 한다.

정답 **(a)**

03 ●●● 필수 어휘

A So, where on earth are you right now?

B Oh, we're at the first __________ with Elm Street on the right-hand side.

(a) interaction
(b) intersection
(c) express
(d) exchange

A 도대체 지금 어디 있는 거니?

B 아, 엘름가가 오른쪽에 있는 첫 번째 교차로에 있어.

(a) 상호작용
(b) 교차로
(c) 급행 (열차 또는 버스)
(d) 교환

해설 '교차로'를 뜻하는 단어는 (b) intersection임을 기억해 두자. 실제로 출제 빈도가 높다. (c)의 express는 '표현하다'라는 뜻의 동사로도 쓰이지만 '급행'이라는 뜻의 명사로도 쓰인다. 그리고 (d)의 exchange를 '변화, 변경'을 뜻하는 change와 혼동하지 않도록 유의하자.

정답 (b)

04 ●●● 구동사

A Tom, I really feel exhausted!

B OK. I'll __________ over to the side of the road.

(a) take
(b) hand
(c) get
(d) pull

A Tom, 나 정말 피곤해!

B 알았어. 도로변에 차를 세울게.

(a) (— over) 떠맡다
(b) (— over) 넘겨주다
(c) (— over) 극복하다
(d) (— over) 차를 세우다

해설 '차를 세우다'를 뜻하는 pull over를 측정하는 문제로 정답은 (d)이다. 다양한 구동사를 만들어내는 particle인 over는 '~를 넘어서'라는 기본적인 의미를 나타낸다. 이 뜻에서 (a)에서 (d)까지의 다양한 표현으로 응용될 수 있음을 기억하자.

정답 (d)

05 ●●● 구동사

A One hundred bucks? That's too much!

B I'm sorry, sir, but the price has already been ________ down.

(a) handed
(b) marked
(c) turned
(d) let

A 100달러라구요? 너무 비싸요!
B 손님, 죄송합니다만 이미 할인된 가격이에요.

(a) (— down) 물려주다
(b) (— down) 할인하다
(c) (— down) 거절하다
(d) (— down) 실망시키다

해설 '할인하다'라는 뜻의 구동사인 mark down을 측정하는 문제로 정답은 (b)이다. 이때 down의 기본적인 뜻은 '아래로'인데, 이 뜻에서 '부정적인 방향으로'라는 뜻이 나왔다. 완전함을 상징하는, 위에 있는 하늘과 달리 '아래에는' 불완전한 땅이 있기 때문이다. (c)와 (d)에서 이런 의미로 쓰이고 있음을 기억하자.

정답 (b)

06 ●●● 필수 어휘

A How can I gain ________ to the library database?

B First, you need to register as a member.

(a) process
(b) acquisition
(c) procedure
(d) access

A 도서관 데이터베이스에 어떻게 접근할 수 있죠?
B 우선 회원으로 등록하셔야 해요.

(a) 과정
(b) 획득; 인수
(c) 절차
(d) 접근

해설 '접근'을 뜻하는 'access[향해서(ac) 가는 것(cess)]'를 측정하는 문제로 정답은 (d)이다. access와 어근이 같은 process는 [앞으로(pro) 가는 것(cess)]으로 분석된다. process와 접두사가 같은 procedure는 [앞으로(pro) 가고 있는(ced) 과정(ure)]으로 분석된다. 반면 acquisition은 [향해서(ac) 획득하는(quisit) 것(ion)]으로 분석된다.

정답 (d)

07 ●● 구동사

A Why did Whitney lose the election?

B Because of her feeble voice, she couldn't get her message ________.

(a) across
(b) away
(c) by
(d) through

A 왜 Whitney가 선거에서 졌어요?
B 목소리가 너무 약해서 메시지를 제대로 전달할 수 없었거든요.

(a) (get —) 전달하다
(b) (get —) 벗어나다
(c) (get —) 겨우겨우 생계를 유지하다
(d) (get —) (어려움을) 견뎌내다

어구 feeble 약한, 가냘픈, 연약한

해설 '메시지를 전달하다'는 뜻의 get across를 측정하는 문제로 정답은 (a)이다. get은 이 밖에도 문제에서처럼 다양한 구동사를 만들어낸다. get across에서 across는 '가로질러서'라는 기본적인 의미를 나타낸다. 참고로 (c)의 get by에서 by는 '곁에'라는 뜻인데, '(정상적인 생활수준의) 곁에 이르다'라는 것이 기본적인 의미이다.

정답 (a)

08 ● 고급 어휘

A Why are so many people speaking ill of Brian?

B Because he's ________ military service.

(a) evaporated
(b) evacuated
(c) evolved
(d) evaded

A 왜 다들 Brian을 욕하죠?
B 군복무를 기피했거든요.

(a) 증발하다
(b) 대피시키다
(c) 진화하다
(d) 기피하다

어구 speak ill of someone ~를 나쁘게 말하다, ~의 험담을 하다 millitary service 군복무

해설 '기피하다'는 뜻의 evade를 측정하는 문제로 정답은 (d)이다. 이 단어는 [밖으로(e) 가다(vade)]로 분석된다. 반면 중요도가 높은 evacuate는 [밖으로(e) 비어있게(vacu) 만들다(ate)]로 분석된다. 다소 까다로운 evolve는 [밖으로(e) 구르다(volve)]로, evaporate는 [밖으로(e) 수증기를(vapor) 만들다(ate)]로 분석된다.

정답 (d)

09 ●●● 숙어

A Jim, I honestly can't figure out what this guy is talking about!
B Try to read between the __________. Please!

(a) curves
(b) lines
(c) sides
(d) dots

A Jim, 난 정말 이 사람이 무슨 소리를 하는지 모르겠어!
B 행간을 읽으려고 해 봐. 제발!

(a) 곡선
(b) (글의) 행(行)
(c) 측면
(d) 점

어구 figure out ~을 이해하다
해설 '행간을 읽다' 즉 '말하는 이나 글쓴이의 의도를 헤아리다'라는 뜻의 숙어를 묻는 문제로 정답은 (b)이다. 숙어는 대개 형태가 정해져 있기 때문에, 부분적으로 뜻이 비슷하더라도 다른 단어는 쓸 수가 없다. 따라서 숙어의 모양을 정확히 익혀두는 노력이 요구된다.
정답 **(b)**

10 ●●● 숙어

A James is such a jerk!
B His ears must be __________.

(a) catching
(b) flaming
(c) burning
(d) firing

A James는 정말 형편없는 애야!
B 걔 귀가 간지럽겠다.

(a) 붙잡다
(b) 불타오르다
(c) 불타다
(d) 발사하다

어구 jerk 〈속어〉 멍청이, 바보
해설 '(남이 자기 이야기를 해서) 귀가 가렵다'는 뜻을 나타내는 숙어를 표현하는 문제로 정답은 (c)이다.
정답 **(c)**

11 ●●● 필수 어휘

To our disappointment, several weeks of heavy rain was __________.

(a) calculated
(b) intended
(c) abandoned
(d) forecast

실망스럽게도, 몇 주 동안의 폭우가 예보되었다.

(a) 계산하다
(b) 의도하다
(c) 저버리다
(d) 예보하다

어구 to one's disappointment 실망스럽게도 heavy rain 폭우

해설 '예보하다'는 뜻의 forecast를 측정하는 문제로 정답은 (d)이다. 이 단어는 [앞으로(fore) 던지다(cast)]로 분석되어, 본래는 '미리 계획하다'라는 뜻을 나타냈었다. 그렇지만 현대영어에서는 이 뜻이 사라지고 '예측하다, 예보하다'라는 뜻으로 주로 쓰임에 유의하자.

정답 (d)

12 ●●● 필수 어휘

Jessica took out a huge __________ and bought her own house.

(a) load
(b) loan
(c) finance
(d) credit

Jessica는 막대한 융자를 받아 자신의 집을 샀다.

(a) 짐
(b) 융자
(c) 재정
(d) 신용

해설 '융자를 받다'는 뜻의 표현을 측정하는 문제로 정답은 (b)이다. 일상적으로 자주 접하는 단어이기 때문에 출제 빈도가 매우 높다는 점에 주의해야 한다. 참고로 (d)의 credit에 '공로(의 인정)'라는 뜻이 있음도 알아두자.

정답 (b)

13 ●●● 고급 어휘

Naturally __________, Natalie wants to know everything about the universe.

(a) indifferent
(b) insane
(c) inquisitive
(d) innovative

천성적으로 호기심이 많아서, Natalie는 우주에 대해 모든 것을 알고 싶어 한다.

(a) 무관심한
(b) 정신 이상의
(c) 호기심이 많은
(d) 혁신적인

어구 naturally 선천적으로

해설 '호기심이 많은'이란 뜻의 inquisitive를 측정하는 문제로 정답은 (c)이다. (a)의 indifferent는 [따로(dif) 나르고(fer) 있지(ent) 않은(in)]으로 분석되며, 본래는 '다르지 않은' 즉 '같은'이란 뜻이었다. 이 뜻은 사라지고 '모두 같게 여기는'이라는 의미에서 '무관심한' 또는 '공정한'이란 뜻으로 발전했다.

정답 (c)

14 ●●● 필수 어휘

To get there in time, I think we need to make a __________.

(a) detour
(b) discount
(c) devotion
(d) dismissal

제때 거기에 가기 위해서는 우회해야 할 거 같습니다.

(a) 우회
(b) 할인
(c) 헌신
(d) 해고

해설 '우회'를 뜻하는 detour를 측정하는 문제로 정답은 (a)이다. 이 단어는 [벗어나서(de) 방향을 틀다(tour)]로 분석된다. 접두사 'de-'는 대개 반의어를 만드는 역할을 한다.

정답 (a)

15 ●● 필수 어휘

One of its __________ is that it cannot help develop communication skills.

(a) advances
(b) drawbacks
(c) increases
(d) advantages

그것의 단점 가운데 하나는 의사소통 능력을 기르는 데 도움이 되지 못한다는 것이다.

(a) 향상
(b) 단점
(c) 증가
(d) 이점

해설 '단점'을 뜻하는 drawback을 측정하는 문제로 정답은 (b)이다. 이 단어는 말 그대로 [뒤로(back) 끄는 것(draw)]의 뜻이다. 곧 '앞으로 나아가지 못하게 뒤로 끌어내는 것'이란 의미로부터 '단점, 결점'이라는 뜻이 생겨났다.

정답 (b)

16 ●● 고급 어휘

A severe __________ made many people jobless.

(a) recession
(b) surge
(c) boom
(d) retention

심한 불황으로 많은 사람들이 일자리를 잃었다.

(a) 불황
(b) 급등
(c) 호황
(d) 기억(력)

어구 severe 심한 jobless 실업의, 실직의

해설 '불황'을 뜻하는 recession을 측정하는 문제로 정답은 (a)이다. 이 단어는 [뒤로(re) 가고 있는(cess) 것(ion)]으로 분석되며, 이 뜻으로부터 '불경기, 불황'이란 뜻이 생겨났다. 참고로 retention은 [완전히(re) 잡고 있는(tent) 것(ion)]으로 분석된다.

정답 (a)

17 고급 어휘

Due to their great differences, they had difficulty reaching a ________.

(a) contention
(b) consent
(c) conservation
(d) consensus

심한 차이 때문에, 그들은 합의에 이르는 데 어려움을 겪었다.

(a) 주장; 분쟁
(b) 동의
(c) 보존
(d) 합의

어구 due to ~ 때문에 have difficulty (in) -ing ~하는 데 어려움을 겪다

해설 '합의'를 뜻하는 consensus를 측정하는 문제로 정답은 (d)이다. 이 단어는 [함께(con) 느끼는(sens) 것(us)]으로 분석되며, [함께(con) 느끼다(sent)]로 분석되는 consent에서 나온 말이다. 따라서 consent에도 '합의'라는 뜻이 있지만, 단수명사로 쓰일 수 있는 consensus와 달리 불가산명사이기 때문에 정답이 될 수 없다. 이와 같은 단어의 쓰임새도 정확히 알아두어야만 TEPS 어휘 영역에 제대로 대비할 수 있다.

정답 (d)

18 고급 어휘

Because of her low income, Madonna needed to practice ________.

(a) excess
(b) luxury
(c) thrift
(d) clarity

수입이 적었기 때문에, Madonna는 알뜰하게 살아야 했다.

(a) 과잉
(b) 사치
(c) 절약
(d) 명료함

어구 income 수입 practice ~을 늘 행하다

해설 '알뜰함'을 뜻하는 thrift를 측정하는 문제로 정답은 (c)이다. (a)의 excess는 [밖으로(ex) 가는 것(cess)]으로 분석되는데, '필요한 수량보다 밖으로 가는 것'으로 생각하기 때문에 '과잉'이라는 뜻이 나왔음에 유의하자.

정답 (c)

19 (고급 어휘)

__________ observation cannot give you any insight.

(a) Profound
(b) Superficial
(c) Successive
(d) Progressive

피상적인 관찰로는 어떤 통찰도 얻을 수 없다.

(a) 심오한
(b) 피상적인
(c) 연속적인
(d) 진보적인

어구 observation 관찰 insight 통찰력

해설 '피상적인'이라는 뜻의 superficial을 측정하는 문제로 정답은 (b)이다. 이 단어는 [위로(super) 모양(fic) 의(ial)]로 분석되며, 본래 '표면의'라는 뜻을 나타냈다. 이 의미에서 '피상적인'이란 뜻으로 발전했다. 참고로 (c)의 successive는 [곁으로(suc) 가는(cess) 경향이 있는(ive)]으로 분석되기 때문에 '연속적인'이란 뜻을 갖는다.

정답 (b)

20 (고급 어휘)

We must do everything in our power to prevent an AIDS __________.

(a) ethics
(b) epilogue
(c) epidemic
(d) ethnicity

에이즈의 유행을 막기 위해 가능한 모든 일을 해야만 한다.

(a) 윤리
(b) (책의 끝에 오는) 후기(後記)
(c) (질병의) 유행
(d) 민족성

어구 in one's power 할 수 있는 능력 내에서 prevent ~을 방지하다

해설 '(질병의) 유행'을 뜻하는 epidemic을 측정하는 문제로 정답은 (c)이다. 이 단어는 [사람들(dem) 사이에(← 위에, epi) (퍼져 있는) 것의(ic)]로 분석된다. 곧 '사람들 사이에 만연한'이 기본적인 의미이다. 접두사 'epi-'는 '위에'라는 뜻에서 '나중에'라는 뜻으로도 발전했는데, [나중에(epi) 말하는 것(logue)]으로 분석되는 epilogue에서 이 뜻으로 쓰였다.

정답 (c)

Unit 01 TEPS 어휘 영역 분석

p.36

어휘 영역 분석	**예제 1** (d) **예제 2** (b) **예제 3** (b) **예제 4** (d)
어휘 학습 전략	**Practice 1** (1) ① (어떤 목적에) 충분한, (양이) 알맞은 ② 〈사람이〉 (…에) 알맞은, 어울리는, 적당한, 적임의 ③ 겨우 합격할 만한, 그만그만한 ④ [법] (소송 제기에) 충분한 (2) ① enough in quantity or of a good enough quality for a particular purpose ② fairly good but not excellent (3) 제시되어 있지 않다. **Practice 2** (1) struct (짓다) (2) sist (서다)
600점 도전	1 g 2 c 3 f 4 b 5 a 6 e 7 d
600점 도전 연습	01 (d) 02 (a) 03 (c) 04 (b) 05 (c)

어휘 영역 분석

p.38

예제 1

A I've ___________ a terrible mistake.

B That's all right. Nobody is perfect, you know.

(a) done
(b) held
(c) taken
(d) made

A 끔찍한 실수를 저질렀어.
B 괜찮아. 완벽한 사람이 어디 있겠어?

(a) 하다
(b) 쥐다
(c) 잡다
(d) (— mistake) 실수하다

해설 우리말의 '실수하다'에 이끌려 do a mistake로 생각하지 않도록 유의하자. 영어에서는 실수의 결과에 주목하기 때문에 make a mistake로 표현한다는 점을 꼭 기억하자.

정답 **(d)**

예제 2

To make sure equality, social __________ is needed.

(a) recess
(b) reform
(c) reflection
(d) recruit

평등을 확보하기 위해서는 사회 개혁이 필요하다.

(a) 휴회
(b) 개혁
(c) 성찰
(d) 신입 사원

어구 equality 평등

해설 정치(politics)와 관련된 문제로 정답은 (b) reform이다. 나머지 표현들도 TEPS 어휘 영역에 대비하기 위해 정확히 익혀 두자.

정답 **(b)**

예제 3

A Guess what? I __________ into Tiger Woods!

B You mean *the* Tiger Woods? You must be kidding.

(a) broke
(b) bumped
(c) burst
(d) turned

A 있잖아, 나 Tiger Woods랑 마주쳤다!

B 그 유명한 Tiger Woods 말이니? 설마.

(a) (— into) 불법적으로 침입하다
(b) (— into) 우연히 마주치다
(c) (— into) 갑작스레 (강한) 감정을 드러내다
(d) (— into) ~으로 변하다

해설 주어진 맥락으로 볼 때, 유명 인사와 우연히 마주친 것이므로 정답은 (b)이다. 나머지 표현들도 전치사 into와 더불어 모두 중요한 구동사이므로 꼭 기억해 두자.

정답 **(b)**

예제 4

You are __________ invited to our wedding ceremony on July 7th.

(a) obnoxiously
(b) copiously
(c) obscurely
(d) cordially

귀하를 7월 7일 저희 결혼식에 정중히 모십니다.

(a) 불쾌하게
(b) 풍부하게
(c) 불명료하게
(d) 정중히

해설 주어진 맥락으로 볼 때, 상대방을 '정중하게' 또는 '정성을 다해' 초대하는 것이므로 정답은 (d)이다. 이처럼 단어의 난이도가 높은 것이 TEPS의 특징이라는 점도 기억하자.

정답 **(d)**

600점 도전 p.42

1 계약에 따라 행하다 **2** 나쁜 짓을 하다 **3** 더 나빠지게 하다 **4** 암시되었지만 직접적으로 말하지 않은
5 더 이상 쓰이지 않는 **6** 말이 되다 **7** 새로운 조직을 창시하다

600점 도전 연습 p.43

01 관용 표현

A Did you hear Willow didn't show up at her own wedding?

B What? That doesn't ___________. She really wanted to marry Xander.

(a) set up
(b) fill in
(c) kick in
(d) add up

A Willow가 자신의 결혼식에 나타나지 않았다는 말 들었니?

B 뭐? 말도 안 돼. 정말 Xander랑 결혼하고 싶어 했는데.

(a) 설립하다; 함정에 빠뜨리다
(b) (문서 등을) 작성하다
(c) (효과가) 나타나기 시작하다
(d) 말이 되다

어구 show up 나타나다

해설 '말이 되다'라는 뜻의 add up을 측정하는 문제로 정답은 (d)이다. 이때 up은 '위로'라는 뜻에서 발전하여 '완전히'라는 뜻을 나타낸다. 반면 (a)에서 up은 본래 의미인 '위로'를 뜻한다. (b)의 in은 '일정한 테두리 안에'라는 본래 뜻으로 쓰였다. 반면 (c)의 in은 '안으로'라는 뜻에서 발전하여 '영향을 끼치는'이란 뜻으로 쓰였다.

정답 **(d)**

02 Collocation

Buffy's ___________ German accent was an obstacle to her romance with Tom.

(a) heavy
(b) weak
(c) large
(d) great

Buffy의 심한 독어식 말투가 Tom과의 연애에 장애가 되었다.

(a) (정도가) 심한
(b) 약한
(c) 큰
(d) 큰; 위대한

어구 obstacle 장애(물) romance 연애 사건

해설 보통 '무거운'이라고 알고 있는 heavy에 들어 있는 '정도가 심한'이란 뜻을 측정하는 문제로 정답은 (a)이다. 이 뜻의 heavy는 'heavy traffic(혼잡한 교통)'이나 'heavy rain(심하게 내리는 비, 폭우)'에서도 확인된다. 참고로 heavy accent는 pronounced accent로도 나타낼 수 있다.

정답 **(a)**

03 Collocation

As a responsible company, we will __________ our contract with you.

(a) charge
(b) ignore
(c) honor
(d) disregard

책임감 있는 회사로서, 저희는 귀하와의 계약을 이행할 것입니다.

(a) 비난하다
(b) 무시하다
(c) (계약 등을) 이행하다
(d) 무시하다

어구 contract 계약

해설 대개 '명예'라는 뜻의 명사로 알고 있는 honor에는 '계약 등을 이행하다'라는 뜻이 있으므로 정답은 (c)이다. (a)의 charge는 '요금을 청구하다'라는 뜻 이외에 여러 뜻을 갖기 때문에 정확히 익혀두어야 한다. (d)의 disregard는 주어진 문장의 responsible과 어울리지 않음에도 유의하자.

정답 (c)

04 고급 표현

Unfortunately, their negative attitudes only __________ the situation.

(a) improved
(b) aggravated
(c) corresponded
(d) resolved

유감스럽게도, 그들의 부정적인 태도는 상황을 악화시킬 뿐이었다.

(a) 향상시키다
(b) 악화시키다
(c) 서신을 교환하다
(d) (분쟁을) 해결하다

해설 '악화시키다'라는 뜻의 aggravate를 측정하는 문제로 정답은 (b)이다. 이 단어는 [향해서(ag) 심각하게(grav + e) 만들다(ate)]로 분석된다. 곧 '심각한 상황을 향하도록 만들다'라는 뜻이다. 이 뜻으로부터 '악화시키다'라는 뜻이 나왔다.

정답 (b)

05 고급 표현

The __________ feature of children is their innocence.

(a) dependent
(b) lucrative
(c) salient
(d) blatant

아동들의 뚜렷한 특징은 순진무구함에 있다.

(a) 의존적인
(b) 수지맞는
(c) 뚜렷한
(d) 뻔뻔한

어구 innocence 순수함

해설 '뚜렷한'이란 뜻의 salient를 측정하는 문제로 정답은 (c)이다. 전후 맥락으로 보더라도 '아동들의 뚜렷한' 특성을 말하고 있음을 알 수 있다. 이 단어는 [뛰어오르고(sali) 있는(ent)]으로 분석된다. 따라서 본래 '도약하는'이란 뜻이었는데, 이처럼 '도약하는 것'은 일정한 대상을 '뚜렷하게' 나타내게 되어 위와 같은 뜻이 되었다.

정답 **(c)**

Unit 02 필수 어휘 1

p.46

출제 경향 분석 및 전략	**예제 1** (d) **예제 2** (c) **Practice 1** (b) **Practice 2** (d)
출제빈도순 기본어휘 Review	A **Across** 1 recognize 2 effort 3 interrupt 4 available 5 discount 6 heavy **Down** 1 refund 2 subscribe 3 suit 4 favor B 1 d 2 c 3 e 4 a 5 b C 1 suit 2 interrupted 3 discount 4 fares 5 faced D 1 efforts 2 lends 3 favor 4 Catch 5 available
600점 도전	1 e 2 g 3 f 4 a 5 c 6 d 7 b
600점 도전 연습	01 (d) 02 (c) 03 (c) 04 (b) 05 (d)
Actual Test	01 (d) 02 (b) 03 (c) 04 (a) 05 (c) 06 (b) 07 (a) 08 (d) 09 (b) 10 (c) 11 (a) 12 (d) 13 (c) 14 (b) 15 (a) 16 (c) 17 (b) 18 (d) 19 (a) 20 (d)

출제 경향 분석 및 전략

p.48

예제 1

A I didn't know Naomi was so beautiful!

B Didn't you know she just __________ tons of makeup?

(a) operated
(b) appointed
(c) hired
(d) applied

A Naomi가 그렇게 예쁜 줄은 몰랐어!
B 그냥 화장품을 엄청 발랐다는 것도 몰랐니?

(a) 조작하다
(b) 임명하다
(c) 고용하다
(d) (화장품 등을) 바르다

어구 tons of 상당한 양의

해설 '화장품을 바르다'라는 뜻의 apply [put on] makeup을 측정하는 문제이다. 나머지 단어들도 뜻을 정확히 익혀두자.

정답 (d)

예제 2

To ___________ out the difficult task, Xena gathered all her courage and strength.

(a) run
(b) hand
(c) carry
(d) sort

그 어려운 일을 해내기 위해 Xena는 모든 용기와 힘을 모았다.

(a) (— out) (시간이) 다 되어가다
(b) (— out) 나눠주다
(c) (— out) (일을) (수행)하다
(d) (— out) 가려내다

어구 task 과업
해설 '과업을 수행하다'라는 뜻의 perform [carry out] a task를 측정하는 문제이다. '과업[일]에 착수하다'는 undertake a task로 나타낸다는 점도 기억하자.
정답 (c)

Practice 1

A If there are no ___________ questions, we will discuss the effects of inflation.
B Professor, I'd like to ask one more question, please.

(a) farther
(b) further
(c) distant
(d) near

A 더 질문이 없으면 인플레이션의 효과에 대해 논의하겠습니다.
B 교수님, 한 가지를 더 질문하고 싶습니다.

(a) 더 멀리 있는
(b) 더 이상의
(c) 멀리 떨어져 있는
(d) 가까운

어구 inflation 인플레이션, 통화 팽창
해설 '추가적인 질문'이란 뜻의 further question을 측정하는 문제이다. 참고로 영한사전의 잘못된 설명과 달리 farther는 현대 영어에서 '더 이상의'라는 뜻으로 쓰이지 않는다. 따라서 정답이 (b)임을 확실하게 기억하자.
정답 (b)

Practice 2

These days, South Korea is __________ a large number of Japanese cars.

(a) inserting
(b) imposing
(c) injecting
(d) importing

요즘 한국은 일본 자동차를 많이 수입한다.

(a) 삽입하다
(b) (의무 등을) 부과하다
(c) 주입하다
(d) 수입하다

어구 a number of 많은 ~

해설 경제와 관련된 필수 어휘로 '수입하다'를 뜻하는 import를 측정하는 문제이다. 의학과 관련되어 '주사를 놓다'를 뜻하는 (c)도 꼭 기억하자.

정답 **(d)**

출제빈도순 기본어휘 - Level 0

p.50

1 **많은 세월이 흘렀지만 그녀의 낯익은 얼굴은 금방 알아볼 수 있다.**

이것만은 꼭! 필수 어휘 가운데 가장 중요한 단어이다. 출제 빈도에 관계없이 반드시 기억해야 하는 단어로, 특히 '~라는 사실을 깨닫다'라는 뜻의 realize와 혼동하지 않도록 유의해야 한다.

2 **Toronto를 여행하는 동안에 Casandra는 중병에 걸렸다.**

이것만은 꼭! 시험에 따라 출제 빈도에 차이가 있긴 하지만, 여전히 중요한 단어이다. 또한 동의어로 제시된 come down with a disease가 [병이라는 좋지 않은(down) 상태에(with) 이르다(come)]로 분석됨에도 유의하자.

3 **많은 이들은 양질의 글을 보기 위해 뉴요커지(誌)를 구독한다.**

이것만은 꼭! 아직까지도 출제 빈도가 높은 편에 속하는 단어이다. 또한 '(일정한 견해나 입장을) 지지하다, 동의하다'라는 뜻이 있음도 기억해 두어야 한다.

4 **분노한 소비자들은 가게로 되돌아가서 환불을 요구했다.**

이것만은 꼭! 일상적으로 많이 쓰이기 때문에 출제 빈도가 높은 표현이다. 상품에 불만이 있는 경우, 이처럼 '환불' 또는 '교환(exchange)'을 생각할 수 있음에 유의하자.

5 **최소한 2주 전에 예약하실 것을 권장합니다.**

이것만은 꼭! 우리말에 이끌려 do a reservation으로 표현하지 않도록 유의해야 하고, 또한 '예약을 확인하다'가 confirm a reservation임도 기억하자.

출제빈도순 기본어휘 - Level 1

p.51

1 다른 도시에 비해, 서울의 지하철 요금은 너무 싸다.

이것만은 꼭! 출제 빈도가 높음에 특히 유의한다. '변호사 등 전문직의 서비스에 대한 비용'은 fee로, 그리고 '호텔 객실과 같이 일정한 비율로 적용되는 요금'은 rate로 표현함도 기억하자.

2 여보, 그 멍청한 TV는 그만 보고 현관문이나 열어드려요! 제발!

이것만은 꼭! get이 일상적으로 자주 쓰이기 때문에 출제 빈도가 높다. 또한 '전화를 받아주다'도 get the phone으로 표현됨을 기억하자.

3 큰 행사 때문에 Ithaca행(行) 이른 버스편을 잡아야만 했다.

이것만은 꼭! 일상적인 표현이기 때문에 출제 빈도가 높다. '버스에 탑승하다'는 get on a bus로, '버스에서 내리다'는 get off a bus로 표현됨도 기억하자.

4 내 여동생을 두어 시간 봐달라고 부탁해도 되니?

이것만은 꼭! 역시 일상적인 표현으로 출제 빈도가 높다. '누구에게 호의를 베풀어 달라고 하다'는 ask someone a favor 또는 ask a favor of someone으로 표현됨도 기억하자.

5 교통 혼잡을 처리할 창의적인 방법이 있을 수도 있다.

이것만은 꼭! 이 표현에서 heavy는 '무거운'이란 뜻이 아니라 '정도가 심한'이라는 뜻임에 유의하자. 따라서 heavy rain은 '심한 비, 폭우'라는 뜻을 나타냄도 기억하자.

출제빈도순 기본어휘 - Level 2

p.52

1 정부는 가난한 가정에 막대한 금액을 빌려주기로 결정했다.

이것만은 꼭! 일상적으로 자주 쓰이고, 또한 borrow와 lend를 혼동하기 쉽기 때문에 자주 출제된다. borrow가 from과 함께 쓰이기 때문에 '~로부터 빌리다'라는 뜻이 된다고 생각하면 기억하기 쉽다.

2 Amy는 Kevin과 갈라섰다는 얘기를 털어놓았다.

이것만은 꼭! '깨뜨리다'라는 break의 본래 뜻에서 비롯된 것으로 '침묵을 깨뜨리고 말을 하다'로 이해할 수 있다. 이처럼 원어민의 감각이 표현에 반영되어 있음을 이해하고 정확한 뜻을 기억하자.

3 한국에서는 삐삐를 더 이상 쓸 수 없다.

이것만은 꼭! 일상적으로 자주 쓰이기 때문에 출제 빈도가 높다. '이용 · 획득 · 의존 등이 가능한'이란 뜻을 나타냄에 유의해야 하고 사람에 대해서도 쓸 수 있음을 기억해야 한다.

4 실종된 소녀를 찾기 위해 모든 노력을 기울여 왔다.

이것만은 꼭! 우리말에 이끌려 do an effort라고 해서는 결코 안 된다는 점에 유의해야 한다. 이때 make는 '일정한 결과를 이끌어내다'라는 뜻을 나타낸다. 대개 노력은 성과로 이어지기 때문에 make를 써야 함을 명심하자.

5 **프로그램 설치하는 거 좀 도와주실래요?**

이것만은 꼭! 이 표현에서 특히 a hand로 표현해야 함을 기억하자. 본래 '손'이라는 뜻을 비유적으로 활용하여 '도움'을 뜻하는데, 이처럼 단수형으로만 쓰인다는 점을 명심하자.

출제빈도순 기본어휘 - Level 3

p.53

1 **좌회전을 하면 아담한 집이 보일 거예요.**

이것만은 꼭! 출제 빈도가 높은 편으로 take를 쓴다는 점에 유의하자. 참고로 hang a left는 미국식 영어 표현이다.

2 **좋은 회사는 고객의 필요에 맞는 제품을 생산해야 하는 법이다.**

이것만은 꼭! 우리말과 달리 주어와 동사의 관계가 밀접함을 뜻하기 때문에 타동사로 쓰임을 꼭 기억하자.

3 **교직원들에게는 할인 혜택이 주어진다.**

이것만은 꼭! 일상적으로 자주 접하는 표현으로 꼭 기억해야 하는데, 특히 a와 어울리는 셀 수 있는 명사라는 점에 유의하자. 할인은 구입할 때 한 번씩 이루어지는 일이기 때문이다.

4 **Angela의 노래는 청중의 야유로 중단되었다.**

이것만은 꼭! 일상적으로 자주 쓰이기 때문에 중요한 단어이다. 특히 '말씀하시는 데 끼어들어 죄송합니다만'이라는 뜻으로 'Sorry to interrupt, but ...'을 쓴다는 점을 기억하자.

5 **졸업반 학생은 모두 도전에 직면하고 있다.**

이것만은 꼭! '어떤 문제나 시련에 직면하다'라는 뜻을 face로 나타낼 수도 있음에 유의하자. 참고로 '(힘겨운) 문제를 다루다'라는 뜻은 tackle a problem으로 나타낼 수 있다.

출제빈도순 기본어휘 - Review

p.54

A **Across** 1 사람이나 사물을 알다 2 무엇인가를 하려고 노력하는 것 3 어떤 일을 하거나 말하려는 것을 막다 4 입수할 수 있는 5 정상가를 낮추는 것 6 정도가 심한

Down 1 돌려받은 돈 2 정기적으로 받기 위해 돈을 지불하다 3 어떤 것에 적합하다 4 누군가에게 친절한 일을 하는 것

B 1 누군가가 얼굴에 심한 부상을 입었다면, 알아보는 데 어려움이 클 것이다.
2 예약을 하면, 미리 좌석이나 객실을 마련하는 셈이다.
3 Computerworld지를 구독한다면, 컴퓨터에 홀딱 빠진 사람임에 틀림없다.
4 계속해서 과로하면 병에 걸리게 될 것이다.
5 환불을 요구하면 돈을 돌려받게 될 것이다.

C 1 고객들의 수요를 충족시키기 위해 모든 노력을 다했다.

2 전화가 울리는 바람에 대화는 중단되었다.
3 할인 행사 기간 동안에 구입하신 물품은 반품되지 않습니다.
4 도시 관리들은 버스 요금이 20%만큼 인상될 예정이라고 발표했다.
5 미국 사회는 다양한 쟁점에 직면해 있다.

D 1 성공이란 하루하루 되풀이되는 작은 노력의 총합이다.
2 행운이란 결코 받아서 갖는 것이 아니라 잠시 빌리는 것일 뿐이다.
3 라스베이거스에서 시작하는 일이 없도록 하라. 간담(肝膽)과 지갑에 호의를 베풀라.
4 돛에 무역풍을 받으라. 탐험하라. 꿈을 꾸라. 발견하라.
5 정신, 마음, 유머감각, 가능한 모든 재능을 활용해야만 한다.

600점 도전

p.56

1 무엇인가에 대한 이야기를 하다 2 의견을 표명하다 3 차이가 심할 때 4 많은 돈을 벌 수 있게 해주는
5 보상하다 6 의식을 되찾다 7 그냥 살아갈 만큼의 돈밖에 없다

600점 도전 연습

p.57

01 관용 표현

A What happened to Nick?

B Oh, he suddenly passed out and was sent to the hospital. But he came ___________ in the emergency room.

(a) by
(b) out
(c) up
(d) to

A Nick한테 무슨 일이 생긴 거니?
B 아, 갑자기 기절해서 병원에 보내졌거든. 근데 응급실에서 의식을 되찾았어.

(a) (come —) (힘겹게) 얻다
(b) (come —) (사진이) 선명하게 나오다
(c) (come —) (문제 등이) 생기다
(d) (come —) 의식을 되찾다

어구 pass out 〈구어〉 기절하다; 죽다 emergency room 응급실

해설 '의식을 되찾다'라는 뜻의 come to를 측정하는 문제로 정답은 (d)이다. 이때 to는 '일정한 상태로'라는 뜻을 나타낸다. 의식을 잃은 상태에서 본래 '상태로' 돌아온다고 생각하기 때문에 생겨난 표현이다. (a)의 come by에서 by는 '곁에'라는 뜻으로부터 '어떤 것을 입수하는'이란 뜻으로 발전했음도 기억하자.

정답 (d)

03 Collocation

A natural storyteller, E. B. White always __________ a fascinating anecdote.

(a) regarded
(b) rejected
(c) related
(d) relieved

타고난 이야기꾼이어서, E. B. White는 늘 매혹적인 이야기를 들려줬다.

(a) 간주하다
(b) 거부하다
(c) 이야기하다
(d) (고통 등을) 덜어주다

어구 natural 타고난 fascinating 황홀케 하는, 매혹적인 anecdote 이야기

해설 '이야기하다'라는 뜻의 relate를 측정하는 문제로 정답은 (c)이다. 이 단어는 [다시(re) 옮기다(late)]로 분석되며, 이 뜻으로부터 '이야기하다'라는 뜻이 나왔다. 특히 'be related to ~'라는 형태로 '~와 관련되다'라는 뜻을 나타낼 수도 있음에 유의해야 한다.

정답 (c)

03 Collocation

Her strong faith in God enabled Jenny to __________ agony.

(a) remain
(b) endanger
(c) endure
(d) remind

하나님에 대한 굳은 믿음으로 Jenny는 고뇌를 감내할 수 있었다.

(a) (같은) 상태를 유지하다
(b) 위험에 빠뜨리다
(c) 감내하다
(d) 상기시키다

어구 faith in ~에 대한 믿음 enable A to V A가 ~할 수 있도록 하다 agony 고뇌

해설 '감내하다'라는 뜻의 endure를 측정하는 문제로 정답은 (c)이다. 이 단어는 [만들다(en) 지속되게(dur + e)]로 분석되며, 본래 '지속되도록 만들다'는 뜻이다. 이 단어와 어근이 같은 durable은 [지속될(dur) 수 있는(able)]이란 뜻에서 '견고한'이란 뜻으로 발전했다.

정답 (c)

04 고급 표현

Partly because I loved her, Clara's __________ laughter filled my heart with joy.

(a) hysterical
(b) incessant
(c) nervous
(d) depressing

한편으로는 그녀를 사랑하기 때문에 Clara의 끊임없는 웃음이 내 마음을 기쁨으로 가득 채웠다.

(a) 지극히 감정적으로 반응하는
(b) 끊임없는
(c) 초조한; 신경의
(d) 우울하게 하는

해설 '끊임없는'이란 뜻의 incessant를 측정하는 문제로 정답은 (b)이다. 이 단어는 [아닌(in) 그치는(cess) 하고 있는(ant)]으로 분석되며, 본래 뜻은 '그치고 있지 않은'이다. 이 단어의 어근 cess와 모양이 같지만, process에서 cess는 '가는 것'이란 뜻임에 주의해야 한다.

정답 **(b)**

05 고급 표현

Greedy people are always looking for __________ ventures.

(a) luminous
(b) eloquent
(c) lush
(d) lucrative

탐욕스러운 이들은 언제나 수지맞는 사업을 찾는다.

(a) 빛나는
(b) 달변의
(c) (식물이) 무성한
(d) 수지맞는

어구 greedy 탐욕스러운 look for ~을 찾다 venture 사업

해설 '수지맞는'이란 뜻의 lucrative를 측정하는 문제로 정답은 (d)이다. 이 단어는 [이득을(lucr) 만드는(at) 경향이 있는(ive)]으로 분석된다. 참고로 eloquent는 [잘(e) 말하고(loqu) 있는(ent)]으로 분석되며, 이 뜻에서 '달변인', '능변인'이란 뜻이 생겼다.

정답 **(d)**

Actual Test

p.58

01 ●●●

A I'm on the phone right now. Can you __________ the door, please?

B Yeah, sure. I really wonder who's knocking at the door.

(a) make
(b) take
(c) have
(d) get

A 전화를 받고 있는 중이라서요. 문 좀 열어 줄래요?
B 응, 알았어. 누가 노크하는지 모르겠네.

(a) 만들다
(b) 취하다
(c) 가지다
(d) (— the door) (손님을 맞으러) 문을 열어주다

해설 '문을 열어주다'라는 뜻의 get the door를 측정하는 문제로 정답은 (d)이다. get의 본래 뜻은 '붙잡다'이며 이 뜻으로부터 여러 가지 의미가 생겨났다. get the door와 관련이 있는 표현으로 get the phone을 들 수 있는데 '전화를 받다'라는 뜻임을 기억하자.

정답 **(d)**

02

A How come Alice was late for the conference?

B She couldn't __________ the bus.

(a) miss
(b) catch
(c) jump
(d) lose

A 어째서 Alice가 회의에 늦은 거죠?

B 버스를 놓쳤어요.

(a) 놓치다
(b) (버스 등을) 잡다
(c) 뛰어오르다
(d) 잃다

해설 '잡다'라는 뜻의 catch를 측정하는 문제로 정답은 (b)이다. 참고로 반대 표현은 miss로 '놓치다'라는 뜻을 나타낸다. 비교적 간단한 표현으로 생각될 수도 있지만, 일상적으로 자주 쓰이는 표현이기 때문에 빈번히 출제됨에 유의하자.

정답 **(b)**

03

A I can't believe Jimmy was arrested.

B According to the police, he __________ enormous amount of money from the company.

(a) robbed
(b) borrowed
(c) stole
(d) lent

A Jimmy가 체포되었다는 게 믿겨지지가 않아요.

B 경찰 말로는, 어마어마한 돈을 회사에서 훔쳤대요.

(a) 훔치다
(b) 빌리다
(c) 훔치다
(d) 빌려주다

어구 arrest 체포하다 according to ~에 따르면 enormous 막대한, 엄청난

해설 '훔치다'라는 뜻의 steal을 측정하는 문제로 정답은 (c)이다. 비슷한 뜻을 나타내지만, rob은 '돈'이나 '물건'이 목적어로 올 수 없다. rob의 목적어로는 '사람' 또는 '은행과 같은 기관'이 오며, 바로 다음에 '~로부터'를 뜻하는 of가 이어져서 'rob A of B(A로부터 B를 강탈하다)'라는 구문을 만들어낸다. 참고로 본래 영어에서는 '사람을 소유물로부터 떼어낸다'고 생각하기 때문에 이와 같은 구문이 만들어졌다.

정답 **(c)**

04

A I need to discuss something with you. What time are you ________?

B Anytime after seven.

(a) available
(b) reliable
(c) reasonable
(d) sensible

A 상의할 게 있는데요. 언제 시간이 나세요?
B 7시 이후면 어느 때든 괜찮아요.

(a) 이용 가능한
(b) 신뢰할 수 있는
(c) (가격 등이) 적정한
(d) 지각 있는

해설 '이용 가능한'이란 뜻의 available을 측정하는 문제로 정답은 (a)이다. 시험에 따라 다소 차이가 있긴 하지만, 여전히 출제 빈도가 높다. 이 단어에 쓰인 avail은 동사로서 'avail oneself of ~'와 같이 쓰여 '~를 이용하다'라는 뜻을 나타낸다.

정답 (a)

05

A An interesting ________ was conducted by CNN.

B What was it about?

(a) election
(b) sample
(c) poll
(d) result

A CNN에서 흥미로운 여론 조사를 했어요.
B 무엇에 관한 것이었죠?

(a) 선거
(b) 표본
(c) 여론 조사
(d) 결과

해설 '여론 조사'를 뜻하는 poll을 측정하는 문제로 정답은 (c)이다. '여론 조사를 실시하다'라는 뜻은 carry out [conduct] a poll로 나타낸다. 참고로 '선거'를 뜻하는 election은 [밖으로(e) 골라내는(lect) 것(ion)]으로 분석되는데, collect와 어근 lect를 공유함에 유의하자.

정답 (c)

06

A What does Oprah Winfrey look like?

B Oh, you can __________ her instantly. She has a caring smile.

(a) remember
(b) recognize
(c) respond
(d) recommend

A Oprah Winfrey가 어떻게 생겼나요?

B 아, 금방 알아보실 거예요. (남을 배려하는) 따스한 미소를 띠거든요.

(a) 기억하다
(b) 알아보다
(c) 반응하다
(d) 추천하다

어구 instantly 즉시, 금방 caring 남을 배려하는

해설 '(누구 또는 무엇인지) 알아보다'라는 뜻의 recognize를 측정하는 문제로 정답은 (b)이다. 이 단어는 출제 빈도가 매우 높은 단어임에 유의하자. recognize는 [다시(re) 알도록(cogn) 만들다(ize)]로 분석되는데, 어근 cogn를 이용하는 단어로 cognizant를 들 수 있다. '알고 있는'이란 뜻이다.

정답 (b)

07

A I'd like to request a __________, please.

B Could you show me the receipt, ma'am?

(a) refund
(b) refusal
(c) discount
(d) rip-off

A 환불받고 싶은데요.

B 영수증을 보여주시겠어요, 손님?

(a) 환불
(b) 거절
(c) 할인
(d) 바가지(를 씌운 물건)

어구 request 요구하다 receipt 영수증

해설 '환불'을 뜻하는 refund를 측정하는 문제로 정답은 (a)이다. 이 단어는 [다시(re) 쏟아붓다(fund)]로 분석된다. 곧 손님으로부터 받은 돈을 '다시 쏟아붓는' 것이 '환불'이라고 생각한다. 참고로 (c)의 discount는 중요한 단어로 특히 할인이 한 번에 이루어진다고 생각하기 때문에 '셀 수 있는 명사'라는 점에 유의해야 한다.

정답 (a)

08

A Why did you buy a new notebook computer?

B Because it has lots of cutting-edge ___________.

(a) quantities
(b) traits
(c) personalities
(d) features

A 노트북 컴퓨터를 왜 새로 샀니?
B 첨단 기능이 많이 들어 있거든.

(a) 양(量)
(b) 특질
(c) 개성; (연예인 등의) 유명인
(d) (매력적인) 기능

어구 cutting-edge 첨단의

해설 '매력적인 기능'을 뜻하는 feature를 측정하는 문제로 정답은 (d)이다. 대개 '특징'이라는 뜻으로 알고 있는데, '사람들에게 호소력을 갖게 하는 특성'이라는 뜻에서 '매력적인 기능'이라는 의미가 생겨났음도 알아두어야 한다.

정답 (d)

09

A I won't buy any products of Kosume Group.

B I heard the company is notorious for its ___________ products.

(a) flawless
(b) defective
(c) ideal
(d) effective

A Kosume 그룹 제품은 아무것도 사지 않을래요.
B 그 회사는 결함이 많은 제품으로 악명이 높다고 하던데요.

(a) 완벽한
(b) 결함이 있는
(c) 이상적인
(d) 효과적인

어구 notorious 악명 높은

해설 '결함이 있는'이란 뜻의 defective를 측정하는 문제로 정답은 (b)이다. 이 단어는 [잘못(← 아래로, de) 만드는(fect) 경향이 있는(ive)]으로 분석되며, 이 뜻에서 '결함이 있는'이란 의미가 생겨났다. 반면 flawless는 [결함이(flaw) 없는(less)]으로 분석되며, 따라서 '완벽한'이란 뜻이 생겨났다.

정답 (b)

10

A I would like to check out some books, please.

B Do you have ___________?

(a) isolation

(b) classification

(c) identification

(d) immigration

A 책 몇 권을 대출하고 싶은데요.

B 신분증 있으세요?

(a) 고립

(b) 분류

(c) 신분증; 동일시

(d) 이민

어구 check out (책을) 대출하다

해설 '신분증'을 뜻하는 identification을 측정하는 문제로 정답은 (c)이다. 이 단어는 [동일하게(identi) 만든(fic) 만들다(at) 것(ion)]으로 분석되며, 본래 '똑같도록 만드는 것'이란 뜻이다. 여권과 같은 신분증을 통해 '동일인임을 확인할 수' 있기 때문에 '신분증'이란 뜻으로 발전했음에 유의하자.

정답 **(c)**

11

Unfortunately, many volunteers ___________ a fatal disease.

(a) caught

(b) held

(c) took

(d) fell

유감스럽게도, 많은 자원봉사자들이 치명적인 병에 걸렸다.

(a) (병에) 걸리다

(b) (일정 수량을) 수용하다

(c) (유효한 것으로) 받아들이다

(d) 떨어지다

어구 fatal 치명적인

해설 '병에 걸리다'라는 뜻의 catch a disease를 측정하는 문제로 정답은 (a)이다. '잡다'라는 뜻을 공유하는 hold나 take를 대신 쓸 수 없음에 특히 유의해야 한다. 하나의 단위로 굳은 표현이기 때문에 아무렇게나 바꾸어 쓸 수 없기 때문이다.

정답 **(a)**

12

___________ traffic is commonplace in large cities in the United States, causing a lot of trouble.

(a) Thin

(b) Deep

(c) Soft

(d) Heavy

교통 체증은 미국의 대도시에서 일상적인 것으로 많은 문제를 초래하고 있다.

(a) 얇은

(b) 깊은

(c) 부드러운

(d) (정도가) 심한

어구 commonplace 평범한, 흔해빠진

해설 '정도가 심한'이라는 뜻의 heavy를 측정하는 문제로 정답은 (d)이다. 단순히 '무거운'이란 뜻으로만 기억해서는 안 됨에 유의하자. 이와 반대로 '교통량이 별로 없는 것'은 light traffic으로 표현한다.

정답 (d)

13

The online school offers the course that __________ your needs best.

(a) agrees
(b) finds
(c) suits
(d) shows

온라인 학교가 여러분의 수요에 가장 적합한 과정을 제공합니다.

(a) 동의하다
(b) 찾다
(c) ~에 알맞다
(d) 보여주다

해설 '~에 알맞다'라는 뜻의 suit을 측정하는 문제로 정답은 (c)이다. 예문의 need와 어울리는 다른 표현으로 '수요를 충족시키다'를 뜻하는 meet [fill] a need도 기억해 두어야 한다.

정답 (c)

14

This is a once-in-a-lifetime chance. Make a(n) __________ online and save 20%.

(a) observation
(b) reservation
(c) conservation
(d) renovation

일생에 한 번뿐인 기회입니다. 온라인으로 예약을 하셔서 20%만큼이나 아껴 보세요.

(a) 관찰
(b) 예약; 제한 조건
(c) 보존
(d) 개량

어구 once-in-a-lifetime 일생에 한 번뿐인

해설 '예약'을 뜻하는 reservation을 측정하는 문제로 정답은 (b)이다. 또한 '주저함이나 망설임 없이'라는 뜻으로 without reservation이란 표현을 쓴다는 것도 기억해 두어야 한다. [다시(re) 새롭게(nov) 만드는(at) 것(ion)]을 뜻하는 (d)의 renovation도 꼭 기억해 두자.

정답 (b)

15

I've __________ to *The Washington Post* for nearly twenty years.

(a) subscribed
(b) submitted
(c) ascribed
(d) described

거의 이십 년 동안 워싱턴포스트지(紙)를 구독하고 있다.

(a) 구독하다
(b) 제출하다
(c) ~의 탓으로 돌리다
(d) 기술(記述)하다

해설 '구독하다'라는 뜻의 subscribe를 측정하는 문제로 정답은 (a)이다. 이 단어는 [아래에(sub) 쓰다(scribe)]로 분석되는데, 본래 '서류에 서명하다'라는 뜻을 나타낸다. 참고로 이 뜻에서 '(일정한 견해를) 지지하다'라는 의미도 생겨났다.

정답 **(a)**

16

Students ought to __________ the dress code at all times.

(a) reserve
(b) preserve
(c) observe
(d) deserve

학생들은 언제나 복장 규정을 준수해야 한다.

(a) 예약하다
(b) 보존하다
(c) 관찰하다; 준수하다
(d) ~할 만한 가치가 있다

어구 dress code 복장 규정 at all times 언제나, 항상

해설 '준수하다'를 뜻하는 observe를 측정하는 문제로 정답은 (c)이다. 본래 [향해서(ob) 지켜보다(serve)]라는 뜻을 나타낸다. 참고로 reserve는 [완전히(re) 지켜보다(serve)]가, preserve는 [미리(pre) 지켜보다(serve)]가, deserve는 [잘(de) 지켜보다(serve)]가 기본적인 뜻이다.

정답 **(c)**

17

Our company proudly __________ customers with the best products possible.

(a) demand
(b) supply
(c) deny
(d) suppose

저희 회사는 자랑스럽게 고객들에게 최고의 제품을 공급합니다.

(a) (강력히) 요구하다
(b) 공급하다
(c) 부인하다
(d) 가정하다

해설 '공급하다'를 뜻하는 supply를 측정하는 문제로 정답은 (b)이다. supply는 위의 예문과 같이 [supply + 사람 + with + 사물]이라는 형태 또는 [supply + 사물 + to + 사람]이라는 형태로 쓰임에 유의하자.

정답 (b)

18

Poor farmers were pressed to pay off ________ debts by selling their land.

(a) excellent
(b) solid
(c) remarkable
(d) outstanding

가난한 농부들은 땅을 팔아서 남아 있는 빚을 갚도록 강요받았다.

(a) 탁월한
(b) (물품 등이) 튼튼한
(c) 주목할 만한
(d) 뛰어난; 미결의

어구 pay off (빚 따위를) 갚다 debt 빚

해설 '미결의'를 뜻하는 outstanding을 측정하는 문제로 정답은 (d)이다. 본래 이 단어는 [바깥에(out) 서(stand) 있는(ing)]이라는 뜻이다. 따라서 '다른 것과 다르게 뛰어난'이란 의미와 함께 '아직까지도 남아 있는'이란 의미도 갖게 되었음에 유의하자.

정답 (d)

19

His loyal soldiers were eager to ________ his order to assassinate the queen.

(a) execute
(b) betray
(c) persecute
(d) forgo

그의 충성스러운 병사들은 여왕을 암살하려는 그의 명령을 기꺼이 수행하려고 하였다.

(a) 수행하다
(b) 배신하다
(c) 박해하다
(d) 삼가다

어구 loyal 충성스러운 be eager to V 간절히 ~하고 싶어하다 assassinate 암살하다

해설 '수행하다'라는 뜻의 execute를 측정하는 문제로 정답은 (a)이다. [완전히(← 밖으로, ex) 따르다((s)ecute)]로 분석되는 이 단어는 '수행하다'라는 것이 기본적인 의미이다. 이 뜻에서 '사형에 처하다'라는 뜻도 나왔음에 유의하자.

정답 (a)

20

Many experts believe that the advent of the 21st century __________ the beginning of the age of imagination.

(a) suppresses
(b) obscures
(c) imperils
(d) signifies

많은 전문가들은 21세기의 도래가 상상력의 시대의 개막을 알리는 것이라고 생각한다.

(a) 억누르다
(b) 불분명하게 하다
(c) 위험에 빠뜨리다
(d) 알리다

어구 advent 출현, 도래, 등장

해설 '알리다'라는 뜻의 signify를 측정하는 문제로 정답은 (d)이다. 이 단어는 [표시를(sign) 만들다(ify)]로 분석되며, 이 뜻에서 '의미하다'라는 뜻도 나왔음에 유의하자. 참고로 (a)의 suppress는 [아래로(sup) 누르다(press)]로, (c)의 imperil은 [위험(peril) 안에 넣다(im)]로 분석된다.

정답 (d)

Unit 03 필수 어휘 2

p.62

출제 경향 분석 및 전략	**예제 1** (d) **예제 2** (c) **Practice 1** (b) **Practice 2** (c)
출제빈도순 기본어휘 Review	A **Across** 1 factor 2 renew 3 symptom 4 improve 5 alternative **Down** 1 pedestrian 2 require 3 monitor 4 promotion 5 postpone B 1 d 2 e 3 a 4 b 5 c C 1 improve 2 confuse 3 run 4 accusing 5 check D 1 symptom 2 factor 3 inhabit 4 compete 5 alternative
600점 도전	1 d 2 g 3 a 4 e 5 b 6 c 7 f
600점 도전 연습	01 (b) 02 (d) 03 (c) 04 (d) 05 (a)
Actual Test	01 (d) 02 (b) 03 (a) 04 (d) 05 (c) 06 (d) 07 (a) 08 (b) 09 (c) 10 (a) 11 (c) 12 (b) 13 (d) 14 (d) 15 (c) 16 (a) 17 (d) 18 (a) 19 (b) 20 (c)

출제 경향 분석 및 전략

p.64

예제 1

A Can you tell me how I can relieve my ________ nose?

B You can take chlorpheniramine. It's an over-the-counter drug.

(a) big
(b) hooked
(c) long
(d) runny

A 어떻게 하면 콧물이 나는 증상이 나을까요?
B 클로르페니라민을 복용해 보세요. 처방전 없이 구입할 수 있는 약이에요.

(a) 큰
(b) (— nose) 매부리코
(c) 긴
(d) (— nose) (감기로) 콧물이 나는 것

어구 relieve ~을 경감하다, 덜다 chlorpheniramine 항(抗)히스타민 화합물 over-the-counter (약이) 의사 처방 없이 팔리는

해설 '콧물이 나는 것'을 나타내는 runny nose를 측정하는 문제로 정답은 (d)이다. 참고로 (a)와 (c)는 '코'에 대해 쓰이는 경우 거의 비슷한 의미이다. 일상적으로 흔히 접하는 상황에서 쓰이는 말이므로 정확히 익혀두자.

정답 (d)

예제 2

In fact, there are many cases in which a __________ mistake turns into a major disaster.

(a) cheerful
(b) brilliant
(c) minor
(d) mean

사실, 사소한 실수가 심각한 재앙으로 변하는 경우도 많이 있다.

(a) 유쾌한
(b) (재능 등이) 뛰어난
(c) 사소한
(d) 비열한

어구 turn into ~로 변하다 disaster 재앙

해설 '사소한 실수'를 뜻하는 minor mistake를 측정하는 문제로 정답은 (c)이다. 이 문장에서는 '사소한 실수'가 '심각한 재앙'과 대조를 이루고 있기 때문에, (d)가 정답이 될 수 없음에 유의해야 한다. 그리고 (a)와 (b)는 모두 맥락에 전혀 어울리지 않는 표현이다. 역시 일상적으로 흔히 쓰이는 표현이므로 정확히 익혀두자.

정답 (c)

Practice 1

A I think Clara Cook is a superb teacher.

B I think so, too. She always finds the best way to __________ students' interest in any subject.

(a) diminish
(b) arouse
(c) stall
(d) deter

A Clara Cook은 탁월한 교사인 거 같아요.

B 저도 그렇게 생각해요. 어떤 과목이든 학생들의 관심을 끌어내는 가장 좋은 방법을 늘 찾아내거든요.

(a) 감소시키다
(b) 불러일으키다
(c) 지체시키다
(d) 저지하다

어구 superb 탁월한

해설 '관심을 불러일으키다'라는 뜻의 arouse interest를 측정하는 문제로 정답은 (b)이다. interest가 arouse라는 다소 까다로운 단어와 함께 쓰임에 유의해야 한다. 참고로 오답으로 제시된 다른 단어들도 모두 출제 범위에 속하므로 정확히 익혀두자.

정답 (b)

Practice 2

Traffic laws are supposed to protect ___________ from possible dangers on the road.

(a) pediatrician
(b) technician
(c) pedestrians
(d) humanitarian

교통 관계 법률은 도로에서 발생할 수 있는 위험으로부터 보행자를 보호하도록 되어 있다.

(a) 소아과 의사
(b) 기술자
(c) 보행자
(d) 인도주의자

어구 be supposed to V ~할 의무가 있다 possible 있을 수 있는

해설 '보행자'를 뜻하는 pedestrian을 측정하는 문제로 정답은 (c)이다. 특히 (c)를 (a)와 혼동해서는 안 되는데, (a)는 [ped(아동)+iatric(치료)+ian(사람)]으로 분석된다. 반면 (c)는 [ped(발)+estr(걷는 것)+ian(사람)]으로 분석된다. 모양이 똑같은 어근 ped 때문에 혼동할 수 있는데, 서로 다른 말이므로 정확히 익혀두자.

정답 (c)

출제빈도순 기본어휘 - Level 0

p.66

1 대학 측은 Vivian 박사가 많은 논란을 불러일으키는 인물이기 때문에 강좌를 중단시킬 수밖에 없었다.

이것만은 꼭! '예정된 행사나 예약 사항 등을 취소하다'라는 뜻을 나타내는 단어로 일상적으로 자주 쓰이기 때문에 꼭 기억해 두자. 예문에서는 대학의 강좌를 '취소한다'는 뜻으로 쓰였음에 유의하자.

2 절망감을 느끼는 것은 우울증의 흔한 증상이다.

이것만은 꼭! 대개 병 때문에 생기는 '증상'을 뜻하는 단어인데, '바람직하지 못한 것이 존재한다는 징후'라는 뜻으로도 쓰임에 유의하자. 여전히 출제 빈도가 높기 때문에 반드시 기억해 두어야 한다.

3 줄기세포 연구는 막대한 자금, 그리고 보다 중요한 것으로 인내심을 요한다.

이것만은 꼭! 특히 정책이나 법규 등이 일정한 행동을 강력하게 요구한다는 뜻을 나타낸다. 역시 출제 빈도가 높은 편이다.

4 아이러니하게도, 초연함이 성공의 핵심 요인 가운데 하나이다.

이것만은 꼭! 일정한 대상에 영향을 미치는 요인이라는 뜻으로 '만들다'는 뜻의 어근 fac에서 유래한 단어이다. [fac(만들다)+t(~하게 된)+or(것)]으로 분석된다. 같은 어근을 활용하는 factory는 [fac(만들다)+t(~하게 된)+ory(장소)]로 분석되어 '공장'이란 뜻을 나타낸다.

5 건강한 관계를 유지하는 것이 정신 건강을 유지하는 데 일정한 역할을 한다.

이것만은 꼭! play a part와 같은 형식으로 쓰여 '역할을 하다'라는 뜻을 나타내는 단어이다. 동의어인 role도 역시 play a role이라는 형식으로 쓰인다.

출제빈도순 기본어휘 - Level 1 p.67

1 순진무구한 아이들은 종종 별에는 어떤 존재가 살고 있는지 궁금해 한다.

이것만은 꼭! '사람이나 동물이 일정한 지역에 산다'는 뜻을 나타내는 단어로 타동사임에 유의해야 한다. 본래 영어의 타동사는 주어와 목적어가 밀접한 관계를 맺는다는 뜻을 나타내는데, 일정한 지역에 거주하는 것이므로 관계가 밀접하다고 볼 수 있다.

2 누이동생은 장애인들이 필요로 하는 것을 채워주는 작은 회사를 꾸려나간다.

이것만은 꼭! run에 자동사로서 '달리다'는 뜻 이외에, 타동사로서 '운영하다, 꾸려가다'라는 뜻이 있음에 유의할 필요가 있다. 역시 '운영'이라는 긴밀한 관계로 묶이는 것이기 때문에 이 뜻에서 타동사로 쓰인다.

3 성난 팬들로부터 공격을 당할 것이 두려워서 Peggy는 토고행 비행편을 연기했다.

이것만은 꼭! 이 단어는 [이후로(post) 놓다(pon+e)]로 분석되므로 계획 등을 '연기하다'라는 뜻을 나타낸다. 같은 어근인 pon을 활용하는 단어로 component를 들 수 있는데, [함께(com) 놓고(pon) 있는 것(ent)]으로 분석되어 '구성 요소'라는 뜻을 나타낸다.

4 심지어 오늘날에도 이른바 정통파 의사들은 대체의학의 타당성을 의심한다.

이것만은 꼭! '일정한 대상을 대신할 수 있는'이라는 기본적인 뜻으로부터 '전통적인 방식에서 벗어난'이란 뜻이 나왔다. 두 가지 모두 중요한 뜻이므로 정확히 기억해야 하며, 예문에 쓰인 alternative medicine에서는 두 번째 의미로 쓰였다.

5 비밀을 말해주기 전에, 문이 단단히 닫혔는지를 확인해야 한다.

이것만은 꼭! 서양장기에서 '장군(check)'이라고 말하는 데서 유래한 단어로, '사실인지 확인해 보다'라는 뜻과 '(담당자 등에게) 사실인지 물어보다'라는 두 가지 중요한 뜻이 있다.

출제빈도순 기본어휘 - Level 2 p.68

1 자신을 믿음으로써 삶을 상당히 향상시킬 수 있다는 것은 진실이다.

이것만은 꼭! '증명하다'라는 뜻의 prove와 혼동하지 않도록 주의해야 한다. 어원 분석과 다르긴 하지만, im은 in의 변형으로 '안으로'라는 뜻에서 '만들다'라는 '변화'의 뜻을 갖는다고 생각할 수 있다. improve와 prove에서 prove를 모두 '좋다'로 해석하면, improve는 '좋은 것 안으로' 곧 '좋게 만들다'가 될 수 있다. 반면 prove는 '좋다는 것을 밝히다'라는 의미만 나타낸다고 생각하면 혼동을 피할 수 있다.

2 오늘날에는 너무도 많은 사람들이 서로 현격하게 다름에도 불구하고 부유함과 행복을 혼동하는 경향이 있다.

이것만은 꼭! confuse는 [함께(con) 쏟아 붓다(fuse)]로 분석되는데, 이 뜻으로부터 '혼동시키다' 또는 '혼동하다'라는 뜻이 나왔다.

3 미국이 아니라 모국에서 비자를 갱신할 것을 외국 학생들에게 권하는 바입니다.

이것만은 꼭! renew는 [다시(re) 새롭게 하다(new)]로 분석되는데, 이처럼 접두사 're-'는 대개 '다시'라는 뜻으로 쓰인다. 이 '다시'라는 뜻이 확장되어 '완전히'라는 뜻으로 쓰이기도 하는데, replete[re(완전히)+

plete(채워진)]이 그 예이다. '다시 한다'는 것은 끝없는 반복으로 이어져 '완전함'을 이룰 수 있기 때문이다.

4 세관을 통과할 때는 대개 방문 목적을 말해야 한다.

이것만은 꼭! 본래 custom은 '익숙해진 것'이란 뜻으로 흔히 '관습'으로 번역된다. customs는 '관습적으로 부과되는 세금'이라는 뜻에서 '관세'라는 뜻을 나타내게 되었고 이를 담당하는 '세관'이란 뜻으로 확장되었다.

5 몇몇 정치가들이 초강대국 가운데 한 나라에 자신들의 나라를 팔아넘겼다는 비난을 받았다.

이것만은 꼭! accuse는 [법적 소송을(cuse) 향해서(ac)]로 분석된다. 이와 달리, excuse는 [법적 소송을(cuse) 벗어나서(ex)]로 분석된다. 이러한 본래 의미로부터 두 단어의 차이가 생겨났다.

출제빈도순 기본어휘 - Level 3

p.69

1 혈당측정기는 당뇨병 환자들이 혈당 수치를 확인하기 위해 사용하는 장치이다.

이것만은 꼭! monitor는 [(지켜보고) 경고하는(monit) 사람(or)]으로 분석된다. '지켜보다'라는 뜻이 강조되면서 '수시로 확인하다'라는 뜻이 나왔다. 이와 관련된 단어로 premonition은 [미리(pre) 경고하는(monit) 것(ion)]이란 본래 뜻에서 '예감'이라는 뜻이 생겨났다.

2 맞춤형 서비스를 제공함으로써, 그 소기업은 대기업과 경쟁을 벌였다.

이것만은 꼭! compete은 [함께(com) 구하다(pete)]로 분석된다. 동시에 일정한 대상을 추구하게 되면 서로 겨루게 되는 데서 '경쟁하다'라는 뜻이 생겨났다.

3 형편없는 근무 조건에 격분하여, 수천 명의 버스 운전사들이 파업을 벌였다.

이것만은 꼭! strike의 본래 뜻은 '가볍게 치다'인데 '때리다'라는 뜻으로 발전했다. 이 뜻에서 '고용주에 대한 강력한 힘의 행사'라는 뜻으로 '파업'이라는 뜻이 생겨났다. 참고로 go on a strike와 같이 쓰지 않음에 유의해야 한다.

4 할당된 판매량을 초과 달성하여, Marriane은 오래도록 기다렸던 승진을 마침내 이루었다.

이것만은 꼭! promotion은 [앞으로(pro) 움직이는(mot) 것(ion)]으로 분석된다. '뒤로 물러나는 것이 아니라 앞으로 움직이는 것'이므로 '승진'을 뜻한다. 어근을 공유하는 emotion은 [밖으로(e) 움직이는(mot) 것(ion)]으로 분석되는데, 감정이 언제나 외부로 표현되기 때문에 '감정'이라는 뜻을 갖게 되었다.

5 영화 '스파이더맨 3'에서 Peter Parker는 오랜 친구인 Harry에게 간곡히 도움을 부탁한다.

이것만은 꼭! solicit은 [완전히(soli) 움직이다(cit)]로 분석된다. '간절하게 부탁함으로써 마음을 완전히 움직이다'로 생각하는 데서 '간청하다'라는 뜻이 나왔다.

출제빈도순 기본어휘 - Review

p.70

A **Across** 1 특정한 상황에 영향을 미치는 것 2 이미 사용된 것을 대체하다 3 아플 때 겪게 되는 것들

4 더 낫게 만들다 5 무언가를 대신해서 쓸 수 있는

Down 1 거리를 걷고 있는 사람 2 어떤 것을 하거나 가질 필요가 있다 3 끊임없이 살펴보다 4 보다 높은 지위를 얻다 5 나중에 하기로 결정하다

B
1 콘서트를 취소하면 청중 앞에서 노래를 부르지 않을 것이다.
2 감기에 걸리면 기침을 하는 것이 증상 가운데 하나일 것이다.
3 어떤 일을 할 것이 요구되면, 꼭 그 일을 해야 한다.
4 어떤 것이 일정한 일의 요인이면, 그것은 그 일에 영향을 미칠 수 있다.
5 일정한 일에서 역할을 맡으면, 일정한 방식으로 그 일에 기여한다.

C
1 정신과 신체를 편안하게 함으로써, 명상은 건강을 크게 향상시킬 수 있다.
2 사실 나는, 태권도와 공수도를 종종 혼동한다.
3 내 꿈은 양질의 제품을 싼 값에 판매하는 회사를 꾸려나가는 것이다.
4 제가 거짓말을 하고 있다는 겁니까? 아니면 제 권위에 도전하는 겁니까?
5 새로운 사람을 만날 때는, 언제나 올바른 사람인지를 확인하라.

D
1 천박하게 계속 말하는 습관은 정신적 결함의 징표이다.
2 오늘날의 사회에서 주도적인 요소는 변화, 지속적인 변화, 불가피한 변화이다.
3 이야기를 읽으면 그 안에 거주하게 되는 셈이다. 책의 표지는 (집을 이루는) 지붕과 네 개의 벽과 같다.
4 위안을 주는 것으로 철학은 푸짐하게 먹는 저녁 식사에 견줄 수가 없다.
5 학생을 교과과정의 모든 의무에서 면제시켜주는 대안적인 대학 프로그램을 마련하라.

600점 도전 p.72

1 비밀을 빌미 삼아 협박하다 2 예정된 때에 이루어지지 못한 3 일정한 것을 아주 잘하는 4 무엇인가가 충분하지 않은 것 5 하나님을 무시하는 6 어떤 것을 차단하다 7 어떤 것이 기억나게 만들다

600점 도전 연습 p.73

01 (관용 표현)

A I'm afraid I can't make it to the concert.
B You see, I think you're __________ out on a rare chance.

(a) making
(b) missing
(c) giving
(d) taking

A 콘서트에 못 갈 거 같아.
B 있잖아, 정말 드문 기회를 놓치는 거 같은데.

(a) (— out) 이해하다
(b) (— out) 놓치다
(c) (— out) 나눠주다
(d) (— out) (은행에서 돈을) 인출하다

어구 rare 드문

해설 '기회를 놓치다'를 뜻하는 miss out을 측정하는 문제로 정답은 (b)이다. 이 표현에서 out은 '제외된'이란 뜻으로 쓰였는데, 이 의미는 '바깥에'라는 뜻에서 발전했다. 반면 make out에서 out은 '분명히 (바깥에 있기 때문에)'라는 뜻을 나타낸다. give out과 take out에서는 '바깥으로'라는 본래 의미로 활용되었다.

정답 (b)

02 Collocation

The assembly was __________ in order to discuss how to punish the traitors.

(a) conversed
(b) converted
(c) converged
(d) convened

반역자를 어떻게 처단할지를 논의하게 위해 회의가 소집되었다.

(a) 대화를 나누다
(b) 전환하다
(c) 수렴하다
(d) (회의를) 소집하다

어구 assembly 회의 traitor 반역자

해설 '(회의를) 소집하다'라는 뜻의 convene을 측정하는 문제로 정답은 (d)이다. 이 단어는 [함께(con) 오다(ven + e)]로 분석된다. 이 단어의 어근 ven을 공유하는 단어로 convenient를 들 수 있는데, [함께(con) 오고(ven + i) 있는(ent)]으로 분석된다. 따라서 본래 뜻은 '함께 어울리는' 곧 '적합한'이란 의미였다. 이 의미에서 '편리한'이란 뜻이 나왔음에 유의하자.

정답 (d)

03 Collocation

The news on their release was long __________.

(a) overdone
(b) overcrowded
(c) overdue
(d) overdosed

그들의 석방에 관한 소식은 이미 때를 넘긴 것이었다.

(a) 너무 익힌
(b) (사람이나 사물로) 넘쳐나는
(c) 기한이 지난
(d) 과잉 투여된

어구 release 석방

해설 '기한이 지난'을 뜻하는 overdue를 측정하는 문제로 정답은 (c)이다. 이때 본래 due는 '빚진'이란 뜻이었다. 이 뜻으로부터 '합당한 (빚은 마땅히 갚아야 하므로)'이란 뜻이 나왔는데, 이를 활용한 표현으로 with (all) due respect를 들 수 있다. 이 표현은 상대방의 말에 동의하지 않음을 정중하게 나타낼 때 쓰인다.

정답 (c)

04 고급 표현

Unfortunately, there is a(n) ___________ of funds for helping women to become economically independent.

(a) defect
(b) excess
(c) excerpt
(d) deficiency

유감스럽게도, 여성들이 경제적으로 자립할 수 있도록 돕는 데 쓰이는 기금이 부족하다.

(a) 결함
(b) 과잉
(c) 발췌
(d) 결핍

어구 fund 기금 economically 경제적으로 independent 자립한

해설 '결핍'을 뜻하는 deficiency를 측정하는 문제로 정답은 (d)이다. 이 단어는 [만들어내지(fic + i) 못하고(←아래로, de) 있는 것(ency)]으로 분석되며, 이 뜻으로부터 '결핍'이라는 의미가 생겨났다. fic은 fac이라는 모양으로도 쓰이는데, 이 어근에서 factor[요인 ←만들어내는(fac + t) 것(or)]라는 단어가 생겨났다.

정답 (d)

05 고급 표현

The secret of good writing is to use modifiers ___________.

(a) sparingly
(b) amply
(c) profusely
(d) inadvertently

글을 잘 쓰는 비결은 수식어를 절제하여 쓰는 것이다.

(a) 아껴서
(b) 충분히
(c) 풍부하게
(d) 무심코

어구 secret 비결 modifier 수식어

해설 '아껴서'라는 뜻의 sparingly를 측정하는 문제로 정답은 (a)이다. 이 문제에서 (b)와 (c)가 거의 비슷한 의미를 나타내기 때문에 정답이 될 수 없긴 하지만, good writing이 생각을 분명하게 드러내야 한다는 점을 감안할 때도 정답이 될 수 없다. 수식어가 많아지면 내용을 분명하게 드러내기가 힘들기 때문이다. 상식(common sense)이 활용되는 경우인데, 이와 같은 유형도 있음을 알아두자.

정답 (a)

01

A Honey, I really like this lovely dress.

B I'm afraid we can't afford it. It's too much ___________.

(a) cheap
(b) common
(c) low
(d) expensive

A 여보, 이 근사한 드레스가 정말 맘에 들어요.

B 우리가 감당하지 못할 거 같은데. 너무 많이 비싸니까.

(a) 값싼
(b) 흔한
(c) 낮은
(d) 비싼

어구 lovely 근사한, 멋진 afford ~할 여유가 있다

해설 '비싼'이란 뜻의 expensive를 측정하는 문제로 정답은 (d)이다. B가 바로 앞에서 'can't afford it(감당하지 못하다)'이라고 했기 때문에 '값싼'을 뜻하는 (a)가 정답이 될 수 없음에 유의하자. expensive는 [완전히(← 밖으로, ex) 소비하는((s)pen(d)) 경향이 있는((s)ive)]으로 분석되며, 이 뜻으로부터 '비싼'이란 의미가 생겼다.

정답 (d)

02

A This year's contest was a huge success.

B Yeah. Everybody played a ___________ in it.

(a) parcel
(b) part
(c) piece
(d) pack

A 올해의 콘테스트는 굉장한 성공을 거뒀어요.

B 맞아요. 모든 이들이 (일정하게) 역할을 했어요.

(a) 소포
(b) 부분; 역할
(c) 일부
(d) 꾸러미

해설 '역할'을 뜻하는 part를 측정하는 문제로 정답은 (b)이다. 이때 part는 role로 바꾸어 쓸 수도 있다. part가 들어가는 중요한 표현으로 part and parcel을 들 수 있는데, 어떤 것의 '본질적인 요소'라는 뜻이다.

정답 (b)

03

A Melissa has great difficulty fitting in.

B I think she'll __________ it in no time.

(a) overcome

(b) overwork

(c) overreact

(d) overeat

A Melissa가 적응하는 데 어려움을 많이 겪고 있어요.

B 금방 극복할 거 같은데요.

(a) 극복하다

(b) 과로하다

(c) 과잉반응하다

(d) 과식하다

어구 fit in 조화하다 in no time 금방

해설 '극복하다'라는 뜻의 overcome을 측정하는 문제로 정답은 (a)이다. 이때 over는 '~를 넘어서'라는 뜻을 나타낸다. 반면 (b), (c), (d)에 쓰인 over는 모두 '과도하게'라는 뜻을 나타냄에 유의하자. 일정한 한계를 넘어서는 것이 '과도한' 것이기 때문에 이와 같은 표현들이 생겨났다.

정답 (a)

04

A Because we do not have enough money, we need to __________ the event.

B Is that the best solution you can come up with?

(a) insert

(b) remove

(c) confirm

(d) cancel

A 돈이 충분하지 않아서 행사를 취소해야겠어요.

B 그게 생각해낼 수 있는 최선의 해결책인가요?

(a) 삽입하다

(b) 제거하다

(c) 확인하다

(d) 취소하다

어구 come up with ~을 제안하다, (어떤 생각을) 꺼내다

해설 '취소하다'라는 뜻의 cancel을 측정하는 문제로 정답은 (d)이다. 같은 뜻을 call off로 나타낼 수 있음도 기억하자. 그리고 (b)의 remove는 본래 [다시(re) 움직이다(move)]라는 뜻이다. 어떤 대상이 있는 위치에서 다시 움직이게 되면 그 위치로부터 제거되기 때문에 '제거하다'라는 뜻이 생겨났다.

정답 (d)

05

A Are pets allowed in the dormitory?

B Sorry, but no student is __________ to keep pets.

(a) prevented
(b) excluded
(c) permitted
(d) included

A 기숙사에서 애완동물을 길러도 괜찮나요?

B 죄송하지만, 어떤 학생도 애완동물을 기를 수 없습니다.

(a) 방지하다
(b) 제외하다
(c) 허용하다
(d) 포함하다

어구 dormitory 기숙사

해설 '허용하다'라는 뜻의 permit을 측정하는 문제로 정답은 (c)이다. 이 단어는 [통해서(per) 보내다(mit)]로 분석되는데, 같은 어근을 쓰는 단어로 submit을 들 수 있다. submit은 [아래로(sub) 보내다(mit)]라는 뜻에서 '제출하다'라는 의미를 갖게 되었다.

정답 (c)

06

A Sarah's concert has been __________ to next Friday.

B What? I'll be out of town then. What should I do?

(a) proposed
(b) produced
(c) composed
(d) postponed

A Sarah의 콘서트가 다음 주 금요일로 연기됐어.

B 뭐라고? 그때는 다른 곳에 가 있는데. 어떻게 해야 하나?

(a) 제안하다
(b) 생산하다
(c) 구성하다
(d) 연기하다

해설 '연기하다'를 뜻하는 postpone을 측정하는 문제로 정답은 (d)이다. 같은 뜻으로 put off를 쓸 수 있음에 유의하자. 이 단어는 [뒤에(post) 놓다(pon+e)]로 분석된다.

정답 (d)

07

A Rose had been coughing all night.

B Were there any other ___________?

(a) symptoms

(b) omens

(c) hazards

(d) warnings

A Rose가 밤새도록 기침을 했어요.

B 다른 증상은 없었나요?

(a) 증상

(b) 징후

(c) 위험

(d) 경고

해설 '(병의) 증상'을 뜻하는 symptom을 측정하는 단어로 정답은 (a)이다. 본래는 '병의 증상'을 뜻했지만, 뜻이 확장되어 '부정적인 대상의 존재를 나타내는 징후'라는 의미도 갖게 되었음을 기억하자.

정답 **(a)**

08

A Professor, when is the term paper due?

B You must ___________ it by next Tuesday.

(a) omit

(b) submit

(c) admit

(d) emit

A 교수님, 기말 보고서를 언제까지 내야 하나요?

B 다음 주 화요일까지는 제출해야 합니다.

(a) 생략하다

(b) 제출하다

(c) 인정하다

(d) (빛이나 열 등을) 방출하다

어구 term paper 기말 보고서 due 만기가 된

해설 '제출하다'라는 뜻의 submit을 측정하는 문제로 정답은 (b)이다. (a), (b), (c), (d)의 단어에 들어 있는 mit은 모두 '보내다'라는 기본적인 뜻을 나타낸다. omit은 [넘어서(o) 보내다(mit)]로, admit은 [향해서(ad) 보내다(mit)]로, emit은 [밖으로(e) 보내다(mit)]로 각각 분석된다.

정답 **(b)**

09

A Here is my passport. I'd like to fly to New York next month.

B Sorry, ma'am. Your passport expires next Wednesday. You must __________ it.

(a) recharge
(b) refresh
(c) renew
(d) recall

A 제 여권이에요. 다음 달에 뉴욕행 비행편을 이용하려고요.

B 죄송합니다, 손님. 여권이 다음 주 수요일에 만료되시네요. 갱신하셔야 해요.

(a) 재충전하다
(b) (기억을) 되살리다
(c) 갱신하다
(d) 기억해내다

어구 expire 만기가 되다

해설 '갱신하다'라는 뜻의 renew를 측정하는 문제로 정답은 (c)이다. 이 단어는 [다시(re) 새롭게 하다(new)]로 분석된다. '새로운'을 뜻하는 new는 순수 영어인데, 라틴어 계열의 경우 nov가 이 뜻을 나타낸다. 따라서 novel에는 '소설'이라는 익숙한 뜻 이외에 '새로운'이란 뜻도 있음에 유의하자.

정답 (c)

10

A Sorry, but I've got to go. I should be home by ten.

B Are your parents imposing a __________ on you?

(a) curfew
(b) curse
(c) liberty
(d) variety

A 미안, 이제 가야만 해. 열 시까지는 귀가해야 하거든.

B 부모님께서 통금을 하시니?

(a) 통금
(b) 저주
(c) 자유
(d) 다양함

어구 impose ~을 (남에게) 강요하다

해설 '통금'을 뜻하는 curfew를 측정하는 문제로 정답은 (a)이다. 이 단어는 [불을(few ← fire) 덮다(cur ← cover)]로 분석되는데, 통금 신호에 따라 집안의 불을 덮어서 끄는 데서 유래한 단어이다.

정답 (a)

11

Mastering a foreign language __________ passion.

(a) acquires
(b) inquires
(c) requires
(d) coerces

외국어를 습득하기 위해서는 열정이 필요하다.
(a) 획득하다
(b) 문의하다
(c) 요하다
(d) 강제하다

해설 '요하다'라는 뜻의 require를 측정하는 문제로 정답은 (c)이다. 이 단어는 [계속(←다시, re) 찾다(quire)]로 분석된다. acquire는 [향해서(ac) 찾다(quire)]로, inquire는 [찾도록(quire) 만들다(in)]로 각각 분석되는데, 이 기본적인 뜻으로부터 현재의 의미가 생겨났음을 기억하자.

정답 (c)

12

Creativity is increasingly becoming an important __________ in success.

(a) cause
(b) factor
(c) faculty
(d) basis

점차로 창의력이 성공의 중요한 요인이 되고 있다.
(a) 원인
(b) 요인
(c) 재능
(d) 토대

해설 '요인'을 뜻하는 factor를 측정하는 문제로 정답은 (b)이다. '원인'을 뜻하는 cause 다음에는 전치사로 of를 써야 하기 때문에 정답이 될 수 없다. 또한 basis 다음에는 전치사로 of 또는 for가 와야 함에 유의하자.

정답 (b)

13

Prior to the meeting, Kimberly gave us a broad __________ of the project.

(a) outfit
(b) outlook
(c) output
(d) outline

회의에 앞서, Kimberly는 우리에게 프로젝트의 대략적인 윤곽을 설명해주었다.
(a) 의상
(b) 전망
(c) 산출
(d) 윤곽

어구 prior to ~에 우선하여

해설 '윤곽'을 뜻하는 outline을 측정하는 문제로 정답은 (d)이다. (a), (b), (c), (d)의 단어들에 들어 있는 out은 모두 '바깥에'라는 기본적인 의미로 쓰였다. 그리고 outlook이 '전망'이라는 뜻일 때는 전치사로 for가,

'인생관'이라는 뜻일 때는 on이 오는 것이 일반적이다.

정답 (d)

14

Tolerance can be a viable __________ to violence.

(a) interchange
(b) original
(c) fake
(d) alternative

관용은 실천이 가능한, 폭력에 대한 대안이다.

(a) (의견 등의) 교환
(b) 원본
(c) 모조품
(d) 대안

어구 tolerance 관용 viable 실행 가능한

해설 '대안'이라는 뜻의 alternative를 측정하는 문제로 정답은 (d)이다. 영어에서는 '~를 향한 대안'으로 생각하기 때문에 전치사로 반드시 to를 써야 함에 유의하자. 이처럼 전치사에는 원어민이 세상을 해석하는 사고방식이 들어 있다.

정답 (d)

15

Lower education budgets can lead to lower __________ rate.

(a) crime
(b) divorce
(c) literacy
(d) interest

교육 예산을 줄이면, 식자율(識字率)도 낮아질 수 있다.

(a) 범죄
(b) 이혼
(c) 식자(識字)
(d) 이자

어구 budget 예산

해설 '식자율'을 뜻하는 literacy rate를 측정하는 문제로 정답은 (c)이다. 나머지 단어들도 rate와 자연스럽게 결합하여 '범죄율(a)', '이혼율(b)', '이(자)율(d)'이라는 뜻을 각각 나타냄에 유의하자.

정답 (c)

16

The reconstruction of the country reached a critical __________.

(a) phase
(b) pattern
(c) sequence
(d) display

그 나라를 재건하는 일이 결정적인 국면에 이르렀다.

(a) 국면
(b) 패턴
(c) 순서
(d) 전시

어구 reconstruction 재건설 critical 결정적인

해설 '국면'을 뜻하는 phase를 측정하는 문제로 정답은 (a)이다. 이 단어는 본래 '행성이나 달이 일정한 주기로 바뀌는 모양'이란 뜻이었는데, 이 의미로부터 '발달이나 주기의 일정 단계'라는 뜻이 생겨났음을 알아두자.

정답 **(a)**

17

Experts have pointed out that tough measures should be taken to __________ peace in Iraq.

(a) recruit
(b) restrict
(c) resort
(d) restore

전문가들은 이라크에 평화를 회복하기 위해 강력한 조치가 취해져야 한다고 지적한다.

(a) 신규 채용하다
(b) 제한하다
(c) (— to) 최후수단으로 의지하다
(d) 회복하다

어구 point out 지적하다 measure 조치

해설 '회복하다'라는 뜻의 restore를 측정하는 문제로 정답은 (d)이다. 이 단어는 [다시(re) 바로 세우다(store)]로 분석된다. 참고로 recruit은 [다시(re) 자라게 하다(cruit)]로 분석되는데, 이 의미로부터 '신규 채용하다'라는 뜻이 나왔다.

정답 **(d)**

18

We are doing our best to fill the __________ in the position of head teacher.

(a) vacancy
(b) vaccine
(c) virtue
(d) vacuum

수석 교사 자리를 채우기 위해 최선을 다하고 있다.

(a) 공석
(b) 백신
(c) 미덕
(d) 진공

해설 '공석'을 뜻하는 vacancy를 측정하는 문제로 정답은 (a)이다. 이 단어는 [비어(vac) 있는 것(ancy)]으

로 분석되며, 이 뜻에서 '일정한 직책이 채워져 있지 않은 상태'라는 의미가 생겨났다. 어근을 공유하는 vacuum은 [비어(vac) 있음(uum)]이라는 의미에서 '진공'을 뜻함에 유의하자.

정답 (a)

19

The coastal areas were __________ by rare species of crocodiles.

(a) inhibited
(b) inhabited
(c) resided
(d) resigned

연안 지역에는 악어의 희귀종이 서식하고 있었다.

(a) 억제하다
(b) 서식하다
(c) 거주하다
(d) 사임하다

어구 coastal 해안을 따라 있는 species 종(種)

해설 '서식하다'라는 뜻의 inhabit을 측정하는 문제로 정답은 (b)이다. [뒤에(re) 남아 있다(side)]로 분석되는 reside는 '거주하다'라는 뜻이지만, '~에 남아 있다'는 뜻에서 나왔기 때문에 inhabit과 달리 자동사임에 유의하자. 따라서 수동태가 쓰인 이 문제에서 정답이 될 수 없다.

정답 (b)

20

To meet the needs of the poor students, we have no choice but to __________ funds from rich families.

(a) soothe
(b) afford
(c) solicit
(d) veto

빈곤한 학생들의 필요를 충족시키기 위해, 부유한 가족들에게 기금을 간청할 수밖에 없다.

(a) 달래다
(b) 제공하다
(c) 간청하다
(d) 거부하다

어구 meet the need of ~의 필요에 응하다 have no choice but to V ~할 수 밖에 없다

해설 '간청하다'를 뜻하는 solicit을 측정하는 문제로 정답은 (c)이다. 참고로 [완전히(af) 나아가다(ford)]로 분석되는 afford에는 설명에서처럼, '~할 만한 여유가 있다'라는 뜻 이외에 '제공하다'라는 뜻이 있음에 유의해야 한다. 이처럼 다양한 뜻을 정확히 익혀 두어야 TEPS 어휘 영역에 제대로 대비할 수 있다.

정답 (c)

Unit 04 고급 어휘 1

p.78

출제 경향 분석 및 전략	**예제 1** (b) **예제 2** (c) **Practice 1** (b) **Practice 2** (d)
출제빈도순 기본어휘 Review	A **Across** 1 ominous 2 gratuitous 3 compatible 4 interim **Down** 1 confidential 2 eligible 3 cautious 4 vivid 5 sanction 6 endorse B 1 c 2 e 3 d 4 a 5 b C 1 ingredient 2 frivolous 3 vivid 4 complacent 5 cautious D 1 compatible 2 frivolous 3 confidential 4 endorse 5 pretext
600점 도전	1 e 2 d 3 a 4 f 5 g 6 c 7 b
600점 도전 연습	01 (c) 02 (c) 03 (d) 04 (b) 05 (d)
Actual Test	01 (b) 02 (d) 03 (c) 04 (b) 05 (a) 06 (c) 07 (d) 08 (a) 09 (b) 10 (c) 11 (d) 12 (a) 13 (b) 14 (c) 15 (d) 16 (a) 17 (b) 18 (a) 19 (d) 20 (c)

출제 경향 분석 및 전략

p.80

예제 1

A What do you think is your strength as a manager?
B I think I'm very good at __________ teamwork among my team members.

(a) hampering
(b) facilitating
(c) impending
(d) defying

A 매니저로서 자신의 강점이 무엇이라고 생각합니까?
B 팀 성원들 사이에 팀워크를 촉진하는 데 뛰어나다고 생각합니다.

(a) 저해하다
(b) 촉진하다
(c) 임박하다
(d) 도전하다

어구 be good at -ing ~하는 데 능하다

해설 '촉진하다'라는 뜻의 facilitate를 측정하는 문제로 정답은 (b)이다. 나머지 표현들도 모두 출제 범위에 속하기 때문에 정확히 익혀두어야 한다. 답지에서 확인할 수 있듯이 전반적으로 단어의 난이도가 높기 때문에 평소에 대비해 두지 않으면 실전에서 당황하기 쉽다.

정답 (b)

예제 2

Being a sensitive teacher, Diana sensed that Bob's __________ behavior was a plea for attention.

(a) normal
(b) passive
(c) eccentric
(d) compliant

섬세한 교사였기에, Diana는 Bob의 괴상한 행동이 관심을 끌려는 간절한 호소라는 점을 알아차렸다.

(a) 정상적인
(b) 수동적인
(c) 기벽(奇癖)의, 괴상한
(d) 순종적인

어구 sensitive 섬세한, 감수성이 강한 sense 알아차리다 plea 호소, 간청

해설 '괴상한'이란 뜻의 eccentric을 측정하는 문제로 정답은 (c)이다. 이 문제에서는 특히 전후 맥락을 잘 살펴보아야 하는데, 관심을 끄는 행동은 대개 특이한 행동이라는 점과 Diana가 섬세한 교사라고 했다는 점을 생각하면 정답이 (c)임을 알 수 있다. 나머지 답지는 모두 이와 같은 맥락에서 벗어난다.

정답 (c)

Practice 1

A Christmas is just a week away. I'm so excited.
B Well, I just __________ to spend some time with my mother.

(a) extend
(b) intend
(c) contend
(d) attend

A 크리스마스가 일주일밖에 안 남았어. 정말 흥분된다.
B 어, 난 그냥 엄마랑 시간을 좀 보낼 생각인데.

(a) 확장하다
(b) 의도하다
(c) 경쟁하다
(d) 참석하다

어구 away (시간적으로) 앞인

해설 '의도하다'라는 뜻의 intend를 측정하는 문제로 정답은 (b)이다. 보기의 단어들 모두 tend라는 어근을 갖고 있는데, 이는 '(손 등을) 뻗다'라는 기본적인 뜻을 나타낸다. 따라서 (a)는 '밖으로(ex) 뻗다'를, (b)는 '안으로(in) 뻗다'를, (c)는 '함께(con) 뻗다'를, (d)는 '향해서(at) 뻗다'를 나타낸다. (b)의 '안으로 뻗다'가 '의도하다'라는 뜻이 되는 것은 '마음 안에 있는 생각 가운데 하나에 손을 뻗어 선택하다'라고 생각하기 때문이다.

정답 (b)

Practice 2

The recent surge in oil prices is an ___________ sign for many developing countries.

(a) enthusiastic
(b) omissive
(c) auspicious
(d) ominous

최근 유가의 급등은 많은 개발도상국들에게 불길한 징조이다.

(a) 열정적인
(b) 소홀히 하는
(c) 길조의
(d) 불길한

어구 surge (물가 등의) 급상승

해설 '불길한'이란 뜻의 ominous를 측정하는 문제로 정답은 (d)이다. '유가의 급등'은 경제 전반에 부담을 주기 때문에 부정적인 특성과 어울려야 함에 주의해야 한다. 참고로 ominous는 [omin + ous]으로 분석되는데, omin은 omen과 마찬가지로 '징조'의 뜻을 나타낸다. (영화 '오멘'을 생각하면 이 단어를 기억하는 데 도움이 된다.) 모음의 차이는 단어의 변화 과정에서 생긴 것으로 뜻의 차이를 가져오지 않는다. 그리고 ous는 '~으로 가득한'이란 뜻이기 때문에 이 단어는 '징조로 가득한'이란 뜻을 나타낸다. 이 뜻에 부정적인 색채가 더해지면서 '불길한'이란 뜻으로 바뀌었다.

정답 (d)

출제빈도순 기본어휘 - Level 0

p.82

1 저소득층 가정 출신 학생들은 모두 장학금을 받을 자격이 있다.
[elig 고르다 + ible 할 수 있는]

이것만은 꼭! elig라는 형태가 낯설게 느껴질 수 있는데, 이 어근은 본래 eleg라는 모양이었다. leg는 legend에서 보는 것처럼 본래 '모으다'라는 뜻이다. 따라서 eleg는 '밖으로 모으다' 곧 '고르다'라는 뜻이 되었는데, 모음의 변화를 거쳐 elig라는 모양이 되었다. 이 형태에서 비슷한 뜻을 나타내는 elect가 나왔다.

2 탐욕스런 장교들은 주적에게 기밀 정보를 기꺼이 누설할 작정이었다.
[con 완전히 + fid 믿다 + ent 하고 있는 + i (연결 모음) + al ~의]

이것만은 꼭! 'con-'은 자주 접하게 되는 접두사인데, 본래는 '함께'라는 뜻을 나타낸다. 이 뜻으로부터 '완전히'라는 뜻이 나오는데, 이는 '함께' 하면 '완전히' 이룰 수 있다는 생각에서 비롯되었다. 단어에 따라 해석이 달라지므로 어떤 뜻인지를 생각해 보는 습관을 들이자.

3 최첨단 의료 센터는 장애인들을 수용하기 위해 특별히 설계되었다.
[ac 향해서 + commod 적합한 + ate 만들다]

이것만은 꼭! 접두사 'ac-'의 본래 모양은 ad이다. 바로 다음에 c가 이어지기 때문에 d가 c로 바뀌었을 뿐이다. 이 접두사는 '~를 향해서'라는 뜻을 나타내는데, 자주 접하게 되는 접두사이므로 뜻을 정확히 기억해 두어야 한다.

4 대단히 실망스럽게도, 과도 정부는 너무도 허약하고 부패해서 근본적인 개혁을 단행할 수 없었다.
[inter 사이의 + im ~하게]

이것만은 꼭! 'inter-'는 '사이의'를 뜻하는 접두사이다. 위에서 보는 바와 같이 im은 '~하게'라는 뜻의 부사이지만 interim 전체는 형용사로 바뀌었다. 이와 같은 품사의 변화도 빈번하므로 각 요소의 뜻에 주목하는 편이 바람직하다.

5 놀랍게도, 회사의 잠정적인 조치가 지속적으로 긍정적인 결과를 낳았다.
[tent 만지다 + ative ~하는 경향이 있는]

이것만은 꼭! '-ative'라는 접미사도 자주 접하게 되는데 '~하는 경향이 있는'으로 해석됨에 유의하자.

출제빈도순 기본어휘 - Level 1

p.83

1 백인우월주의자들은 소수 집단에 대해 비(非)관용적인 태도가 민주주의의 이상과 양립할 수 없다는 점을 깨달아야 한다.
[com 함께 + pat 아파하다 + ible 할 수 있는]

이것만은 꼭! com은 앞에서 살펴본 con이 본래 모양이다. 바로 다음에 입술소리인 p가 이어지기 때문에 n이 같은 입술소리인 m으로 바뀌었다. 그리고 pat은 patient[pat(아파하다)+i(연결 모음)+ent(하고 있는)]에서도 확인할 수 있는 어근이다. '아파하고 있는' 것이므로 '환자' 또는 '인내하는'이란 뜻이 된다. 그리고 연결 모음은 단순히 발음을 보다 부드럽게 하기 위한 것으로 뜻이 없음에 유의하자.

2 악성 종양만큼 심각하진 않지만, 양성 종양은 환자의 장기에 심각한 손상을 입힐 수 있다.
[ben 좋게 + ign 만들어내는]

이것만은 꼭! ben은 '좋은' 또는 '좋게'라는 뜻을 나타내는데, 연결 모음과 함께 쓰일 때는 바로 다음에 e가 와서 bene이라는 모양을 만들어낸다. 동의어로 제시된 benevolent는 [ben(좋게)+e(연결 모음)+vol(의지하다)+ent(하고 있는)]으로 분석된다.

3 대다수 성원들은 Logan의 급진적인 아이디어를 지지하지 않았다.
[en 위에 + dorse 등 → 등 위에 놓다]

이것만은 꼭! en은 in의 변형으로, in은 '위에'라는 뜻과 '안에'라는 뜻을 나타낸다. 또한 이와 다르게 incorrect에서처럼 부정의 뜻을 나타낼 수도 있다.

4 불필요한 말썽을 피하기 위해, 첨부 파일을 여는 데 대해 극히 조심하라.
[caut 주의하다 + i (연결 모음) + ous 가득한]

이것만은 꼭! 앞에서 살펴보았듯이 ous는 '~으로 가득한'이란 뜻을 나타내는데, 대개 라틴어 계열의 어근과 결합한다. 순수 영어의 경우에는 '-ful'이라는 접미사를 쓴다.

5 영적인 가르침을 접하는 것은 인격을 기르는 데 있어 핵심적인 요소이다.
[in 안으로 + gred 걷다 + i (연결 모음) + ent 하는 것]

이것만은 꼭! gred는 grad와 같은 뜻으로, 이와 관련하여 gradual은 [grad(걷다)+u(연결 모음)+al(~의)]로 분석된다. '걷는 것의'라는 뜻에서 '점차적인'이란 뜻으로 발전했다.

출제빈도순 기본어휘 - Level 2

p.84

1 국제연합이 그 독재 정권에 대한 공격을 승인할 가능성은 극히 낮다.
[sanct 신성한 + ion ~한 것]

이것만은 꼭! ion은 대개 명사형을 만들어내는데, 이 단어에서는 동사형을 만들어냄에 유의하자. 형용사와 부사가 밀접한 관계를 가지듯이, 동사와 명사도 밀접한 관계를 갖기 때문에 이런 변화가 가능하다는 점도 기억하자.

2 Ella는 스파르타로부터의 독립을 외치던 소년을 여전히 생생하게 기억했다.
[viv 살아있다 + id ~한 특징이 있는]

이것만은 꼭! 어근 viv가 활용되는 대표적인 단어는 revival인데, [re(다시) + viv(살아있다) + al(~한 것)]으로 분석된다. 이로부터 '부활'이란 뜻이 나왔다.

3 세계가 빠른 속도로 변화하기 때문에, 누구도 자만이라는 사치를 부릴 여유가 없다.
[com 완전히 + plac 즐겁게 하다 + ent 하고 있는]

이것만은 꼭! '-ent'는 순수 영어의 '-ing'에 해당하는 접미사로 자주 접하게 되므로 정확히 기억해 두어야 한다. '~하는 사람'이란 뜻도 있음을 참고하자. 어근 plac이 활용되는 단어로 placate를 들 수 있는데, [plac(즐겁게 하다) + ate(만들다)]로 분석된다. '즐겁게 해주는 것'이 '달래는 것'이므로 이 뜻에서 '달래다'라는 뜻이 나왔다.

4 사소한 걱정에 야망이 꺾이는 일이 없도록 하라.
[frivol 하찮은 + ous 가득한]

이것만은 꼭! 앞서 살펴본 것처럼 '-ous'는 라틴어 계열의 어근과 어울리는 것이 보통인데, frivol 역시 라틴어 계열의 어근이다.

5 위원회는 그 신비로운 일의 원인을 조사하라는 위임을 받았다.
[mand 명령하다 + ate 만들다]

이것만은 꼭! '-ate'라는 접미사를 자주 접하게 되는데, '~하다'와 '만들다'라는 뜻을 나타낸다. 경우에 따라서는 별다른 뜻이 없이 추가되기도 함에 유의하자.

출제빈도순 기본어휘 - Level 3

p.85

1 새로운 앨범이 발매되자마자, Britney는 전례 없는 인기를 누렸다.
[un 아닌 + pre 미리 + cedent 따라가고 있는 + ed ~한]

이것만은 꼭! 짐작할 수 있겠지만 cedent는 [ced(따라가다) + ent(하고 있는)]으로 분석된다. 그리고 pre를 활용하는 대표적인 단어로 predict를 들 수 있는데, [pre(미리) + dict(말하다)]로 분석된다. 이 뜻으로부터 '예측하다'라는 뜻이 나왔다.

2 다수의 지배는 종종 소수의 권리를 억압하는 편리한 구실로 쓰인다.
[pre 미리 + text 짓다]

이것만은 꼭! 어근 text가 활용되는 중요한 단어로 context를 들 수 있는데, [con(함께)+text(짓다)]로 분석된다. '함께 짓다'라는 뜻으로부터 '맥락'이라는 뜻이 나왔다. 참고로 이 단어의 뜻을 '문맥'으로만 이해해서는 곤란하다. 보다 넓게 '맥락'이란 뜻을 나타낼 수 있음을 꼭 기억해야 한다.

3 많은 젊은 농부들은 불모의 땅의 모습에 낙담했다.
[barr 남자 + en ~로 이루어진]

이것만은 꼭! 이 단어에 쓰인 접미사 '-en'은 '만들다'라는 뜻을 나타내는 접미사 '-en'과는 다르다. '만들다'라는 뜻의 접미사 '-en'을 활용하는 단어로 shorten을 들 수 있는데, [short(짧은)+en(만들다)]로 분석된다. 그리고 이 접사는 접두사로도 쓰여 enjoy와 같은 단어를 만드는데, [en(만들다)+joy(기쁨)]으로 분석된다.

4 많은 방송사들은 TV 프로그램의 불필요한 폭력이 미치는 영향이 그리 크지 않은 것처럼 생각되도록 노력을 기울인다.
[gratu 만족시키는 + it ~된 + ous 가득한]

이것만은 꼭! '-it'은 '-at(e)'와 같은 뜻을 나타내는데, 이처럼 두 접사 모두 '~하게 된'이란 뜻을 나타낼 수 있음에 유의하자.

5 대통령은 헌법을 뻔뻔하게 경시했다고 심하게 비난을 받았다.
[blat 잡담하다 + ant 하고 있는]

이것만은 꼭! '-ant'라는 접미사도 '-ent'라는 접미사와 마찬가지로 '~하고 있는'이란 뜻을 나타낸다. 어느 쪽을 쓰는가 하는 것은 본래 라틴어 동사의 종류에 따라 정해지기 때문에, 라틴어를 배우지 않는 한 직관적으로 알 수가 없다.

출제빈도순 기본어휘 - Review

p.86

A **Across** 1 불운을 가져오는 2 정당한 목적 없이 행해진; 불필요한 3 공존할 수 있는
4 잠시 동안 일정한 목적을 수행하는

Down 1 비밀로 지키도록 의도된 2 어떤 것을 하거나 가지도록 허용된 3 어떤 것에 대해 조심스러운
4 마음속에 분명한 이미지를 만들어내는 5 어떤 일을 하도록 허용하다
6 누구의 의견에 동의한다고 공개적으로 말하다

B 1 어떤 것을 가질 수 있는 자격이 있다면 그것을 얻을 수 있다.
2 어떤 것이 기밀이라면 그것에 접근할 수 있는 사람들은 거의 없다.
3 어떤 장소가 여러 사람들을 수용한다면, 그들은 거기에 머무를 수 있다.
4 중간보고서가 만들어진다면, 그것은 최종적일 가능성이 낮다.
5 잠정적인 계획을 세운다면, 바뀔 가능성이 높다.

C 1 자신을 굳게 믿는 것이 성공의 핵심적인 요소이다.
2 유감스럽게도, 오늘날의 젊은이들은 사소한 것을 추구하는 데 골몰한다.
3 Brooke는 해군 장교로서 복무했던 날들을 생생하게 기억했다.
4 너무도 자만심이 강해서, 그 회사는 도전에 효과적으로 대응하지 못했다.
5 친구를 고를 때는 아무리 조심해도 지나치지 않다.

D
1 ... 그리고 사랑은 보편적인 지혜와 양립 가능하다.
2 소비자의 욕구는 기이하거나 사소하거나 심지어 비도덕적인 동기에서도 생겨날 수 있다.
3 신중함은 이기심의 비밀스러운 대행자이다.
4 나와 공화당은 그런 허위의, 부정한 경제 방식에 대한 지지를 거부한다.
5 '세력 균형'이라는 어구가 늘 전쟁에 대한 논거가 된다면, 전쟁에 대한 구실이 모자라는 일은 결코 생기지 않을 것이다.

600점 도전

p.88

1 처벌로서 행해진 일 2 사람들이나 사물이 많이 있는 3 다른 일에 앞서 일어나는 4 다른 사람들을 해치려고 하는 5 분명하게 하다 6 덜 중요한 것으로 여기다 7 어떤 일을 하는 방법을 익히다

600점 도전 연습

p.89

01 관용 표현

A Everybody says you're a superb cook. What's your secret?

B Once I got the __________ of how to cook, I dedicated myself to developing my own recipes.

(a) bang
(b) slang
(c) hang
(d) pang

A 다들 당신이 탁월한 요리사라고 해요. 비결이 뭐예요?

B 일단 요리하는 법을 익히고 나서, 제 자신만의 요리법을 개발하는 데 전념했어요.

(a) 크게 부딪치는 소리
(b) 속어
(c) (다루는) 요령
(d) (갑작스런) 격한 감정

어구 dedicate oneself to -ing ~에 전념하다 recipe (요리의) 조리법

해설 '다루는 요령을 터득하다'라는 뜻의 get the hang of를 측정하는 문제로 정답은 (c)이다. 이때 hang의 본래 뜻은 '일정한 대상이 걸려 있는 방식'이며, 이 의미로부터 '일정한 것을 다루는 요령'이란 뜻으로 발전했다.

정답 (c)

02 Collocation

With its population constantly increasing, Seoul is definitely one of the most __________ populated cities in the world.

(a) sparsely
(b) meagerly
(c) densely
(d) sporadically

인구가 끊임없이 증가하고 있어서, 서울은 단연코 세계에서 인구가 가장 조밀한 도시 가운데 하나이다.

(a) 희박하게
(b) 빈약하게
(c) 조밀하게
(d) 간헐적으로

어구 constantly 끊임없이 definitely 명확히, 분명히 populate ~에 살다

해설 '조밀하게'라는 뜻의 densely를 측정하는 문제로 정답은 (c)이다. 첫 부분에서 '인구가 끊임없이 증가하고 있어서'라고 했기 때문에 '희박하게'라는 뜻의 (a) sparsely가 정답이 될 수 없음에 유의하자. 그리고 이때 densely는 heavily로 바꾸어 표현할 수 있음도 알아두자.

정답 (c)

03 Collocation

Ironically, lawyers are excellent at taking advantage of legal __________.

(a) manholes
(b) potholes
(c) loots
(d) loopholes

아이러니하게도, 법률가들은 법의 허점을 이용하는 데 아주 뛰어나다.

(a) 맨홀
(b) (도로에 생긴) 깊은 구멍
(c) 약탈품
(d) 허점

어구 take advantage of ~을 이용하다

해설 '허점'을 뜻하는 loophole을 측정하는 문제로 정답은 (d)이다. 이 단어는 '작은 틈새(loop) 구멍(hole)'이라는 뜻인데, 처음에는 '총안(銃眼)'이란 의미로 쓰였다. 이 뜻은 군사영어에 그대로 남아 있고, 일반적으로는 '허점'이라는 뜻으로 쓰임에 유의하자.

정답 (d)

04 고급 표현

Hankering after immediate profits, the entrepreneur turned into a ___________ monster.

(a) benign
(b) malicious
(c) munificent
(d) magnanimous

즉각적인 이득을 갈망하여, 그 사업가는 악의적인 괴물로 변해 버렸다.

(a) 상냥한
(b) 악의적인
(c) 아주 관대한
(d) 도량이 큰

어구 hanker 동경하다, 갈망하다 entrepreneur 기업가, 사업가

해설 '악의적인'이란 뜻의 malicious를 측정하는 문제로 정답은 (b)이다. 이 단어는 [나쁜(mal) 특성으로(ic + i) 가득한(ous)]으로 분석되며, '악의'를 뜻하는 malice의 형용사형이다. benign은 [착하게(ben) 태어난(ign)]으로 분석되며, '양성의'라는 뜻과 함께 '상냥한'이란 뜻이 있음에 유의하자.

정답 (b)

05 고급 표현

In order to survive and thrive, we have no alternative but to ___________ our business base, seeking entry into other markets.

(a) specialize
(b) specify
(c) stipulate
(d) diversify

살아남아 번창하기 위해서는, 다른 시장으로 진입을 추구하면서 사업 기반을 다각화하는 수밖에 없다.

(a) 전문으로 하다
(b) (명확하게) 지정하다
(c) (조건 등을) 규정하다
(d) 다각화하다

어구 thrive 번창하다 have no alternative but to V ~할 수 밖에 없다 entry into ~로의 진입

해설 '(사업 등을) 다각화하다'라는 뜻의 diversify를 측정하는 문제로 정답은 (d)이다. 문장에서 '다른 시장에 진입을 추구하면서'라고 했기 때문에 (a)가 정답이 될 수 없음에 유의해야 한다. '전문화'를 추구한다면 다른 시장으로 진입하지 않고 본래 시장에 집중하는 것이 자연스럽기 때문이다.

정답 (d)

01

A Are you sure Clara will meet the deadline?
B Positive. She is a very __________ author.

(a) religious
(b) reliable
(c) relevant
(d) relative

A Clara가 마감기한을 맞출 거라 확신하세요?
B 확신하고 말구요. 아주 신뢰할 수 있는 저자랍니다.

(a) 종교적인
(b) 신뢰할 만한
(c) 관련성이 있는
(d) 상대적인

어구 meet a deadline 기한에 맞추다 positive ~을 확신하는

해설 '신뢰할 만한'이란 뜻의 reliable을 측정하는 문제로 정답은 (b)이다. 대화에서 Clara가 '기한을 맞출 것이라' 확신한다고 했기 때문에 reliable이 가장 자연스럽게 연결된다. 참고로 대화에서 positive가 '긍정적인'이라는 뜻이 아니라 '확신하는'이란 뜻으로 쓰였음을 기억해두자.

정답 (b)

02

A How many people can the meeting room __________?
B Up to 300 people.

(a) accompany
(b) accomplish
(c) account
(d) accommodate

A 회의실이 사람들을 얼마나 수용할 수 있죠?
B 300명까지 수용이 가능합니다.

(a) 동행하다
(b) 성취하다
(c) (— for) 설명하다
(d) 수용하다

해설 '(일정 인원을) 수용하다'라는 뜻의 accommodate를 측정하는 문제로 정답은 (d)이다. 여전히 출제 빈도가 높다는 점에 유의해야 한다. '설명하다'를 뜻하는 account는 반드시 account for라는 형태로 쓰이는데, 이 뜻에서 '일정 비율을 차지하다'라는 뜻도 생겨났음을 기억하자.

정답 (d)

03

A What happened? Why was Patrick hospitalized?

B He was involved in a head-on __________.

(a) division
(b) supervision
(c) collision
(d) precision

A 무슨 일이 있었니? 왜 Patrick이 입원했지?

B 정면충돌 사고를 당했어.

(a) 분할
(b) 감독
(c) 충돌
(d) 정밀

어구 be involved in ~에 관련되다 head-on 정면의

해설 '충돌'을 뜻하는 collision을 측정하는 문제로 정답은 (c)이다. 이 단어는 [함께(col) 부딪히는(lis) 것(ion)]으로 분석되며, '충돌하다'라는 뜻의 collide의 명사형이다. 이 예와 같이 동사형이 '-de'인 경우 명사로 전환될 때 대개 '-s'라는 형태가 된다는 점도 알아두자. 그렇기 때문에 divide가 명사로 바뀌면서 division이 되었다.

정답 (c)

04

A You look worn out.

B Yeah. I've had a(n) __________ schedule.

(a) serene
(b) hectic
(c) agile
(d) placid

A 녹초가 된 거 같은데.

B 응. 일정이 빠듯하거든.

(a) 평온한
(b) 분주한
(c) 민첩한
(d) 차분한

어구 be worn out 녹초가 되다, 지치다

해설 '분주한'이란 뜻의 hectic을 측정하는 문제로 정답은 (b)이다. 참고로 (c)의 agile은 [움직일(ag) 수 있는(ile)]으로 분석되며, 이때 ag는 '움직이다' 또는 '하다'라는 뜻을 나타낸다. 어근 ag가 쓰이는 다른 단어로 agent를 들 수 있는데, [하고(ag) 있는 사람(ent)]이란 뜻에서 '행위자' 또는 '대리인'이라는 뜻이 생겨났다.

정답 (b)

05

A How can I be ________ for a scholarship?

B First of all, you need to have a high GPA.

(a) eligible
(b) intangible
(c) legible
(d) incurable

A 어떻게 하면 장학금을 받을 수 있는 자격이 되나요?

B 무엇보다도, 평점이 높아야 해요.

(a) 자격이 있는
(b) 무형의
(c) 읽기 쉬운
(d) 불치의

어구 GPA(=Grade Point Average) 평점

해설 '자격이 있는'이라는 뜻의 eligible을 측정하는 문제로 정답은 (a)이다. intangible은 [만질(tang) 수 있지(ible) 않은(in)]으로, legible은 [읽을(leg) 수 있는(ible)]으로, incurable은 [고칠(cur) 수 있지(able) 않은(in)]으로 분석됨에 유의하자.

정답 (a)

06

A Is this anti-virus software ________ with Apple computers?

B Yes, it is. In fact, you can use it on any computer.

(a) susceptible
(b) inevitable
(c) compatible
(d) insurmountable

A 이 바이러스 퇴치 프로그램이 애플 컴퓨터와도 호환이 되나요?

B 네, 그렇습니다. 사실은 어떤 컴퓨터에서든 사용할 수 있어요.

(a) (병에) 걸리기 쉬운
(b) 불가피한
(c) 호환이 가능한
(d) 극복할 수 없는

해설 '호환이 가능한'이란 뜻의 compatible을 측정하는 문제로 정답은 (c)이다. susceptible은 [아래로(sus) 잡을(cept) 수 있는(ible)]으로, inevitable은 [피할(evit) 수 있지(able) 않은(in)]으로, insurmountable은 [위로(sur) 오를(mount) 수 있지(able) 않은(in)]으로 분석된다.

정답 (c)

07

A Can you give me information about my __________?

B Even if he didn't pay rent, we can't give you any information about him. It's against the law.

(a) landlord
(b) loan shark
(c) creditor
(d) tenant

A 세입자에 대한 정보를 제공할 수 있나요?

B 집세를 내지 않았다 하더라도 어떤 정보도 제공할 수 없습니다. 불법이에요.

(a) 집주인
(b) 고리대금업자
(c) 채권자
(d) 세입자

어구 rent 집세

해설 '세입자'를 뜻하는 tenant를 측정하는 문제로 정답은 (d)이다. 이 단어는 [붙잡고(ten) 있는 사람(ant)]으로 분석된다. 어근 ten을 공유하는 단어로 tenable을 들 수 있는데, [붙잡을(ten) 수 있는(able)]이란 뜻에서 '(입장 등이) 견지할 수 있는, 조리 있는'이란 의미로 발전했음을 기억하자.

정답 (d)

08 

A Is it true that he developed a tumor?

B Yes, but fortunately, it turned out to be a(n) __________ one.

(a) benign
(b) malignant
(c) malevolent
(d) altruistic

A 그가 종양에 걸렸다는 게 사실인가요?

B 네, 그치만 다행스럽게도 양성 종양으로 판명되었어요.

(a) 양성의
(b) 악성의
(c) 악의적인
(d) 이타적인

어구 develop a tumor 종양에 걸리다 turn out to be ~으로 밝혀지다, 판명되다

해설 '양성의'라는 뜻의 benign을 측정하는 문제로 정답은 (a)이다. benign에 '상냥한'이란 뜻이 있음도 다시 한 번 기억하자. 그리고 malignant는 [나쁘게(mal) 태어나고(ign) 있는(ant)]으로 분석되며 이 뜻으로부터 '악성의'란 의미가 나왔다. malevolent는 [나쁘게(mal+e) 의도하고(vol) 있는(ent)]으로 분석되며, 이 뜻에서 '악의적인'이란 의미로 발전했다.

정답 (a)

09

A Which candidate do you ___________?

B Definitely Willow Rosenberg. She is really a forward-thinking politician.

(a) censure

(b) endorse

(c) decry

(d) repent

A 어떤 후보를 지지하세요?

B 단연코 Willow Rosenberg입니다. 정말 전향적인 정치가이거든요.

(a) (공식적으로) 비난하다

(b) 지지하다

(c) (격렬히) 비난하다

(d) 후회하다

어구 candidate 후보자 forward-thinking 진보적인, 전향적인

해설 '지지하다'라는 뜻의 endorse를 측정하는 문제로 정답은 (b)이다. 이 단어는 [뒷면(dorse) 위에(en) 놓다]라는 뜻에서 '수표 등에 이서하다'라는 의미로 발전했다. 이 의미가 확장되어 '지지하다'라는 뜻을 나타냄에 유의하자. 그리고 '비난하다'라는 뜻의 censure를 '검열하다'라는 뜻의 censor와 혼동하지 않도록 주의하자.

정답 (b)

10

A What makes you like Sarah so much?

B I like it when she ___________. It gives me a sense of liveliness.

(a) restrains

(b) sequesters

(c) improvises

(d) incarcerates

A Sarah를 왜 그렇게 좋아하세요?

B 즉흥 연주를 하는 게 참 좋아요. 생기를 불어 넣거든요.

(a) 억제하다

(b) 격리하다

(c) 즉흥 연주하다

(d) 감금하다

어구 a sense of liveliness 생기

해설 '즉흥 연주하다'라는 뜻의 improvise를 측정하는 문제로 정답은 (c)이다. 이 단어는 [앞을(pro) 못(im) 내다보는(vise)]으로 분석되며, 이 뜻으로부터 '준비 없이 즉흥적으로 하다'라는 의미가 생겨났다. 같은 어근을 쓰는 단어로 advise가 있는데, [향해서(ad) 내다보다(vise)]가 기본적인 의미로 '충고하다'라는 뜻으로 발전했다.

정답 (c)

11

Research has found that __________ is closely associated with heart diseases because of extra weight.

(a) adversity
(b) diversity
(c) density
(d) obesity

연구에 따르면, 부가적인 체중으로 인해 비만은 심장 질환과 밀접한 관계가 있다고 한다.

(a) 역경
(b) 다양성
(c) 밀도
(d) 비만

어구 be associated with ~와 관계가 있다

해설 '비만'을 뜻하는 obesity를 측정하는 문제로 정답은 (d)이다. 문제에서 '부가적인 체중으로 인해'라는 부분이 중요한 단서이다. obesity는 [지나치게(ob) 먹은(es) 상태(ity)]로 분석되는데, ity는 '상태', '특성', '정도'라는 여러 의미로 쓰인다.

정답 **(d)**

12

Politicians should be harshly __________ for failing to improve the lives of ordinary citizens.

(a) admonished
(b) vanished
(c) replenished
(d) extolled

정치인들은 보통 사람들의 삶을 향상시키지 못한 데 대해 심하게 질책을 받아야 한다.

(a) 질책하다
(b) (갑작스럽게) 사라지다
(c) (고갈된 물품 등을) 다시 채워넣다
(d) 격찬하다

어구 harshly 엄하게 ordinary 보통의, 평범한

해설 '질책하다'라는 뜻의 admonish를 측정하는 문제로 정답은 (a)이다. 이 단어는 [향해서(ad) 경고(mon) 하다(ish)]로 분석되는데, 현대 영어에서는 대개 '잘못을 심하게 나무라다'라는 뜻으로 쓰인다. 일부 영한사전에는 이 뜻이 실려 있지 않은 경우도 있으므로 주의할 필요가 있다.

정답 **(a)**

13

The corrupt government official was eager to leak the ________ data to anyone willing to give him money.

(a) potential
(b) confidential
(c) unhampered
(d) maladroit

부패한 정부 관리는 돈을 주려고 하는 어떤 사람에게든 기밀 자료를 누설하려고 했다.

(a) 잠재적인
(b) 기밀의
(c) 구속받지 않는
(d) 서투른

어구 corrupt 부정부패한 leak ~을 누설하다 willing to V 기꺼이 ~하려는

해설 '기밀의'라는 뜻의 confidential을 측정하는 문제로 정답은 (b)이다. (a)의 potential은 [강력한(pot) 상태에 있는(ent) 것의(i+al)]로, (c)의 unhampered는 [억제(hamper) 되지(ed) 않은(un)]으로, (d)의 maladroit은 [나쁘게(mal) 오른쪽을((d)roit) 향한(ad)]으로 분석된다. 오른쪽이 올바른 방향이라는 생각에서 adroit은 본래 '올바르게'라는 뜻을 나타냈는데, 이 뜻에서 '기민한'이란 뜻으로 발전했다.

정답 (b)

14

The inefficient government took some ________ measures to curb inflation.

(a) putative
(b) profane
(c) tentative
(d) hallowed

무능한 정부는 인플레이션을 억제하기 위한 잠정적인 조치를 취했다.

(a) 추정적인
(b) 불경스러운
(c) 잠정적인
(d) 신성화된

어구 inefficient 무능한, 미숙한 take a measure 조치를 취하다 curb ~을 억제하다

해설 '잠정적인'을 뜻하는 tentative를 측정하는 문제로 정답은 (c)이다. (a)의 putative는 [생각하게(put) 만드는(at) 경향이 있는(ive)]으로 분석되는데, 이 단어의 어근 put을 공유하는 단어로 reputation을 들 수 있다. reputation은 [다시(re) 생각하게(put) 만드는(at) 것(ion)]이란 의미에서 '명성, 평판'이란 뜻으로 발전했다.

정답 (c)

15 

Surprisingly, we can get interesting facts from a country's __________ data.

(a) epistemological
(b) anatomical
(c) physiological
(d) demographic

놀랍게도, 한 나라의 인구학적 자료로부터 흥미로운 사실들을 얻어낼 수 있다.

(a) 인식론적인
(b) 해부학적
(c) 생리학적
(d) 인구학적

해설 '인구학적'이란 뜻의 demographic을 측정하는 문제로 정답은 (d)이다. demographic은 [사람에 대해(demo) 쓰는 것(graph) 의(ic)]로 분석되는데, 어근 demo를 공유하는 단어로 democracy를 들 수 있다. 이 단어는 [사람에 의한(demo) 통치(cracy)]라는 뜻에서 '민주주의'라는 의미로 발전했다.

정답 **(d)**

16

The appeal was __________ by a righteous judge.

(a) overruled
(b) impeached
(c) arraigned
(d) indicted

항소는 정의로운 판사에 의해 기각되었다.

(a) 기각하다
(b) 탄핵하다
(c) 법정으로 소환하다
(d) 기소하다

어구 appeal 〈법률〉 항소, 상고

해설 '기각하다'라는 뜻의 overrule을 측정하는 문제로 정답은 (a)이다. impeach는 [속박(peach) 하다(im)]로, arraign은 [향해서(ar ← ad) 말하다(raign)]로, indict는 [안에서(in) 말하다(dict)]로 분석된다.

정답 **(a)**

17

Many military experts were baffled by the __________ report on the situation in Iraq.

(a) pacific
(b) interim
(c) rapacious
(d) innocuous

많은 군사 전문가들은 이라크 상황에 대한 중간보고서에 의아해했다.

(a) 평화적인
(b) 중간의
(c) 탐욕스러운
(d) 무해(無害)한

어구 baffle ~을 당황하게 하다, 난처하게 하다

해설 '중간의, 과도적인'이란 뜻의 interim을 측정하는 문제로 정답은 (b)이다. pacific은 [평화를(pac + i) 만드는(fic)]으로, rapacious는 [붙잡는 것(rapac)으로 가득한(i + ous)]으로, innocuous는 [해롭지(nocu) 않은(in) 것으로 가득한(ous)]으로 분석된다.

정답 (b)

18

Cruel by nature, the criminal thought nothing of committing a ___________.

(a) felony
(b) magnanimity
(c) philanthropy
(d) contrition

천성이 잔악해서, 그 범죄자는 중죄를 저지르는 것을 아무렇지도 않게 여겼다.

(a) 중죄
(b) 도량이 넓음
(c) 박애
(d) 회개

어구 by nature 선천적으로 think nothing of -ing ~하는 것을 아무렇지도 않게 생각하다

해설 '중죄'를 뜻하는 felony를 측정하는 문제로 정답은 (a)이다. 이와 상반되는 '경범죄'는 misdemeanor로 표현하는데, [잘못(mis) 아래로(de) 이끄는(mean) 것(or)]으로 분석된다. '아래로 이끌다'라는 뜻은 '처신하다'라는 뜻으로 발전했다.

정답 (a)

19

Disgusted by its violent scenes, the committee was unwilling to ___________ the release of the controversial DVD.

(a) proscribe
(b) consecrate
(c) dissent
(d) sanction

폭력적인 장면들이 역겨워서, 위원회는 논란이 많은 그 DVD의 출시를 승인하려고 하지 않았다.

(a) 금지하다
(b) 신성화하다
(c) (다수 의견에) 반대하다
(d) 승인하다

어구 disgusted 싫증이 난 be unwilling to V ~하려고 하지 않다 release 개봉, 발매 controversial 논쟁의 여지가 있는

해설 '승인하다'라는 뜻의 sanction을 측정하는 문제로 정답은 (d)이다. proscribe는 [미리(pro) 쓰다(scribe)]로, consecrate는 [완전히(con) 신성하게(secr) 만들다(ate)]로, dissent는 [다르게(dis) 느끼다(sent)]로 분석된다.

정답 (d)

20

Largely due to its messages of hope and love, the religion is enjoying __________ popularity.

(a) divergent
(b) demure
(c) unprecedented
(d) subsiding

주로 희망과 사랑이라는 메시지 때문에 그 종교는 전례 없는 인기를 누리고 있다.

(a) (의견이나 손익 등이) 상이한
(b) (여성이나 아동이) 얌전한
(c) 전례 없는
(d) 가라앉는

해설 '전례 없는'을 뜻하는 unprecedented를 측정하는 문제로 정답은 (c)이다. 이 단어에 쓰인 접두사 'pre-'가 들어가는 중요 단어로 prejudice를 들 수 있는데, [미리(pre) 판단하는(jud) 것(ice)]으로 분석된다. 이 뜻에서 '선입견, 편견'이란 의미로 발전했다.

정답 (c)

Unit 05 고급 어휘 2

p.94

출제 경향 분석 및 전략	**예제 1** (c) **예제 2** (d) **Practice 1** (c) **Practice 2** (b)
출제빈도순 기본어휘 Review	A **Across** 1 facade 2 candid 3 myopic 4 fluctuate 5 rudimentary **Down** 1 gregarious 2 priority 3 paucity 4 emphatic 5 obituary B 1 e 2 c 3 a 4 b 5 d C 1 rudimentary 2 Gregarious 3 emphatic 4 voracious 5 languished D 1 equivocate 2 instill 3 priority 4 candid 5 futile
600점 도전	1 g 2 f 3 e 4 c 5 b 6 a 7 d
600점 도전 연습	01 (a) 02 (d) 03 (c) 04 (b) 05 (d)
Actual Test	01 (d) 02 (b) 03 (c) 04 (b) 05 (d) 06 (c) 07 (b) 08 (c) 09 (b) 10 (d) 11 (a) 12 (c) 13 (d) 14 (d) 15 (a) 16 (b) 17 (d) 18 (b) 19 (c) 20 (a)

출제 경향 분석 및 전략

p.96

예제 1

A What kind of girl is she?

B She is __________ and does not cause any trouble.

(a) mischievous
(b) defiant
(c) obedient
(d) indolent

A 그 애는 어떤 애인가요?

B 순종적이어서 아무런 말썽도 일으키지 않는 애랍니다.

(a) 장난기가 심한
(b) 반항적인
(c) 순종적인
(d) 나태한

해설 '순종적인'을 뜻하는 obedient를 측정하는 문제로 정답은 (c)이다. 주어진 맥락을 살펴보면 '아무런 말썽도 일으키지 않는'이란 말이 있기 때문에 (a)나 (b)는 정답이 될 수 없다. 그리고 (d)는 맥락에 어울리지 않는다. 모두 출제 범위에 속하는 중요 단어들이므로 정확히 익혀두자.

정답 (c)

예제 2

Stock prices tend to __________ widely.

(a) collaborate
(b) inaugurate
(c) relinquish
(d) fluctuate

주가는 심하게 변동하는 경향이 있다.

(a) 협력하다
(b) 취임시키다
(c) 양도하다
(d) (지속적으로) 변동하다

해설 '변동하다'라는 뜻을 나타내는 fluctuate를 측정하는 문제로 정답은 (d)이다. 주가와 관련된 사항이기 때문에 (a), (b), (c)는 모두 맥락에 어울리지 않는다. 그렇지만 (a), (b), (c)도 모두 지속적으로 출제되는 단어들이기 때문에 정확한 뜻을 익혀두어야 한다. 이 예에서 확인할 수 있듯이, 고급 어휘들은 다양한 사회 · 과학 현상을 이해하는 데 필요한 어휘들이기도 하다. 따라서 이런 어휘들을 익혀야만 내면화된 영어 지식을 측정하는 TEPS에 보다 효과적으로 대비할 수 있다.

정답 **(d)**

Practice 1

A Do you know why Eva can't come to the prom?
B Well, her parents didn't give their __________.

(a) dissent
(b) disapproval
(c) consent
(d) inadequacy

A Eva가 왜 (졸업) 무도회에 못 오는지 알고 있니?
B 어, 부모님께서 승낙을 안 하셨대.

(a) 이의
(b) 탐탁지 않게 여김
(c) 승낙, 동의
(d) 부적당함

어구 prom (대학 · 고교 따위의 학년말[졸업]) 무도회

해설 '승낙'을 뜻하는 consent를 측정하는 문제로 정답은 (c)이다. 주어진 맥락으로 보아, 빈칸에는 긍정적인 내용이 들어가야 하는데, (a), (b), (d)의 경우 부정적인 뜻을 나타내는 접미사 'dis-'와 'in-'이 쓰였기 때문에 정답이 될 수 없으리라고 짐작할 수 있다. consent는 본래 [함께(con) 느끼다(sent)]는 뜻을 나타낸다. 이에 반해, dissent는 [따로(dis) 느끼다(sent)]라는 뜻을 나타낸다. 이와 같은 점에 착안하면 정답이 (c)임을 짐작할 수 있다.

정답 **(c)**

Practice 2

Help other human beings out of ___________, not out of sympathy.

(a) scorn
(b) empathy
(c) illiteracy
(d) commiseration

동정심이 아니라 공감하는 마음에서 다른 사람들을 도우라.

(a) 멸시
(b) 공감(共感)
(c) 문맹
(d) 연민

어구 out of sympathy 동정하는 마음에서

해설 '공감'을 뜻하는 empathy를 측정하는 문제로 정답은 (b)이다. 이 단어는 [안에 들어가서(em) 아파하는(path) 상태(y)]라는 뜻이다. 따라서 상대방을 단순히 불쌍하게 여긴다는 뜻이 아니라 상대의 감정을 온전히 공감한다는 함축적 의미를 갖는다. 이에 반해 commiseration은 '연민'에 가까운 말로 상대의 불쌍한 처지를 가엾게 여긴다는 뜻으로 sympathy의 동의어에 해당한다. 주어진 문장에서 not out of sympathy라고 했기 때문에, commiseration이 정답이 될 수 없음에 유의하자.

정답 (b)

출제빈도순 기본어휘 - Level 0

p.98

1 신중하게 제품을 고르는 것이 언제나 현명한 예방책이다.
[pre 미리 + caut 주의하다 + ion ~하는 것]

이것만은 꼭! Unit 4에서 살펴본 것처럼 접두사 'pre-'가 활용되는 단어들이 꽤 있다. 예컨대 prejudice는 [pre(미리)+jud(판단하다)+ice(행동)]으로 분석되며, '미리 판단하는 행동'이라는 뜻으로부터 '선입견'이라는 뜻이 나왔다.

2 자신에게 충실한 태도를 갖는 것이 삶에서 가장 우선적인 일이다.
[prior 이전의 + ity 상태]

이것만은 꼭! '-ity'는 '특성, 상태, 정도'라는 다양한 뜻을 나타내는 접미사이다. 예컨대 popularity는 [popul(사람들)+ar(~의)+ity(상태)]로 분석되는데, '사람들의 상태'라는 뜻이다. 이 뜻으로부터 '인기'라는 뜻이 나왔다. 인기란 사람들로부터 비롯되기 때문이다.

3 건강한 시민을 길러내는 것이 진정한 민주주의에서라면 늘 가장 우선시되는 의제이다.
[ag 하다 + end ~되어야 할 + a 것들]

이것만은 꼭! ag가 활용되는 단어로 agent를 들 수 있는데, [ag(하다)+ent(~하는 사람)]으로 분석된다. 따라서 agent는 본래 '행동하는 사람'이란 뜻이다. 이 뜻에 '대리'라는 개념이 더해져서 '대리인'이란 뜻으로 쓰이게 되었다.

4 아버지에 대한 부고에서 Ava는 아버지 때문에 얼마나 많이 한껏 웃을 수 있었는지를 슬프게 얘기했다.
[obit 죽음 + u (연결 모음) + ary 관계된 것]

이것만은 꼭! 접미사 '-ary'는 '~와 관련된'이라는 뜻의 형용사를 만들거나 위와 같이 '~와 관계된 것'이라는 명사를 만들어낸다.

5 자신의 이혼 문제가 거론될 때마다 노련한 정치가는 말을 얼버무렸다.
[equ 같은 + i (연결 모음) + voc 목소리 + ate 만들다]

이것만은 꼭! 이 단어는 일정한 사항에 대해 '여러 가지의 같은 무게의 목소리를 만들다' 곧 '여러 가지로 해석될 수 있는 말을 하다'는 뜻에서 '얼버무리다'라는 뜻을 나타내게 되었다.

출제빈도순 기본어휘 - Level 1

p.99

1 진솔한 여인은 상원의원과 불륜 관계라는 것을 공개적으로 시인했다.
[cand 빛나다, 희다 + id ~된]

이것만은 꼭! 순수 영어의 경우 '~하게 된'이라는 뜻이 '-ed'로 표현되는 데 반해, 라틴어 계열의 경우 '-id'로 표현됨에 유의할 필요가 있다. 이처럼 순수 영어에 활용되는 요소들은 일상적으로 접하기 쉬운 장점이 있다.

2 너무도 많은 외계인의 우주선으로부터 공격을 받고 있었기 때문에 지구를 구하려는 시도는 헛된 것으로 드러났다.
[fut 쏟아지다 + ile 할 수 있는]

이것만은 꼭! 이 단어는 '그냥 쏟아져 버릴 수 있는'이란 뜻에서 '헛된'이란 뜻으로 발전했다. 이때 fut의 뜻을 '새어나가다'라고도 해석하는데, 어느 쪽으로 해석하든 '가질 수 없기에 헛된'이란 뜻을 나타내게 된다.

3 인지과학은 철학, 심리학, 언어학, 신경생물학, 그리고 컴퓨터공학의 많은 측면을 포괄한다.
[en 안으로 + com 함께 + pass 나아가다]

이것만은 꼭! 이 단어에 쓰인 'en-'은 접두사 'in-'과 같은 뜻을 나타낸다. '만들다'라는 뜻이 아님에 특히 주의할 필요가 있다.

4 Hannah의 어머니는 Hannah가 화장품을 발라서는 안 된다는 단호한 입장을 견지했다.
[empht 드러내다 + ic ~적인]

이것만은 꼭! '-ic'이라는 접미사도 자주 접하게 되는데, '~라는 특성을 갖는' 또는 '~적인'이라는 뜻을 나타낸다.

5 우리의 성실한 노력에도 불구하고, 새로운 제품의 판매량은 3분기 내내 저조했다.
[langu 약한 + ish 만들다]

이것만은 꼭! 프랑스어 계열의 일부 단어들은 '-ish'를 써서 동사를 만들어내는데, languish와 같은 예로 finish를 들 수 있다. 이 단어는 [fin(마지막의)+ish(만들다)]로 분석된다.

출제빈도순 기본어휘 - Level 2

p.100

1 과학자들이 컴퓨터에 창의력을 불어넣는 것이 가능할까?
[in 안으로 + still 똑똑 떨어뜨리다]

이것만은 꼭! 우선 이 단어에서 still을 순수 영어의 still과 혼동해서는 안 된다. 이 단어가 고급 어휘에 속하기 때문에 순수 영어일 가능성이 낮기 때문이다. 그리고 이처럼 라틴어 계열의 단어와 순수 영어 단어가 모양이 같은 경우가 종종 있는데, 우연의 일치일 뿐 뜻에서 아무런 관련이 없다. 예컨대 [re(다시)+put(생각하다)+at(만들다)+ion(~하는 것)]으로 분석되는 reputation에서 put은 순수 영어의 put과 아무런 관련이 없다.

2 Strunk와 White의 공저인 '문체의 요소'를 읽음으로써, 영어의 용례에 대한 기본적인 지식을 갖출 수 있다.
[rud 거친 + i (연결 모음) + ment ~한 것 + ary ~의]

이것만은 꼭! 이 단어와 관련된 단어로 rude를 들 수 있는데 [rud(거친)+e(종결 어미)]로 분석된다. '거친'이라는 뜻으로부터 '무례한'이란 뜻이 나왔다. e라는 종결 어미는 더 이상 소리 내지 않지만 과거에는 소리 냈음을 나타내기 위한 표시이지 뜻과 관련이 되지는 않는다.

3 책을 탐독하는 편이라서 Sophia는 입수할 수 있는 책은 모두 읽었는데, 그러다가 자신을 한껏 매혹시키는 책을 발견했다.
[vorac 게걸스럽게 먹다 + i (연결 모음) + ous 가득한]

이것만은 꼭! '-ous'가 역시 라틴어 계열의 vorac과 결합한 단어이다.

4 붙임성이 있는 Greg은 친구들이 너무 많아서 이름을 다 기억하지도 못했다.
[greg 무리 + arious ~에 속하는]

이것만은 꼭! '-arious'는 흔히 접하는 접미사는 아닌데, 이는 보통 영어에서 '-ary'라는 형태로 주로 쓰이기 때문이다. 기본적으로 같은 뜻을 나타냄에 유의하자.

5 현명한 사람이라면 그처럼 어처구니없는 생각을 지지하지 않을 것이다.
[ludicr 놀이 + ous 가득한]

이것만은 꼭! ludicr라는 복잡한 형태는 lud라는 기본적인 형태에서 왔다. 이를 활용하는 단어로 interlude를 들 수 있는데, [inter(사이에)+lud(놀이)+e(종결 어미)]로 분석되며 '막간'이란 뜻을 나타낸다.

출제빈도순 기본어휘 - Level 3

p.101

1 물질적 부를 근시안적으로 추구하는 것은 비참한 결과에 이를 수 있다.
[my (눈을) 감다 + op 눈 + ic ~적인]

이것만은 꼭! 역시 이 단어에서도 라틴어 계열의 my는 순수 영어의 my와 아무런 관련이 없음에 유의해야 한다. 우연의 일치로 모양이 같을 뿐이다.

2 정신 건강에 긍정적인 영향을 미치기 때문에, 요가는 무기력증을 물리치는 데 도움이 될 수 있다.
[letharg 망각 + y 상태]

이것만은 꼭! 접미사 '-y'는 형용사를 만드는 경우에는 '~으로 가득한'이란 뜻을, 명사를 만드는 경우에는 '상태, 특성, 활동, 집단'이란 뜻을 나타낸다.

3 도박에 중독되고 나서, Ethan은 가족에 대한 책임을 내팽개쳤다.
[ab 벗어나서 + dic 선언하다 + ate 하다]

이것만은 꼭! 본래 이 단어는 '왕위 등에서 퇴위하다'라는 뜻을 나타낸다. 이 뜻으로부터 '의무를 저버리다'라는 뜻이 나왔다. 어근 dic이 활용되는 단어로 dictionary를 들 수 있는데 [dic(선언하다, 말하다)+t(~된)+ion(것)+ary(장소)]로 분석되는데 '말한 것, 곧 단어들을 위한 장소'라는 뜻이다. 이 뜻에서 '사전'이라는 뜻이 나왔다.

4 현대 사회는 도덕성의 결여를 특징으로 한다.
[pauc 거의 없는 + ity 상태]

이것만은 꼭! 접미사 '-ity'가 역시 라틴어 계열의 pauc과 결합하여 생긴 단어이다.

5 겉으로는 거만해 보이지만, Jacob은 매우 겸손한 사람이다.
[fac 얼굴 + ade 행동 → 행동과 다른 얼굴]

이것만은 꼭! 짐작할 수 있겠지만, fac에 종결 어미 e를 더하면 우리가 익숙한 face라는 단어가 나온다. 일상적으로 자주 쓰이는 단어이고 간단한 형태이지만 순수 영어가 아니다. 이 단어는 '(모양 등을) 만들다'를 뜻하는 어근 fac에서 비롯되었다.

출제빈도순 기본어휘 - Review p.102

A **Across** 1 본색을 숨기는 것 2 자신에 관한 어떤 것이든 말하려고 하는 3 장기적인 영향을 생각하지 못하는 4 아주 자주 변하다 5 정말 간단하고 기본적인

Down 1 다른 사람과 같이 있는 것을 즐기는 경향이 있는 2 가장 중요한 것 3 어떤 것을 충분하게 갖추지 못한 것 4 강력하게 표명된 5 고인(故人)의 삶에 대해 쓰는 것

B 1 예방 조치를 취하는 것은 위험으로부터 자신을 보호하기 위해 어떤 일을 하는 것이다.
2 어떤 것이 우선적인 일이라면, 그 일이 아주 중요하다고 생각하는 것이다.
3 어떤 것이 의제라면, 그것을 다루어야만 한다.
4 어떤 이를 위해 부고를 쓴다면, 그 사람은 사망한 사람이다.
5 얼버무린다는 것은 분명하게 답하지 않는 것이다.

C 1 프랑스 레스토랑에서 웨이트리스로 일하면서 Belle은 기초적인 프랑스어를 배웠다.
2 붙임성이 있는 사람들은 외로움을 느낄 가능성이 낮다.
3 도둑은 본래 계획을 고수해야 한다는 데 대해 단호했다.
4 Evan은 식욕이 왕성해서, 음식에 대한 욕망을 충족시킬 수가 없었다.
5 뛰어난 작가였지만, Abigail은 일생의 대부분을 무명으로 지냈다.

D 1 저는 진심이며, 말을 둘러대지 않을 것이며, 변명도 하지 않을 것입니다.
2 예전의 많은 부유한 가족들은 자손들의 마음에 사회에 대한 봉사심을 길러줄 줄 알았다.
3 인류에게 있어 가장 우선순위가 높은 것이 멸망으로부터 스스로를 구하는 것이라고 정당하게 주장할 수 있다.
4 여러분이 얼마나 투명하고, 얼마나 진솔한지를 드러내기 위해 미소를 지으라.
5 여성을 남성적인 태도나 재능, 능력 등에 맞추려고 하는 것은 헛된 일이리라.

600점 도전

p.104

1 짐작하는 것 **2** 경의를 표하는 것 **3** 어떤 사람에게 특유한 **4** 약해지도록 만들다 **5** 어떤 사람에 대한 허위 진술 **6** 기대한 대로 일이 일어나지 않다 **7** 필요한 기준을 충족시키다

600점 도전 연습

p.105

01 관용 표현

A I guess you're coming to Linda's wedding. Right?

B Sorry, but I'll take a rain ________ on that. Something's come up.

(a) check
(b) fall
(c) proof
(d) coat

A Linda의 결혼식에 오시죠. 그렇죠?

B 죄송하지만 나중으로 미룰게요. 일이 좀 생겼어요.

(a) (rain —) 다음 기회로 미루는 것
(b) (rainfall의 형태로) 강수량
(c) (rainproof의 형태로) 비의 침투를 막아내는
(d) (raincoat의 형태로) 우의

어구 come up 생기다, 일어나다

해설 '다음 기회로 미루는 것'을 뜻하는 rain check을 측정하는 문제로 정답은 (a)이다. 이 표현은 본래 '비가 와서 스포츠 경기 등이 취소되었을 때 다음 경기를 볼 수 있는 교환권'이란 뜻이었다. 이 의미로부터 '다음 기회로 미루는 것'이란 뜻이 생겨났다.

정답 **(a)**

02 Collocation

Every time your plan ________ awry, try to comfort yourself by saying "I'm only human."

(a) takes
(b) brings
(c) gives
(d) goes

계획이 어긋날 때마다, "난 단지 사람일 뿐이지."라는 말을 함으로써 위안을 삼으라.

(a) 데려가다
(b) 데려오다
(c) 주다
(d) (— awry) (계획이) 어긋나다

어구 every time ~할 때마다 awry 비뚤어진

해설 '(계획이) 어긋나다'라는 뜻의 go awry를 측정하는 문제로 정답은 (d)이다. 이와 같이 go는 '부정적인 상태로의 변화'를 나타내는 경우가 많다. 대개 '음식이 시어지다'는 뜻의 go sour를 예로 들 수 있다. 참고로 이 표현에는 '사람 사이의 관계 등이 틀어지다'라는 뜻도 있다.

정답 **(d)**

03 Collocation

When confronted with a difficult math problem, take a deep breath and make a wild __________.

(a) congestion
(b) congregation
(c) conjecture
(d) configuration

어려운 수학 문제를 접하면, 심호흡을 하고 나서 과감하게 찍으라.

(a) (교통) 체증
(b) (종교 모임의) 회중(會衆)
(c) 짐작
(d) (부분들의 배치에 따른) 외형(外形)

어구 confronted with ~와 대면한

해설 '짐작하다'라는 뜻의 make a conjecture를 측정하는 문제로 정답은 (c)이다. 이 단어는 [함께(con) 던진(ject) 것(ure)]으로 분석되는데, 이 뜻에서 '짐작'이란 의미로 발전했다. 어근 ject를 공유하는 object가 [향해서(ob) 던지다(ject)]라는 뜻에서 '반대하다'라는 의미로 발전했음도 기억하자.

정답 (c)

04 고급 표현

Alice's __________ stories always make us laugh hard, but they also have important messages for all of us.

(a) desolate
(b) hilarious
(c) woeful
(d) doleful

Alice의 익살맞은 이야기들로 우리는 늘 한껏 웃지만, 그 이야기들에는 우리 모두에게 중요한 메시지가 담겨 있다.

(a) 황량한
(b) 익살맞은
(c) 비통한
(d) 구슬픈

해설 '익살맞은'을 뜻하는 hilarious를 측정하는 문제로 정답은 (b)이다. desolate는 [벗어나서(de) 홀로 있게(sol) 된(ate)]으로, woeful은 [비애(woe)로 가득한(ful)]으로, doleful은 [슬픔(dole)으로 가득한(ful)]으로 분석된다.

정답 (b)

05 고급 표현

Rachel's __________ ambition to build a strong and healthy community was restrained by harsh reality.

(a) inaudible
(b) inedible
(c) potable
(d) laudable

강력하고 건전한 공동체를 만들고자 하는, Rachel의 칭송할 만한 야망은 가혹한 현실에 의해 저지당했다.

(a) 들리지 않는
(b) 먹을 수 없는
(c) 마시기에 적합한
(d) 칭송할 만한

어구 restrain ~을 억제하다 harsh 가혹한

해설 '칭송할 만한'을 뜻하는 laudable을 측정하는 문제로 정답은 (d)이다. (a)의 inaudible은 [들릴(aud) 수 있지(ible) 않은(in)]으로 분석되는데, 어근 aud를 공유하는 단어로 audience를 들 수 있다. 이 단어는 [듣고(aud+i) 있는 것(ence)]이라는 뜻에서 '청중, 관중'이란 의미로 발전했다.

정답 (d)

Actual Test

p.106

01 ●●●

A What's high on the __________?
B Definitely, we need to attack the problem of boosting our sales.

(a) profile
(b) agency
(c) framework
(d) agenda

A 의제 가운데 어떤 문제가 가장 중요하죠?
B 단연코, 판매량을 늘리는 문제를 다루어야만 합니다.

(a) 프로필
(b) 대리점
(c) (아이디어의) 기본 구조
(d) 의제

어구 attack a problem of -ing ~하는 것과 씨름하다 boost ~을 증대시키다

해설 '의제'를 뜻하는 agenda를 측정하는 문제로 정답은 (d)이다. agency와 agenda는 '하다'라는 뜻의 어근 ag를 공유한다. agency는 [하고(ag) 있는(en[t]) 기능(cy)]으로 분석되며, 이 뜻에서 '대리' 또는 '대리점'이라는 의미가 생겨났다.

정답 (d)

02

A I'm not satisfied with this product. I want a full refund right now!

B Of course, ma'am. Customer satisfaction is our top ________.

(a) premiere
(b) priority
(c) prelude
(d) privilege

A 이 제품이 만족스럽지가 않아요. 당장 전액 환불을 원해요!

B 물론 환불해 드리죠, 손님. 저희는 고객 만족을 최우선으로 하고 있습니다.

(a) 초연(初演)
(b) 우선권
(c) 전조(前兆)
(d) 특권, 특전

어구 full refund 전액 환불

해설 '우선권'을 뜻하는 priority를 측정하는 문제로 정답은 (b)이다. premiere의 본래 뜻은 '맨 처음'이며, prelude는 [앞서(pre) 노는 것(lude)]으로, privilege는 [사적인(priv + i) 법률(lege)]로 각각 분석된다.

정답 (b)

03

A I'm so excited about next month's trip to Thailand!

B As a ________, be sure to take out travel insurance.

(a) precipitation
(b) preface
(c) precaution
(d) prejudice

A 다음 달 태국 여행 때문에 정말 흥분돼!

B 예방 조치로, 여행 보험에 확실하게 가입해둬.

(a) 강수(량)
(b) 서문
(c) 예방 조치
(d) 선입견

어구 take out insurance 보험에 가입하다

해설 '예방 조치'를 뜻하는 precaution을 측정하는 문제로 정답은 (c)이다. precipitation은 [앞으로(pre) 머리를(cipit) 만드는(at) 것(ion)]으로 분석되는데, '머리를 앞쪽으로 향한다'는 뜻에서 '떨어뜨리다'라는 의미로 발전했다. preface는 [미리(pre) 말하는 것(face)]으로 분석된다.

정답 (c)

04

A What do you think of Jodie?

B Well, she is an unusually __________ person ready to share her deepest secrets.

(a) cautious
(b) candid
(c) discreet
(d) restrained

A Jodie에 대해 어떻게 생각하세요?

B 음, 아주 개인적인 비밀까지 털어놓을 정도로 극히 진솔한 사람이에요.

(a) 조심하는
(b) 진솔한
(c) 분별 있는
(d) 절제된

해설 '진솔한'을 뜻하는 candid를 측정하는 문제로 정답은 (b)이다. ready to... 부분과 어울릴 수 있는 것은 candid밖에 없음에 유의해야 한다. 이처럼 고급 어휘의 경우에도 문제 풀이에서 맥락(context)이 활용됨을 명심하자.

정답 (b)

05

A What's the status of the investigation?

B Unfortunately, all our efforts to catch the suspect turned out __________.

(a) fertile
(b) constructive
(c) favorable
(d) futile

A 조사가 현재 어떻게 진행되고 있나요?

B 유감스럽게도, 용의자를 체포하려는 노력이 수포로 돌아갔습니다.

(a) 다산의
(b) 건설적인
(c) 호의적인
(d) 헛된

어구 status 상태

해설 '헛된'을 뜻하는 futile을 측정하는 문제로 정답은 (d)이다. fertile은 [낳을(fert) 수 있는(ile)]으로, constructive는 [함께(con) 짓는(struct) 경향이 있는(ive)]으로, favorable은 [호의를 베풀(favor) 수 있는(able)]으로 분석된다.

정답 (d)

06

A Do you know why Josephine can't make it to the prom?

B Her father remains __________ that she can't have fun with boys.

(a) obedient
(b) permissive
(c) obdurate
(d) lenient

A Josephine이 왜 (학년말) 무도회에 못 나오는지 알고 있니?

B 아빠가 남자애들이랑 재미있게 노는 걸 완고하게 반대하셔.

(a) 순종적인
(b) 허용적인
(c) 완고한
(d) (처벌 등이) 관대한

해설 '완고한'을 뜻하는 obdurate를 측정하는 문제로 정답은 (c)이다. 이 단어는 [넘어서(ob) 굳게(dur) 된(ate)]으로 분석되는데, '아주 심할 정도로 확고하게 굳은'이 본래 뜻이었다. 이 뜻으로부터 '설득에 대해 저항적인'이라는 의미가 생겨났다.

정답 (c)

07

A What was the customers' response to our new commercial?

B Enthusiastic. We were __________ with requests for samples.

(a) sapped
(b) inundated
(c) wearied
(d) starved

A 새로운 광고에 대한 고객들의 반응이 어때요?

B 열광적이에요. 샘플을 요청하는 문의가 쇄도했어요.

(a) (점차로) 약화시키다
(b) 쇄도하다
(c) (매우) 피로하게 하다
(d) 굶어죽다

어구 commercial 〈라디오 · TV〉 광고 방송 enthusiastic 열광적인

해설 '쇄도하다'를 뜻하는 inundate를 측정하는 문제로 정답은 (b)이다. 이 단어는 [안으로(in) 물이 흐르게(und) 만들다(ate)]로 분석된다. 참고로 in은 '~ 안에' 또는 '~ 아닌'이라는 두 가지 주요한 뜻으로 쓰인다.

정답 (b)

08

A Why were the Wilsons in trouble?

B Because so many __________ happened to them.

(a) attainments
(b) triumphs
(c) calamities
(d) capacities

A Wilson 부부가 왜 어려움에 처했죠?

B 너무도 많은 재앙이 일어났거든요.

(a) 성취
(b) 승리
(c) 재앙
(d) 수용량

어구 in trouble 곤경에 빠져, 난처하여

해설 '재앙'을 뜻하는 calamity를 측정하는 문제로 정답은 (c)이다. 이 단어는 [다친(calam) 상태(ity)]로 분석된다. attainment는 [향해서(at ←ad) 건드린(tain) 것(ment)]으로 분석되는데, 이 뜻에서 '일정한 상태에 도달한 것'이란 의미가 생겨났다.

정답 (c)

09

A What type of person is Tara Carpenters?

B Well, she is quite __________. She is easy to talk to.

(a) hostile
(b) affable
(c) ominous
(d) adverse

A Tara Carpenters는 어떤 타입의 사람이에요?

B 어, 아주 사근사근해요. 말 붙이기가 쉬워요.

(a) 적대적인
(b) 사근사근한
(c) 흉조의
(d) 불리한

해설 '사근사근한'이란 뜻의 affable을 측정하는 문제로 정답은 (b)이다. 이 단어는 [향해서(af ←ad) 말을 걸(fa) 수 있는((a)ble)]으로 분석되는데, '우화'를 뜻하는 fable과 어근 fa를 공유한다. (c)의 ominous는 [징조(omin)로 가득한(ous)]으로 분석된다.

정답 (b)

10

A How could Xander make such an insensitive comment?

B Oh, didn't you know he is a racist __________?

(a) bilingual
(b) bigamist
(c) billionaire
(d) bigot

A Xander가 어떻게 그렇게 경솔한 발언을 할 수 있죠?

B 아, 그 사람이 완고한 인종차별주의자라는 거 몰랐어요?

(a) 2개 국어 사용자
(b) 중혼자
(c) 억만장자
(d) 몹시 완고한 사람

어구 **insensitive** 경솔한 **racist** 민족주의자; 인종차별주의자

해설 '몹시 완고한 사람'이라는 뜻의 bigot을 측정하는 문제로 정답은 (d)이다. 본래 이 단어는 '종교에 지나치게 열중하는 사람'이라는 뜻이었는데, 이 의미에서 '종교 등에서 다른 견해를 받아들이려고 하지 않는 사람'이라는 뜻이 생겨났다.

정답 **(d)**

11

An __________ for a famous person usually describes what kind of life he or she has led.

(a) obituary
(b) acknowledgment
(c) award
(d) affront

유명인에 대한 부고는 대개 그 사람이 어떤 삶을 영위했는가를 기술한다.

(a) 부고
(b) 인정
(c) 상
(d) 모욕적인 언행

해설 '부고'를 뜻하는 obituary를 측정하는 문제로 정답은 (a)이다. acknowledgment는 [지식을(knowledge) 향하는(ac ← ad) 것(ment)]으로, award는 [밖을(a) 지켜보다(ward)]로, affront는 [이마(front)를 향해(af ← ad)]로 분석된다. award는 '밖을 지켜보다'라는 뜻으로부터 '판단하다'라는 의미로 발전했고, 이 의미에서 '상'이라는 뜻이 생겨났다.

정답 **(a)**

12

Whenever the question of equal opportunities for women arose, the male chauvinist ___________.

(a) advocated
(b) allocated
(c) equivocated
(d) suffocated

여성에 대한 평등한 기회라는 문제가 제기될 때마다, 그 남성 우월주의자는 말을 얼버무렸다.

(a) 옹호하다
(b) 할당하다
(c) 얼버무리다
(d) 질식시키다

어구 male chauvinist 남성 우월주의자

해설 '얼버무리다'를 뜻하는 equivocate를 측정하는 문제로 정답은 (c)이다. advocate는 [향해서(ad) 목소리를(voc) 만들다(ate)]로, allocate는 [향해서(al ← ad) 위치를(loc) 만들다(ate)]로, suffocate는 [목구멍(foc) 아래로(suf ← sub) 만들다(ate)]로 분석된다.

정답 (c)

13

The concept of art ___________ everything from crude graffiti to great paintings.

(a) enchants
(b) eliminates
(c) enacts
(d) encompasses

예술이라는 개념은 조악한 낙서에서부터 위대한 유화에 이르는 모든 것을 포괄한다.

(a) 매혹시키다
(b) 제거하다
(c) (법률로) 제정하다
(d) 포괄하다

어구 crude 조야한, 버릇없는 graffiti 낙서

해설 '포괄하다'라는 뜻의 encompass를 측정하는 문제로 정답은 (d)이다. enchant는 [위에(en ← in) 주문을 외다(chant)]로, eliminate는 [문턱(limin)을 밖으로(e) 만들다(ate)]로, enact는 [공식적 기록(act)으로 만들다(en)]로 분석된다.

정답 (d)

14

Helen Keller __________ aspirations for greatness into her audiences.

(a) instituted
(b) instigated
(c) installed
(d) instilled

Helen Keller는 청중들에게 위대함에 대한 열망을 심어주었다.

(a) 개시하다
(b) 선동하다
(c) 설치하다
(d) 심어주다

어구 aspiration 열망, 갈망

해설 '아이디어나 원칙 등을 심어주다'라는 뜻의 instill을 측정하는 문제로 정답은 (d)이다. 이 단어는 [위에(in) 떨어뜨리다(still)]로 분석되는데, 이처럼 '안에'라는 뜻의 접두사 'in-'에는 '위에' 또는 '위로'라는 의미도 있음에 유의하자.

정답 (d)

15

Sometimes, the most __________ thing in your life can give you the greatest joy.

(a) mundane
(b) glamorous
(c) dazzling
(d) sensational

때로는, 삶에서 가장 평범한 일이 가장 큰 기쁨을 안겨줄 수도 있다.

(a) 평범한
(b) 매혹적인
(c) 눈부신
(d) 자극적인

해설 '평범한'이란 뜻의 mundane을 측정하는 문제로 정답은 (a)이다. 문장의 첫 부분에 있는 sometimes(때때로)와 can give you... 부분을 종합해 보면, 일반적으로 기대하기 힘든 일이 일어날 수도 있음을 말한다는 점을 알 수 있다. 이처럼 고급 어휘를 측정하는 문제에서도 맥락(context)을 이해해야 한다는 점을 명심하자.

정답 (a)

16

The imaginative author could find interesting things in the __________ story.

(a) infinitesimal
(b) prosaic
(c) hefty
(d) insolent

상상력이 풍부한 저자는 그 지루하기 짝이 없는 이야기에서 흥미로운 것들을 찾아낼 수 있었다.

(a) 극미한
(b) 지루하기 짝이 없는
(c) 육중한
(d) 오만한

어구 imaginative 상상력이 풍부한

해설 '지루하기 짝이 없는'이란 뜻의 prosaic을 측정하는 문제로 정답은 (b)이다. 이 단어는 [산문(prosa) 의(ic)]로 분석되며, 본래 '시와 같은 운문이 아닌 산문의'라는 뜻이었다. 산문이 운문에 비해 흥미가 떨어진다는 생각에서 '지루하기 짝이 없는'이란 의미가 생겨났다.

정답 (b)

17

Afraid of losing her love, Jenny remained __________ about her dark past.

(a) verbose
(b) pompous
(c) haughty
(d) reticent

자신의 사랑을 잃게 될까봐, Jenny는 어두운 과거에 대해 입을 다물었다.

(a) 말이 너무 많은
(b) 과시하는
(c) 오만한
(d) 과묵한

해설 '과묵한'이란 뜻의 reticent를 측정하는 문제로 정답은 (d)이다. verbose는 [말로(verb) 가득한(ose)]으로, pompous는 [화려함(pomp)으로 가득한(ous)]으로, haughty는 [높은 것(haught)으로 가득한(y)]으로 분석된다.

정답 (d)

18

Unable to get the big picture of the situation, the __________ director worsened it.

(a) judicious
(b) myopic
(c) astute
(d) perceptive

상황의 전반적인 측면을 이해하지 못하고서, 그 근시안적인 이사는 사태를 악화시켰다.

(a) 분별 있는
(b) 근시안적인
(c) 영민한
(d) 지각(知覺) 있는

어구 get the big picture of ~의 전체 모습을 이해하다

해설 '근시안적인'을 뜻하는 myopic을 측정하는 문제로 정답은 (b)이다. judicious는 [판단하는(jud) 것(ic+i)으로 가득한(ous)]으로, perceptive는 [완전히(per) 받아들이는(cept) 경향이 있는(ive)]으로 분석된다. astute는 본래 '영리한'이란 뜻이었다.

정답 (b)

19 

Her patriotic sacrifice will act as a(n) ___________ for political change.

(a) acrimony
(b) rancor
(c) catalyst
(d) benevolence

그녀의 애국적인 희생은 정치적 변화의 촉매로 작용할 것이다.

(a) (말이나 태도의) 신랄함
(b) 원한
(c) 촉매
(d) 자선

어구 patriotic 애국적인

해설 '촉매'라는 뜻의 catalyst를 측정하는 문제로 정답은 (c)이다. acrimony는 [날카로운(acri) 상태(mony)]로, rancor는 [악취가 나는(ranc) 것(or)]으로, benevolence는 [좋게(bene) 의도하고(vol) 있는 것(ence)]으로 분석된다.

정답 (c)

20 

It may be considered ___________ to claim that logic cannot explain grammatical rules.

(a) heresy
(b) piety
(c) hypocrisy
(d) martyrdom

논리가 문법적 규칙을 설명하지 못한다고 주장하는 것은 이단으로 간주될 수도 있다.

(a) 이단
(b) 깊은 신앙심
(c) 위선
(d) 순교

해설 '이단'이라는 뜻의 heresy를 측정하는 문제로 정답은 (a)이다. 문제에 나타난 주장은 '위선'이라고 할 수는 없는데, 왜냐하면 '착함'을 가장하는 것이 아니기 때문이다. 오히려 일반적인 생각과 매우 다른 주장이기 때문에 '이단'이라는 뜻의 heresy를 정답으로 택하는 것이 올바르다는 점에 유의하자.

정답 (a)

Unit 06 Collocation 1

p.110

출제 경향 분석 및 전략	**예제 1** (d) **예제 2** (b) **Practice 1** (c) **Practice 2** (b)
출제빈도순 기본어휘 Review	**A Across** 1 take 2 balance 3 administer 4 prescribe 5 apply **Down** 1 allegation 2 measures 3 caution 4 address 5 forge **B** 1 e 2 d 3 a 4 c 5 b **C** 1 set 2 take 3 applied 4 prescribed 5 strike **D** 1 problem 2 health 3 advice 4 balance 5 caution
600점 도전	1 c 2 a 3 e 4 g 5 b 6 f 7 d
600점 도전 연습	01 (c) 02 (b) 03 (d) 04 (a) 05 (d)
Actual Test	01 (d) 02 (a) 03 (b) 04 (b) 05 (c) 06 (a) 07 (d) 08 (b) 09 (c) 10 (d) 11 (a) 12 (d) 13 (b) 14 (d) 15 (a) 16 (c) 17 (b) 18 (a) 19 (d) 20 (c)

출제 경향 분석 및 전략

p.112

예제 1

A Do you think I ___________ a chance of getting promoted?
B I'm afraid not.

(a) make
(b) do
(c) sit
(d) stand

A 내가 승진할 가능성이 있을 거 같니?
B 유감이지만 없을 거 같아.

(a) 만들다
(b) 하다
(c) 앉다
(d) (— a chance) (가능성이) 있다

어구 get promoted 승진하다

해설 '가능성이 있다'라는 뜻의 stand a chance를 측정하는 문제로 정답은 (d)이다. 짐작할 수 있듯이, have a chance도 마찬가지 뜻을 나타낸다.

정답 (d)

예제 2

Good people try to __________ their goals by making great efforts.

(a) arrive
(b) attain
(c) succeed
(d) attend

선량한 사람들은 열심히 노력하여 목적을 성취하려고 한다.
(a) 도착하다
(b) 성취하다
(c) 성공하다
(d) 참석하다

어구 make a great effort 열심히 노력하다

해설 '목적을 이루다'라는 뜻의 attain a goal을 측정하는 문제로 정답은 (b)이다. 이밖에 achieve, reach, 또는 realize를 써도 된다. (a)는 타동사 reach와 달리 자동사로서 '도착하다'라는 뜻이기 때문에 정답이 될 수 없다. (c)도 역시 '성공하다'라는 뜻일 때는 자동사로만 쓰인다. (d)는 attain과 형태가 비슷하지만 뜻이 다르므로 정답이 될 수 없음에 유의하자. 이처럼 '동사 + 명사' 형태의 collocation 문제에서는 개별 단어의 쓰임새(usage)에 대한 지식도 필요함을 기억하자.

정답 (b)

Practice 1

A Congratulations! I heard your wife's __________ a baby.
B Thank you. She's careful about everything, you know.

(a) inspecting
(b) wanting
(c) expecting
(d) exhausting

A 축하드려요! 부인께서 임신하셨다면서요.
B 고마워요. 아내는 모든 걸 조심하고 있답니다.

(a) 조사하다
(b) 바라다
(c) (— a baby) 임신하다
(d) 기진맥진하게 만들다

해설 '아기를 임신하다'라는 뜻의 be expecting a baby를 측정하는 문제로 정답은 (c)이다. 이때 a baby는 말하지 않아도 된다. 단순히 '원하다'는 뜻을 나타내는 want와 달리 expect에는 '앞으로 일어나거나 올 것을 기대하다'라는 뜻이 있기 때문에 '임신하다'라는 뜻까지 나타낼 수 있다.

정답 (c)

Practice 2

CNN will begin __________ coverage of the awards ceremony.

(a) gone
(b) live
(c) alive
(d) dead

CNN은 시상식의 생중계를 시작할 것이다.

(a) 모두 써 버린
(b) (— coverage) 생중계의
(c) 살아 있는
(d) 죽은

해설 '생중계'를 뜻하는 live coverage를 측정하는 문제로 정답은 (b)이다. 이때 live가 동사가 아니라 형용사로 쓰였음에 유의하자. 그리고 (c)의 alive는 명사 바로 앞에 올 수 없는 형용사이기 때문에 정답이 될 수 없음도 기억하자.

정답 (b)

출제빈도순 기본어휘 - Level 0

p.114

1 여성에 대한 차별 문제를 다루지 않으면 안 된다.

이것만은 꼭! address의 본래 뜻은 '~를 향하다[ad 향해서 + dress 방향을 잡다]'이다. 이 뜻으로부터 문제를 외면하는 것이 아니라 '문제를 다루다'라는 뜻이 나왔다.

2 핵심적인 조건을 충족시키지 못했기 때문에 그들의 제안을 거부했다.

이것만은 꼭! meet의 본래 뜻은 '~와 마주치다'이다. 이 뜻에서 '일정한 조건과 마주치다' 즉 '일정한 조건을 충족시키다'라는 뜻이 나왔다.

3 놀랍게도 Sally는 피자를 많이 주문했다.

이것만은 꼭! place는 본래 '개방된 공간'이라는 뜻인데, 이 뜻에서 '일정한 공간에 두다'라는 뜻이 나왔다. 주문은 대개 일정한 곳에 정리해서 두게 되므로 이를 요청한다는 뜻에서 place an order를 쓴다.

4 지각 있는 매니저였기에 Madeleine은 회사를 지키는 현실적인 조치를 취했다.

이것만은 꼭! take의 본래 뜻은 '손에 넣다'이다. 사태에 대응하여 일정한 조치를 취하는 것을 손에 넣어 통제할 수 있게 하는 것과 마찬가지로 생각하는 원어민의 발상을 엿볼 수 있다.

5 나라의 미래가 걸려 있기 때문에 외교 문제를 다룰 때는 주의하라.

이것만은 꼭! exercise의 본래 뜻은 '자유롭게 움직일 수 있도록 풀어주다'이다. 따라서 exercise caution은 '주의나 신중함이 자유롭게 작용하도록 하다'라는 뜻을 나타내게 된다.

출제빈도순 기본어휘 - Level 1

p.115

1 많은 학생들이 그의 논란이 많은 강의에 출석했다.

이것만은 꼭! attend의 본래 뜻은 '~를 향해 뻗다'이다. 이 뜻으로부터 '~에 이르다'는 뜻이 나왔는데, 따라서 attend a lecture는 '강의에 이르다' 곧 '강의에 출석하다'는 뜻을 나타낸다.

2 유감스럽게도 그 약을 복용하는 여성들은 심각한 위험에 처해 있다.

이것만은 꼭! take의 본래 뜻은 '손에 넣다'이다. take a pill에서 take는 '몸에 넣다'라는 뜻을 나타내는데, '손'의 뜻이 확장된 것으로 해석할 수 있다.

3 몇몇 애국적인 시민들이 그 악명 높은 정치가에 대해 부패 혐의를 주장했다.

이것만은 꼭! collocation을 만들어내는 make는 대개 '일정한 결과를 만들어내다'라는 뜻을 나타낸다. 이 표현에서도 '혐의를 주장하여 조사와 같은 일정한 결과가 생기게 한다'는 원어민의 발상을 엿볼 수 있다.

4 총명한 학생임에도 불구하고, Amanda는 아무도 들어본 적이 없는 대학에 지원했다.

이것만은 꼭! apply의 본래 뜻은 '~에 접촉하게 만들다'이다. 본래는 물리적인 접촉을 뜻했는데, 이로부터 '추상적인 접촉을 추구하다'는 뜻으로 확장되어 이 표현에서와 같이 쓰이게 되었다.

5 엄격함과 자유를 주는 것 사이에 균형을 맞추기는 매우 어렵다.

이것만은 꼭! strike의 본래 뜻은 '가볍게 치다'이다. 이 표현에서는 두 대상 사이의 균형점을 찾는 것을 균형점을 '치는' 것으로 이해하는 원어민의 발상을 엿볼 수 있다.

출제빈도순 기본어휘 - Level 2

p.116

1 경주에 참가하기 위해서는 신체검사를 받아야 한다.

이것만은 꼭! enter의 본래 뜻은 '~에 들어가다'이다. 이 뜻으로부터 '일정한 활동에 대한 참가를 신청하다'라는 뜻이 나왔음에 유의하자.

2 의사들이 그렇게 자주 수면제를 처방한다는 것은 충격적이다.

이것만은 꼭! prescribe는 본래 [미리(pre) 쓰다(scribe)]라는 뜻을 나타낸다. 약사에게 보여줄 처방전을 의사가 미리 쓴다는 점에 착안한 표현임에 유의하자.

3 자녀들이 TV를 시청할 수 있는 시간을 제한하는 것은 좋은 아이디어이다.

이것만은 꼭! set은 본래 '앉게(sit) 하다'라는 뜻을 나타낸다. 이로부터 '일정한 곳에 두다'라는 뜻이 나왔는데, 이 표현에서도 'limit을 일정한 곳에 두다'라고 생각하는 원어민의 발상을 엿볼 수 있다.

4 통가의 인구가 얼마인지 짐작해 보라.

이것만은 꼭! take의 본래 뜻은 '손에 넣다'이다. 이로부터 '일정한 것을 포착하다'라는 뜻이 나왔는데, 이 표현에서도 '대체적인 답을 포착하다'라고 이해하는 원어민의 발상을 확인할 수 있다.

5 7년의 공백을 끝내고 Tara는 로맨스 작가로서 일을 다시 시작했다.

이것만은 꼭! resume은 본래 [다시(re) 잡다, 차지하다(sume)]라는 뜻이다. 이로부터 '일정한 일을 다시 시작하다'는 뜻이 나왔음에 유의하자.

출제빈도순 기본어휘 - Level 3

p.117

1 유감스럽게도 Juliet은 건강을 회복하지 못하고 자신의 생일에 죽음을 맞이했다.

이것만은 꼭! recover는 본래 [다시(re) 손에 넣다(cover)]라는 뜻을 나타낸다. 잃어버린 물건을 다시 손에 넣듯이, 건강을 다시 '손에 넣는' 것으로 이해하는 원어민의 사고방식을 엿볼 수 있다.

2 투약을 받고 나서, 그 어린 소녀는 잠이 들었다.

이것만은 꼭! administer는 본래 '~를 다루다, 관리하다'라는 뜻을 나타낸다. 의약품의 투약을 '(신중하게) 다루는' 것으로 이해하므로 위와 같이 표현함에 유의하자.

3 전향적인 여러 교장들이 지능에 대한 새로운 개념을 채택함으로써 교육에 변화를 초래했다.

이것만은 꼭! bring about의 본래 뜻은 [주위에(about) 오게 하다(bring)]이다. 이로부터 '일정한 일이 일어나게 하다'라는 뜻이 나왔음에 유의하자. 그리고 동의어에서 affect가 아니라 effect가 동사로 쓰였음도 기억해 두어야 한다.

4 그녀의 충고를 따랐다면 지금은 백만장자가 되어 있을 텐데.

이것만은 꼭! 여러 번 반복되지만, take의 본래 뜻은 '손에 넣다'이다. 충고라는 추상적인 대상을 '손에 넣는' 것으로 해석하는 원어민의 사고방식을 엿볼 수 있다.

5 일본인 남자 친구를 절박하게 보고 싶어서, Judith는 여권을 위조하여 자신을 Junko Sakai라고 불렀다.

이것만은 꼭! forge의 본래 뜻은 '만들다'이다. 이 뜻에 부정적인 의미가 더해지면서 '위조하다'라는 뜻도 생겼음을 기억하자.

출제빈도순 기본어휘 - Review

p.118

A **Across** 1 충고 같은 것을 받아들이다 2 두 가지 대상이 조화를 이루는 것 3 사람에게 약품 같은 것을 주다 4 환자가 특정한 약을 복용해야 한다고 처방하다 5 공식적으로 요청하다

Down 1 증거 없이, 누군가가 잘못을 저질렀다고 말하는 것 2 문제를 해결하기 위해 하는 것 3 조심스러운 것 4 문제를 다루다 5 불법적으로 복제하다

B
1 문제를 다루는 법을 모르면 전문적인 도움을 구해야 한다.
2 어떤 것이 일정한 조건을 충족시키지 못하면, 사람들은 그것이 효과적일 것이라고 생각하지 않는다.
3 Amazon.com에서 주문을 하면, 분명 할인을 받게 될 것이다.
4 즉각적인 조치를 취하는 것은 바로 행동하는 것이다.
5 조심스럽게 행동한다면, 부주의한 사람이 아니다.

C 1 일부 부모들은 자녀들이 얼마나 자주 인터넷 서핑을 하는가에 대한 제한을 설정할 권리가 있다고 생각한다.
2 정답을 모른다 하더라도, 반드시 찍어야 한다.
3 최고의 디자이너가 되기를 열망하여, Nicole은 파슨즈 디자인 스쿨에 지원했다.
4 그 약은 대개 우울증에 대해 처방된다.
5 합리적인 것과 창의적인 것 사이에 균형을 어떻게 맞출 수 있을까?

D 1 문제라는 것은 변화시킬 수 있는 희망이 있는 것이다.
2 좋은 친구는 건강에도 좋다.
3 여배우들에 대한 나의 충고는 외모에 신경 쓰지 말라는 것이다.
4 노년의 가장 중대한 과제는 균형을 맞추는 것이다.
5 TV 프로그램의 제작에서와 마찬가지로 회고록을 쓸 때도, 지나치게 신중하게 되면 관중들은 꾸벅꾸벅 졸면서 다른 채널을 생각하게 된다.

600점 도전 p.120

1 비나 눈이 내리는 양 **2** 사람을 죽일 수 있는 **3** 공개적으로 행해진 **4** 극히 조심스러운 **5** 주인이 버린
6 힘이나 용기를 모으다 **7** 누군가를 놀리다

600점 도전 연습 p.121

01 관용 표현

A I didn't know Tony was such an unreliable person.
B Me, neither. How could he __________ out of his responsibility for his own family?

(a) pick
(b) act
(c) opt
(d) single

A Tony가 그렇게 믿을 수 없는 사람인지 몰랐어요.
B 저도 그래요. 어떻게 자기 가족에 대한 의무를 저버릴 수가 있어요?

(a) (— out) 골라내다
(b) (— out) (행동을 통해) 부정적인 감정을 드러내다
(c) (— out) 저버리다
(d) (— out) 골라내다

해설 '저버리다'라는 뜻의 opt out을 측정하는 문제로 정답은 (c)이다. out은 '바깥으로'라는 기본적인 뜻을 갖는데, (a)와 (d)의 경우에는 이 의미로 쓰였다. 반면 (b)에서는 '밖으로 만들어내어'란 의미로, (d)에서는 '제외하여'란 의미로 활용되었다.

정답 **(c)**

02 Collocation

Many analysts predict that China will ___________ pressure on North Korea to neutralize its nuclear capability.

(a) exhaust
(b) exert
(c) execute
(d) exempt

많은 전문가들은 중국이 북한으로 하여금 핵 능력을 무력화하도록 압력을 행사할 것이라고 예측한다.

(a) 기진맥진하게 만들다
(b) 행사하다
(c) 수행하다
(d) 면제하다

어구 analyst 분석가 neutralize ~을 무력화하다 nuclear capability 핵능력

해설 '압력을 행사하다'라는 뜻의 exert pressure를 측정하는 문제로 정답은 (b)이다. exert는 [밖으로(ex) 세차게 내밀다(ert)]로 분석되는데, 이 뜻에서 '압력 등을 행사하다'라는 의미가 생겨났다. 같은 뜻으로 place [put] pressure를 쓸 수 있음도 기억해 두자.

정답 (b)

03 Collocation

You can ___________ your writing skills by reading William Zinsser's *On Writing Well*, which is a must for every writer.

(a) impair
(b) degrade
(c) atone
(d) hone

William Zinsser의 '글을 잘 쓰는 것에 대해'라는 책을 읽음으로써 작문 실력을 갈고닦을 수 있는데, 이 책은 글을 쓰는 모든 이들이 반드시 읽어야 하는 책이다.

(a) 손상시키다
(b) (지위 등을) 떨어뜨리다
(c) 속죄하다
(d) 갈고 닦다

어구 must 의무

해설 '갈고 닦다'라는 뜻의 hone을 측정하는 문제로 정답은 (d)이다. impair는 [더 좋지 않게(pair) 만들다(im←en)]로, degrade는 [등급을(grade) 낮추다(de)]로, atone은 [하나(one) 에(at)]로 분석된다. '하나가 되는 것'을 위해 '속죄하다'라는 것이 기본적인 의미이다.

정답 (d)

04 고급 표현

In reality, American history is ___________ with many incidents involving conflicts between whites and African Americans.

(a) replete
(b) depleted
(c) satiated
(d) replicated

실제로, 미국 역사는 흑인과 백인 사이의 갈등을 수반한 많은 사건들로 가득하다.

(a) 가득한
(b) 고갈된
(c) (욕망이) 완전히 충족된
(d) 다시 동일하게 시행된

어구 incident 사건

해설 '가득한'이란 뜻의 replete를 측정하는 문제로 정답은 (a)이다. replete는 [완전히(←다시, re) 채워진(plete)]으로, deplete는 [채워지지(plete) 않은(de)]으로, satiate는 [충분하게(sati) 만들다(ate)]로, replicate는 [다시(re) 접게(plic) 만들다(ate)]로 분석된다. 참고로 replicate는 [실험과 같은 것을 완전히 똑같이 다시 하다]라는 뜻으로 발전했다.

정답 (a)

05 고급 표현

With so many people leaving for the city, the once-glorious town lay ___________ for several years.

(a) burgeoning
(b) nascent
(c) embryonic
(d) derelict

너무도 많은 사람들이 도시로 떠나버려서, 한때 영화로웠던 마을은 여러 해 동안 방치되어 있었다.

(a) 급성장하는
(b) 태동하는
(c) 발달 초기의
(d) 방치된

어구 leave for ~로 떠나다 once-glorious 한 때 영화로웠던

해설 '방치된'이란 뜻의 derelict를 측정하는 문제로 정답은 (d)이다. derelict는 [벗어나서(de) 떠나버린(relict)]으로, nascent는 [태어나고(nasc) 있는(ent)]으로, embryonic은 [안에서(em ←in) 부풀어 오른 것(bryon) 의(ic)]로 분석된다.

정답 (d)

01

A Doctor Laura, how often should I __________ the pill?

B Three times a day, after each meal.

(a) make
(b) set
(c) put
(d) take

A Laura 선생님, 이 약을 얼마나 자주 복용해야 하나요?

B 식후 하루에 세 번씩 복용하세요.

(a) 만들다
(b) 놓다
(c) 두다
(d) (약을) 복용하다

해설 '(약을) 복용하다'라는 뜻의 take를 측정하는 문제로 정답은 (d)이다. 앞에서 살펴봤듯이, take는 본래 '손에 넣다'라는 기본적인 의미를 갖는다. 이 뜻으로부터 '몸에 넣다'라는 뜻에서 '복용하다'라는 의미로 확장되었음을 기억하자.

정답 (d)

02

A Some 500 people __________ the race!

B Wow! This year's race was really a great success.

(a) entered
(b) lost
(c) left
(d) appeared

A 500명 정도가 경주에 참가했어요!

B 와! 올해 경주는 정말 대단히 성공적이네요.

(a) (— a race) (경주에) 참가하다
(b) 잃다
(c) 떠나다
(d) 나타나다

해설 '(경주에) 참가하다'라는 뜻의 enter를 측정하는 문제로 정답은 (a)이다. 우리말로는 '~에 들어가다' 또는 '~에 참가하다'로 표현되지만, 영어에서는 주어와 목적어의 긴밀한 관계를 나타낸다고 생각하기 때문에 반드시 타동사로 써야 함에 유의하자.

정답 (a)

03 ●●●

A Christie's Computers. How may I help you?

B This is Kevin Rosenberg, and I'd like to __________ a bulk order, please.

(a) get
(b) place
(c) sit
(d) lay

A Christie 컴퓨터사(社)입니다. 무엇을 도와 드릴까요?

B Kevin Rosenberg라고 하는데, 대량 주문을 하고 싶습니다.

(a) 얻다
(b) (— an order) 주문하다
(c) 앉다
(d) 눕히다

어구 bulk order 대량 주문

해설 '주문하다'는 뜻의 place an order를 측정하는 문제로 정답은 (b)이다. 여러 단어들이 자유롭게 결합할 수 있는 자유 조합(free combination)과 달리, collocation은 자연스럽게 연결될 수 있는 단어들을 제한한다는 점에 특히 유의해야 한다. 따라서 (b) 이외의 답지는 모두 '주문하다'라는 뜻을 나타낼 수 없다.

정답 (b)

04 ●●●

A I heard your brother was hospitalized. How's he doing?

B Thanks for asking. He's gradually __________ his health.

(a) recording
(b) recovering
(c) recollecting
(d) recounting

A 오빠가 입원했다며. 상태는 좀 어떠시니?

B 물어봐 주어서 고마워. 차츰 건강을 회복하고 있어.

(a) 기록하다
(b) 회복하다
(c) 회상하다
(d) 이야기하다

해설 '회복하다'라는 뜻의 recover를 측정하는 문제로 정답은 (b)이다. record는 [다시(re) 마음에(cord)]로, recover는 [다시(re) 받다(cover)]로, recollect는 [다시(re) 함께(col) 모으다(lect)]로, recount는 [다시(re) 헤아리다(count)]로 분석된다.

정답 (b)

05

A I'd like to buy the latest __________ of XD Software, please.

B Sorry, ma'am, but we're sold out.

(a) vision
(b) decision
(c) version
(d) mission

A XD Software 최신판을 구입하고 싶은데요.
B 죄송합니다만, 손님, 다 팔렸어요.

(a) 미래상
(b) 결정
(c) (latest —) (최신)판
(d) 임무

해설 '최신판'을 뜻하는 latest version을 측정하는 문제로 정답은 (c)이다. 참고로 vision은 [보는(vis) 것(ion)]으로 분석되며, 이 뜻에서 '시력'이라는 의미도 나왔다. 어근 vis가 활용되는 단어로 supervision을 들 수 있는데, [위에서(super) 보는(vis) 것(ion)]이란 뜻에서 '감독'이란 의미를 나타낸다.

정답 (c)

06

A Oh gosh! I think I lost my dorm key.

B You'd better go see the __________. She'll tell you what to do.

(a) janitor
(b) chauffeur
(c) chef
(d) babysitter

A 아 이런! 기숙사 열쇠를 잃어버린 거 같애.
B 관리인한테 찾아가는 편이 나을 거야. 어떻게 해야 하는지 알려 줄거야.

(a) (건물) 관리인
(b) 운전기사
(c) 주방장
(d) 아기를 돌봐주는 사람

해설 '수위' 또는 '건물 관리인'을 뜻하는 janitor를 측정하는 문제로 정답은 (a)이다. 나머지도 사람을 나타내는 단어로 정확히 익혀둘 필요가 있다. 이와 관련하여 '시험 감독관'을 뜻하는 proctor도 기억해두자.

정답 (a)

07

A I'm gonna go on a blind date! I'm so excited!

B You'd better __________ extreme caution. There are so many bad people out there.

(a) play
(b) train
(c) study
(d) exercise

A 나 미팅 나가! 정말 흥분돼!

B 지극히 조심하는 편이 나아. 세상에는 나쁜 사람들이 아주 많으니까.

(a) 연주하다
(b) 훈련하다
(c) 공부하다
(d) 행사하다

어구 extreme 극도의

해설 '조심하다'라는 뜻의 exercise caution을 측정하는 문제로 정답은 (d)이다. exercise의 뜻을 단순히 '운동하다'로 기억해서는 안 된다는 점을 명심하자. 그리고 (c)의 study가 명사로 쓰이면 '서재'라는 뜻도 있음을 알아두자.

정답 (d)

08

A Would I look good in a mini skirt? Every woman is wearing one.

B Forget it, Linda. That's just a __________. You don't need to follow suit.

(a) fable
(b) fad
(c) factor
(d) fair

A 미니스커트가 나한테 어울릴까? 여자들이 모두 입고 있네.

B Linda야, 신경 꺼. 그냥 유행일 뿐이야. 따라할 필요가 없어.

(a) 우화
(b) (일시적) 유행
(c) 요인
(d) 박람회

해설 '일시적 유행'을 뜻하는 fad를 측정하는 문제로 정답은 (b)이다. 특히 (d)의 fair의 뜻을 '공정한'으로만 기억하기 쉬운데, '박람회'라는 뜻이 있음에 유의하자. 명사로서의 이 뜻은 '축제'라는 의미에서 생겨났고 형용사로서의 '공정한'이란 뜻은 '아름다운'이라는 본래 의미에서 생겨났다.

정답 (b)

09

A Doctor Summers, what do you think of the recent outbreak of avian flu?

B That'll definitely pose a __________ to the public health.

(a) defense
(b) haze
(c) hazard
(d) shelter

A Summers 박사님, 최근 조류독감의 발발에 대해 어떻게 생각하십니까?

B 단연코 대중 보건에 위험을 제기할 것입니다.

(a) 방어
(b) 연무(煙霧)
(c) 위험
(d) 피난(처)

어구 outbreak (유행병 따위의) 발발, 발생 avian flu 조류 독감 pose (문제 따위를) 제기하다 public health 공중 보건

해설 '위험'을 뜻하는 hazard를 측정하는 문제로 정답은 (c)이다. 조류독감이 대중 보건에 부정적인 영향을 미치는 것이 상식적이므로 다른 답지가 정답이 아님에 유의하자. 그리고 shelter의 동의어로 중요한 단어인 haven(피난처, 안식처)도 알아두자.

정답 (c)

10

A There was a murder on Elm Street. I was so shocked.

B I know. Unfortunately, the police haven't caught the __________ yet.

(a) plaintiff
(b) prosecutor
(c) petitioner
(d) culprit

A 엘름가(街)에 살인 사건이 있었대요. 정말 충격이었어요.

B 알고 있어요. 유감스럽게도, 경찰은 아직 범인을 잡지 못했어요.

(a) 원고(原告)
(b) 검사
(c) 청원인
(d) 범인

해설 '범인'을 뜻하는 culprit을 측정하는 문제로 정답은 (d)이다. 본래 단순히 '범인'을 뜻하는 이 단어는 '문제의 원인'이라는 의미로 확장되었다. 참고로 '피고(被告)'는 defendant로 나타낸다.

정답 (d)

11 ●●●

In order to be classified as "eco-friendly," products need to __________ several conditions.

(a) meet
(b) gather
(c) join
(d) break

'환경 친화적'인 것으로 분류되기 위해, 제품들은 여러 조건을 충족시켜야 한다.

(a) 충족시키다
(b) 모으다
(c) 합류하다
(d) 깨뜨리다

어구 classify 분류하다 eco-friendly 환경 친화적인

해설 '조건을 충족시키다'라는 뜻의 meet a condition을 측정하는 문제로 정답은 (a)이다. 이와 비슷한 발상에서 meet a need라는 표현도 가능한데, '수요를 충족시키다'라는 뜻이다. 이러한 대상과 '마주친다'고 생각하기 때문임을 기억하자.

정답 (a)

12 ●●●

As an expert in the field, Beth __________ the problem satisfactorily.

(a) delivered
(b) referred
(c) directed
(d) addressed

그 분야의 전문가로서 Beth는 문제를 만족스럽게 처리했다.

(a) 배달하다
(b) (— to) 지칭하다
(c) 지도하다
(d) (문제를) 다루다

해설 '(문제를) 다루다'는 뜻의 address를 측정하는 문제로 정답은 (d)이다. '문제를 다루다'는 뜻의 표현으로 deal with [attack, tackle] a problem을 쓸 수 있음도 함께 알아두어야 한다.

정답 (d)

13 ●●●

The brilliant student __________ physics lectures given by a famous college professor.

(a) pretended
(b) attended
(c) intended
(d) extended

총명한 그 학생은 유명 대학 교수가 진행하는 물리학 강의를 수강했다.

(a) ~인 체하다
(b) 참가하다
(c) 의도하다
(d) 확장하다

해설 '참가하다'라는 뜻의 attend를 측정하는 문제로 정답은 (b)이다. 이 뜻으로 쓰이는 attend는 타동사인데, '참

가'를 통해서 주어가 목적어와 깊이 관련된다고 생각하기 때문이다. 따라서 단순히 '행사에 가다'는 뜻의 go to an event와는 쓰임새가 다름에 유의하자.

정답 (b)

14

Given the gravity of the situation, we must take appropriate __________ immediately.

(a) degrees
(b) portions
(c) dimensions
(d) measures

상황의 심각성을 감안하여, 즉시 적절한 조치를 취해야만 합니다.

(a) 정도
(b) (특히 주위와 다른) 부분
(c) 차원
(d) 조치

해설 '조치'라는 뜻의 measures를 측정하는 문제로 정답은 (d)이다. 예문의 gravity는 '중력'이라는 뜻이 있긴 하지만, TEPS에서는 대개 '심각성'이라는 뜻으로 마주칠 때가 더 많다는 점도 알아두자.

정답 (d)

15

In some Muslim countries, murderers and drug traffickers are __________ for the death penalty.

(a) liable
(b) unpredictable
(c) variable
(d) sociable

일부 이슬람 국가에서는, 살인자와 마약 밀매자들이 사형에 처해질 수 있다.

(a) ~에 처해질 수 있는
(b) 예측할 수 없는
(c) 가변적인
(d) 붙임성 있는

어구 trafficker 밀매업자

해설 '법적 책임을 질 수 있는'을 뜻하는 liable을 측정하는 문제로 정답은 (a)이다. 이 단어는 [묶여질(li) 수 있는(able)]으로 분석되며, 본래 '법에 따라 구속되는'이란 뜻을 나타낸다. 이 뜻으로부터 '일정한 문제를 겪을 것 같은'이란 의미도 생겨났다.

정답 (a)

16

Primarily motivated by a sense of betrayal, Anna made __________ of child abuse against her ex-husband.

(a) litigation
(b) instigation
(c) allegations
(d) alliances

주로 배신감 때문에, Anna는 전 남편을 아동 학대 혐의로 고소했다.

(a) 소송
(b) 개시
(c) 고소
(d) 동맹

어구 betrayal 배신 child abuse 아동 학대 ex-husband 전 남편

해설 '고소'라는 뜻의 allegation을 측정하는 문제로 정답은 (c)이다. [소송을(lit(i)) 이끌게(ig) 만드는(at) 것(ion)]으로 분석되는 litigation은 주로 복수형으로 쓰이는 allegations와 달리 셀 수 없는 명사라는 점도 꼭 기억해두자.

정답 (c)

17

Largely because of his graceful style, E.B. White has been a(n) __________ for generations of writers.

(a) respiration
(b) inspiration
(c) inauguration
(d) illustration

주로 품위 있는 문체로 인해, E.B. White는 여러 세대의 작가들에게 영감을 주었다.

(a) 호흡
(b) 영감
(c) 취임
(d) 삽화

해설 '영감'을 뜻하는 inspiration을 측정하는 문제로 정답은 (b)이다. 이 단어는 [안으로(in) 숨을 불어넣게(spir) 만드는(at) 것(ion)]으로 분석된다. 이와 마찬가지로, (a)의 respiration은 [완전히(←다시, re) 숨을 불어넣게(spir) 만드는(at) 것(ion)]으로 분석된다.

정답 (b)

18

Many theories have been proposed about the __________ of dinosaurs, but none of them have been proven.

(a) extinction
(b) detention
(c) punctuation
(d) rejection

공룡의 멸종에 대해 많은 이론들이 주창되었지만, 어떤 이론도 입증되지 못했다.

(a) 멸종
(b) 구금
(c) 구두점
(d) 거부

해설 '멸종'을 뜻하는 extinction을 측정하는 문제로 정답은 (a)이다. 이 단어는 [불이 꺼진(extinct) 것(ion)]으로 분석된다. detention은 [완전히(←아래로, de) 잡아두는(tent) 것(ion)]으로, punctuation은 [점을(punctu) 만드는(at) 것(ion)]으로, rejection은 [다시(re) 던지는(ject) 것(ion)]으로 분석된다.

정답 (a)

19

Due to our constant __________ with material wealth, we are oblivious to the intrinsic value of experience.

(a) repression
(b) aggression
(c) recession
(d) obsession

물질적 부에 대한 끊임없는 집착 때문에, 우리는 경험의 내재적 가치를 감지하지 못한다.

(a) 억제
(b) 공격적 성향
(c) 불경기
(d) 집착

어구 oblivious to ~을 깨닫지 못하는 intrinsic 본질적인, 고유의

해설 '집착'을 뜻하는 obsession을 측정하는 문제로 정답은 (d)이다. 이 단어는 [맞은편에(ob) 앉아 있는(sess) 것(ion)]으로, repression은 [완전히(← 다시, re) 누르는(press) 것(ion)]으로, aggression은 [향해서(ag ←ad) 발을 딛는(gress) 것(ion)]으로, recession은 [뒤로(re) 가는(cess) 것(ion)]으로 분석된다.

정답 (d)

20

As a social scientist, you need to keep in mind that ___________ research is complementary to quantitative research.

(a) legislative
(b) imitative
(c) qualitative
(d) facilitative

사회과학자로서 여러분은 질적 연구가 양적 연구에 대해 보완적인 관계에 있다는 점을 명심해야 한다.

(a) 입법의
(b) 모방적인
(c) 질적인
(d) 조장하는 경향이 있는

어구 keep in mind ~을 마음에 담아두다 complementary to ~을 보충하는 quantitative 양적인

해설 '질적인'을 뜻하는 qualitative를 측정하는 문제로 정답은 (c)이다. 예문에 제시되어 있는 것처럼 사회과학에서는 양적 연구(quantitative research)와 질적 연구(qualitative research)가 기본적인 연구 방식을 이룬다는 점도 알아둘 필요가 있다.

정답 (c)

Unit 07 Collocation 2

p.126

출제 경향 분석 및 전략	**예제 1** (b) **예제 2** (d) **Practice 1** (b) **Practice 2** (a)
출제빈도순 기본어휘 Review	A **Across** 1 response 2 character 3 attract 4 laundry 5 inference **Down** 1 damage 2 popularity 3 decision 4 fever 5 contract B 1 d 2 a 3 e 4 c 5 b C 1 getting 2 gained 3 hold 4 did 5 turned D 1 contract 2 damage 3 Character 4 Respect 5 Popularity
600점 도전	1 b 2 e 3 d 4 g 5 a 6 c 7 f
600점 도전 연습	01 (a) 02 (c) 03 (d) 04 (c) 05 (b)
Actual Test	01 (c) 02 (b) 03 (a) 04 (d) 05 (b) 06 (c) 07 (d) 08 (a) 09 (b) 10 (a) 11 (b) 12 (d) 13 (a) 14 (c) 15 (a) 16 (c) 17 (d) 18 (a) 19 (a) 20 (d)

출제 경향 분석 및 전략

p.128

예제 1

A Mom will go ___________ if she finds out I lost her credit card. What should I do?

B I know it will be difficult but you should tell her the truth.

(a) sour
(b) nuts
(c) awry
(d) dry

A 빌려주신 신용카드를 잃어버렸다는 걸 알면 엄마가 엄청 화를 내실 거야. 어떻게 해야 하나?

B 힘들겠지만 사실대로 말씀드려야 해.

(a) (go —) 시게 되다
(b) (go —) 몹시 짜증내다
(c) (go —) (계획 등이) 어긋나다
(d) (go —) (물이) 마르다

해설 '몹시 짜증내다'라는 뜻의 구어체 표현인 go nuts를 측정하는 문제로 정답은 (b)이다. 나머지 표현들도 모두 go와 함께 어울렸는데, 이처럼 go는 부정적인 상태로의 변화를 나타내는 데 주로 쓰인다. 모두 함께 익혀두자.

정답 (b)

예제 2

The IT company is getting ready to __________ a revolutionary product for struggling students.

(a) wire
(b) slaughter
(c) infest
(d) launch

IT 회사가 고전하는 학생들을 위한 혁명적인 제품을 출시할 준비를 갖추고 있다.

(a) 송금하다
(b) 학살하다
(c) 기생하다
(d) 출시하다

어구 get ready to V ~할 준비가 되다 revolutionary 혁명적인

해설 '제품을 출시하다'라는 뜻의 launch a product를 측정하는 문제로 정답은 (d)이다. 나머지 표현들도 정확히 익혀두어야 한다. 참고로 (c)의 infest는 타동사로서 '(숙주에) 기생하다'라는 뜻이 있음에 유의하자. 이 뜻을 영한사전에서는 제시하지 않는 경우가 많기 때문이다. 나머지 표현들도 정확히 익혀두자.

정답 (d)

Practice 1

A Did you send a thank-you __________ to Mary Jones?
B Oh gosh! It completely slipped my mind.

(a) notice
(b) note
(c) indication
(d) signal

A Mary Jones에게 감사 편지 보냈죠?
B 아 이런! 완전히 깜빡했어요.

(a) 통지
(b) (짤막한) 편지
(c) 표시
(d) 신호

어구 slip one's mind 잊어버리다, 생각나지 않다

해설 '감사 편지'를 뜻하는 thank-you note를 측정하는 문제로 정답은 (b)이다. 영미 문화에서는 파티에 다녀온 후에는 대개 파티가 즐거웠다는 뜻의 감사 편지를 보낸다. 그밖에도 다양한 상황에서 감사 편지가 활용되기 때문에 이 표현은 정확히 기억해 두어야 한다.

정답 (b)

Practice 2

Her easy-to-understand approach to grammar __________ a positive response from readers.

(a) got
(b) made
(c) set
(d) came

문법에 대한 평이한 그녀의 접근법은 독자로부터 긍정적인 반응을 얻었다.

(a) (반응을) 얻다
(b) (— a response) 반응하다
(c) (일정한 곳에) 놓다
(d) 오다

어구 easy-to-understand 평이한

해설 '반응을 얻다'라는 뜻의 get a response를 측정하는 문제로 정답은 (a)이다. get의 기본적인 뜻은 '붙잡다'이다. 이 뜻으로부터 '일정한 대상을 얻다'라는 뜻이 생겨난다. 왜냐하면 '놓치지 않고 붙잡아서 자신의 것으로 만드는 것'이 '얻는' 것이기 때문이다. 이 표현에서도 이처럼 '반응을 붙잡는다'고 생각하는 원어민의 발상을 엿볼 수 있다.

정답 (a)

출제빈도순 기본어휘 - Level 0

p.130

1 개정된 복장 규정은 2007년 10월 25일부터 시행됩니다.

이것만은 꼭! take의 본래 뜻은 '손에 넣다'이다. '영향' 또는 '효과'에 해당하는 effect를 '손에 넣는다'고 생각하는 원어민의 발상을 엿볼 수 있다. 이 표현에서 '영향을 미치다'라는 뜻의 affect가 아니라 '효과'라는 뜻의 effect가 쓰였음에 특히 유의하자.

2 남부 지방을 강타한 해일은 나라 전체에 걸쳐 광범위한 피해를 입혔다.

이것만은 꼭! cause의 본래 뜻은 '원인'이다. 동사로 활용되면 '원인이 되다' 곧 '초래하다'라는 뜻을 나타내게 된다. 참고로 be**cause**는 [원인에(cause) 의해(be)]로 분석된다.

3 고객이 편하게 이용할 수 있는 저희 안내책자는 모든 과정에서 올바른 결정을 하실 수 있도록 도와드립니다.

이것만은 꼭! 이와 같은 표현에서 make가 쓰이면 일정한 결과를 초래하는 데 중점을 두는 표현이 된다. '결정'을 내리면 그에 따른 결과가 생기기 때문에 **make** a decision으로 표현함을 꼭 기억하자.

4 순진한 간호사의 도움을 받아, 도둑은 시내에서 유일한 종합병원에 진입했다.

이것만은 꼭! gain의 본래 뜻은 '사냥하다'이다. 이 뜻으로부터 '획득하다'라는 뜻이 나왔는데, 진입(entry)을 '획득하는 것'으로 이해하는 원어민의 발상을 엿볼 수 있다.

5 Aaron은 너무나 절박했기 때문에 계약서를 읽지도 않고 서명했다.

이것만은 꼭! sign의 본래 뜻은 '표시'이다. 동사로 활용되어 '표시하다'라는 뜻이 생겼는데, '계약서에 표시하는' 것이 '서명하는' 것이므로 위와 같이 표현됨을 기억하자.

출제빈도순 기본어휘 - Level 1

p.131

1 일년치를 결제하시고서 700달러까지 아껴 보세요.

이것만은 꼭! 역시 make를 써서 일정한 결과를 강조하는 표현이다. 지불을 하게 되면 그에 대한 결과로 서비스 등의 이용이 가능하다는 점에 중점을 두는 표현임을 기억하자.

2 췌장염에 걸린 일부 환자들의 경우에는 발열 현상이 없었다.

이것만은 꼭! run의 본래 뜻은 '오르게 하다'이다. 이 뜻으로부터 '달리다' 또는 '달리게 하다'라는 뜻이 생겨났다. fever(열)의 경우 몸 전체에 빠른 속도로 퍼지기 때문에 run이라는 표현을 쓴다는 점을 기억하자.

3 자신의 일이 가지는 내재적 가치를 믿었기 때문에, Isabella는 급여 인상을 요구하는 것이 어색하다고 느꼈다.

이것만은 꼭! 단순히 '오르다'를 나타내는 rise와 달리 raise는 '올리다'라는 뜻을 나타냄에 특히 유의해야 한다. 이 뜻이 명사로 활용되면 '올리는 것'을 나타낸다.

4 단순한 리듬 때문에, Jenny의 신곡은 초등학생들 사이에서 인기를 끌었다.

이것만은 꼭! gain은 본래 '사냥하다'라는 뜻이었는데, 이로부터 '획득하다'라는 뜻이 나왔다. '인기'를 '획득하는' 것으로 이해하는 원어민의 발상을 엿볼 수 있다.

5 딸이 관련된 사고 소식을 듣고서, Charlotte은 창백해져서는 기절했다.

이것만은 꼭! turn은 본래 '회전시키다'라는 뜻을 나타내는데, 이로부터 '방향을 틀다'라는 뜻과 '변화하다'라는 뜻이 생겨났다.

출제빈도순 기본어휘 - Level 2

p.132

1 유감스럽게도, 대중매체는 인격 형성에 부정적인 영향을 미치는 경향이 있다.

이것만은 꼭! form은 본래 '모양'이라는 뜻을 나타낸다. 이 뜻으로부터 '일정한 모양을 만들다' 곧 '형성하다'라는 뜻이 나왔다. 흔히 영화 등의 '등장인물'로 알고 있는 character에 '인격'이라는 뜻이 있음도 기억하자.

2 가사 부담을 기꺼이 분담하려고 해서, (남편인) Caleb이 대개 빨래를 한다.

이것만은 꼭! do의 본래 뜻은 '일정한 곳에 놓다'이다. 이처럼 위치 변화를 가리키는 말에서 '행동하다'라는 뜻으로 바뀌었다. do는 대개 특별한 능력이 필요하지 않은 일에 대해 구체적인 동사를 대신해 쓰이는 경우가 많다. 이 표현에서는 wash를 대신해 쓰였다.

3 항암(화학)치료를 받는 환자들은 백혈구를 많이 잃을 가능성이 높다.

이것만은 꼭! get의 본래 뜻은 '붙잡다'이다. 이 뜻으로부터 '일정한 대상을 얻다'라는 뜻이 나왔는데, 이 표현에서도 '치료'를 '얻는 것'으로 해석하는 원어민의 발상을 엿볼 수 있다.

4 시장으로 재직한 동안, Chloe는 가난한 사람들의 삶을 향상시키기 위해 많은 노력을 기울였다.

이것만은 꼭! hold의 본래 뜻은 '지켜보다'이다. 이 뜻으로부터 '일정한 것을 보유하다'라는 뜻이 나왔다. '계속해서 지켜보는 것'이 '보유하는 것'이기 때문이다. 이 표현에서는 이처럼 '보유하다'라는 뜻으로 hold를 활용했다.

5 많은 학생들은 탐욕스러운 교장에게 경의를 표하지 않을 것이라고 단호히 말했다.

이것만은 꼭! pay의 본래 뜻은 '달래다'이다. 이 뜻에서 '값을 치르다'라는 뜻이 나왔는데, '긍정적인 것을 제공하다'라는 뜻으로 발전했다. 이 표현에서는 마지막 의미로 쓰였다.

출제빈도순 기본어휘 - Level 3

p.133

1 복권에 당첨되고 나서, Daniel은 자신의 모든 돈을 주식에 투자했다.

이것만은 꼭! win의 뜻은 '얻기 위해 노력하다'이다. 이 뜻에서 '이기다'라는 뜻으로 발전했는데, 이는 노력의 결과에 주목하기 때문이다. 이처럼 win을 '이겨서 얻다'로 이해하면 win a lottery의 의미를 쉽게 알 수 있다.

2 올바르게 추론하기 위해서는, 논리적이고 비판적으로 생각해야 한다.

이것만은 꼭! draw의 본래 뜻은 '끌다'이다. '추론'은 일정한 전제로부터 결론을 '이끌어내는' 것이기 때문에 draw를 활용했음에 유의하자.

3 기업의 책임에 대한 그녀의 세미나는 많은 청중을 끌어들였다.

이것만은 꼭! '끌다'를 뜻하는 draw가 순수 영어인 데 반해, attract는 라틴어 계열의 단어이다. 이 단어는 [향해서(at) 끌다(tract)]로 분석되기 때문에, draw와 비슷하게 쓰일 수 있음에 유의하자.

4 관절염에 걸리고 나서, Patrick은 관절염에 관한 종합적인 책을 썼다.

이것만은 꼭! develop의 본래 뜻은 '펼쳐 놓다'이다. 이 뜻으로부터 '발전하다'라는 뜻도 나왔는데, 이 표현에서는 본래 의미에 가깝게 쓰였다. 병에 걸리면 그 증상이 '펼쳐지기' 때문에 develop을 사용했음에 유의하자.

5 집에 아무도 없어서, Sandra는 남은 음식을 데우며 심한 외로움을 느꼈다.

이것만은 꼭! 이 표현에서 up은 '위로'라는 뜻에서 발전한 '완전히'라는 뜻임에 유의하자. 영어에서 '위'는 대개 '하늘'을 가리키는데, 하늘은 완전함의 상징이기 때문이다.

출제빈도순 기본어휘 - Review

p.134

A **Across** 1 어떤 일에 반응하는 방식 2 훌륭한 사람이 갖추어야 하는 특성들 3 어떤 것에 관심을 갖게 만들다 4 세탁하려고 하거나 세탁한 옷들 5 어떤 것에 대한 정보가 있어서 사실이라고 생각하는 것

Down 1 어떤 것에 일어난 나쁜 일 2 많은 사람들이 좋아하는 것 3 어떤 일을 하기로 결심하는 것 4 체온이 비정상적으로 높은 것 5 누군가와 어떤 일을 하기로 동의하는 것

B 1 법률이 효력을 발생하면, 여러분에게 영향을 미치기 시작한다.

2 어떤 일이 여러분의 평판에 해를 끼치면, 사람들이 여러분을 나쁘게 생각한다.
3 어떤 일을 하기로 결정하면, 분명 그 일을 할 것이다.
4 어떤 장소에 대한 접근권을 얻으면 그곳에 들어갈 수 있다.
5 계약서에 서명하면 그 계약을 이행해야 한다.

C 1 실제로, 방향 요법으로 치료함으로써 건강을 크게 향상시킬 수 있다.
2 Chomsky의 이론은 1960년대 후반에 인기를 끌었다.
3 미국 헌법은 의회 의원이 '미국의 관할에 속하는' 다른 공직에 재직하는 것을 금한다.
4 빨래를 할 때마다 Boyd는 편안함을 느꼈다.
5 부패한 정치가는 자신의 추문이 공개되자 얼굴이 창백해졌다.

D 1 구두 계약은 그것이 기록된 종이만큼의 가치도 없다.
2 아무리 탁월한 것으로 가장한다 하더라도, 여자대학교는 여권 향상에 대한 근본적인 책임을 회피하면 반드시 학생들에게 심각한 피해를 입히게 된다.
3 인격은 나무와 같으며, 명성은 나무의 그림자와 같다.
4 존중은 두려움이나 경외심이 아니라, 어떤 이의 특유한 개성을 인식하면서 그 사람을 있는 그대로 볼 수 있는 능력이다.
5 인기란 형편없는 예술에 세상이 씌워주는 월계관이다.

600점 도전 p.136

1 숨어 있지만 개발될 수 있는 **2** 과거로부터 전해온 것 **3** 심하게 비난하다 **4** 누군가를 불쌍하게 여기다
5 완벽한, 결함이 없는 **6** 지지하도록 설득하다 **7** 멈추다, 늦추다

600점 도전 연습 p.137

01 관용 표현

A I'm sick and tired of this rain. And it doesn't look like it will ________ up any time soon.
B Look on the bright side. You can spend more quality time with us.

(a) let
(b) mess
(c) pass
(d) set

A 이렇게 비가 오는 데 질렸어. 게다가 곧 그칠 것 같지도 않구.
B 밝은 면을 봐. 우리랑 보다 많이 즐거운 시간을 보낼 수 있잖아.

(a) (— up) 그치다
(b) (— up) 망치다
(c) (— up) (기회를) 포기하다
(d) (— up) 설립하다; 함정에 빠뜨리다

해설 '그치다'라는 뜻의 let up을 측정하는 문제로 정답은 (a)이다. 이때 up은 '위로'라는 뜻에서 발전한 '완전히'라는 뜻을 나타낸다. 이 의미로부터 '완성' 또는 '종료'를 나타내는 구동사가 만들어진다. mess up과 set up에서도 역시 '완전히'라는 뜻으로 쓰였다. 반면 pass up에서는 '위로'라는 뜻에서 확장되어 '넘겨서' 곧

'거부하여'라는 의미로 쓰였다.

정답 (a)

02 Collocation

The true purpose of education is to develop students' __________ ability so that they may become all they can be.

(a) clandestine
(b) illicit
(c) latent
(d) fraudulent

교육의 진정한 목적은 학생들이 이룰 수 있는 모든 것을 이룰 수 있도록 잠재 능력을 개발시키는 것이다.

(a) 은밀한
(b) 불법적인
(c) 잠재적인
(d) 기만적인

해설 '잠재적인'을 뜻하는 latent를 측정하는 문제로 정답은 (c)이다. 이 단어는 [숨어(lat) 있는(ent)]으로, clandestine은 [몰래(clande) 숨은(stine)]으로, illicit은 [허용(lic) 되지(it) 않은(il ← in)]으로, fraudulent는 [사기(fraud)를 특징으로 삼는(ulent)]으로 분석된다.

정답 (c)

03 Collocation

By spreading vicious __________ against the government, the political group tried to stir up a rebellion.

(a) tribute
(b) reverence
(c) adversity
(d) propaganda

정부에 대한 악의적인 선전 공세를 벌임으로써, 그 정치 집단은 반란을 일으키려고 했다.

(a) 감사[존경]의 표시
(b) 경외심
(c) 역경
(d) 선전 공세

어구 vicious 악의적인 stir up ~을 선동하다 rebellion 반란, 반역

해설 '선전 공세'를 뜻하는 propaganda를 측정하는 문제로 정답은 (d)이다. tribute는 [부족들(trib) 사이에서 분배한(ute)]으로, reverence는 [완전히(←다시, re) 두려워(ver) 하고 있는 것(ence)]으로, adversity는 [대항하여(ad) 방향을 튼(vers) 상태(ity)]로 분석된다.

정답 (d)

04 고급 표현

Being a good teacher, Sally __________ with her students over their lack of opportunity to receive a good education.

(a) relished
(b) lavished
(c) commiserated
(d) maneuvered

훌륭한 교사였기에, Sally는 학생들이 양질의 교육을 받을 기회가 없다는 것을 안타깝게 여겼다.

(a) 만끽하다
(b) 후하게(과도하게) 쓰다
(c) 동정하다
(d) 조정하다

해설 '동정하다'라는 뜻의 commiserate를 측정하는 문제로 정답은 (c)이다. 이 단어는 [함께(com) 비참하게(miser) 만들다(ate)]로 분석된다. 이 단어의 어근 miser를 공유하는 단어로 misery를 들 수 있는데, [비참한(miser) 상태(y)]로 분석된다.

정답 (c)

05 고급 표현

Contrary to popular belief, Noam Chomsky's syntactic theory is not so __________ largely because he misunderstands the nature of language.

(a) indiscernible
(b) impeccable
(c) impenitent
(d) impetuous

일반적인 생각과 달리, Noam Chomsky의 통사론은 언어의 본질에 대한 그의 오해 때문에 그리 완벽하지는 않다.

(a) 분간하기 힘든
(b) 흠 잡을 데 없는
(c) 참회하지 않는
(d) 충동적인

어구 contrary to ~와 반대되어 syntactic 구문론의 nature 본질

해설 '흠 잡을 데 없는'이란 뜻의 impeccable을 측정하는 문제로 정답은 (b)이다. 이 단어는 [잘못을 저지를(pecc) 수 있지(able) 않은(im ← in)]으로, indiscernible은 [따로(dis) 걸러낼(cern) 수 있지(ible) 않은(in)]으로, impenitent는 [미안해(penit) 하고 있지(ent) 않은(im ← in)]으로, impetuous는 [위로(im) 달려드는(petu) 것으로 가득한(ous)]으로 분석된다.

정답 (b)

01

A I heard you decided to leave your abusive husband.

B Yeah. That was the hardest decision I've ever __________.

(a) gotten
(b) done
(c) made
(d) held

A 폭력 남편을 떠나기로 결심하셨다고 들었어요.
B 네. 이제까지 내렸던 결정 가운데 가장 힘든 결정이었어요.

(a) 얻다
(b) 하다
(c) 만들다
(d) 잡다

어구 abusive 폭력적인

해설 '결정을 내리다'는 뜻의 make a decision을 측정하는 문제로 정답은 (c)이다. 결정을 내린 결과에 주목하기 때문에 make를 써야 한다는 점에 유의하자. 특히, 우리말에서처럼 '결정하다'라고 생각하여 do a decision으로 표현하지 않도록 조심해야 한다.

정답 (c)

02

A Tracy, you look so pale. Are you ill?

B I'm just tired. My son __________ a fever all night last night and I didn't get any sleep at all.

(a) walked
(b) ran
(c) threw
(d) moved

A Tracy, 아주 창백해 보이네. 어디 아프니?
B 그냥 좀 피곤해서. 애가 어젯밤에 밤새 열이 심해서 한숨도 못 잤거든.

(a) 걷다
(b) (열)을 내다
(c) 던지다
(d) 움직이다

해설 '열이 나다'라는 뜻의 run a fever를 측정하는 문제로 정답은 (b)이다. 앞서 살펴봤듯이, run의 기본적인 의미는 '오르게 하다'이다. 이 뜻이 '열이 나다'를 표현하는 감각에 가장 잘 어울리기 때문에, 움직임을 나타내는 다른 동사가 아니라 run을 쓴다는 점을 명심하자.

정답 (b)

03

A I'd like to buy this van by installments.

B In that case, you need to __________ a payment every three weeks, ma'am.

(a) make
(b) stay
(c) break
(d) go

A 이 밴을 할부로 구입하고 싶은데요.

B 그러시다면, 3주에 한 번씩 납입하셔야 합니다, 손님.

(a) 만들다
(b) 머물다
(c) 깨뜨리다
(d) 가다

어구 installment 할부

해설 '지불하다'라는 뜻의 make a payment를 측정하는 문제로 정답은 (a)이다. make a decision의 예와 마찬가지로 행동의 '결과'를 강조하는 표현이다. 그리고 A의 대사에 있는 installment가 '할부'라는 뜻이라는 점도 알아두어야 한다.

정답 (a)

04

A When are you going to buy your own house?

B I would consider it only if I __________ a lottery.

(a) lost
(b) worked
(c) missed
(d) won

A 언제 집을 살 계획이니?

B 글쎄 복권에라도 당첨되면 생각해 볼까.

(a) 잃다
(b) 일하다
(c) 놓치다
(d) 이기다

해설 '복권에 당첨되다'를 뜻하는 win a lottery를 측정하는 문제로 정답은 (d)이다. 이때 win에는 '이겨서 얻다'라는 느낌이 들어 있음에 유의해야 한다. 그리고 이때 lottery가 셀 수 있는 명사라는 점도 함께 기억하자.

정답 (d)

05 ●●●

A Why does the boss like Wesley so much?

B Because he's never asked for a pay __________. I really wonder whether he's loyal or just plain stupid.

(a) cut

(b) raise

(c) drop

(d) spread

A 사장이 왜 Wesley를 그토록 좋아하죠?

B 한 번도 급여 인상을 요구한 경우가 없거든요. 충성스러운 건지 그냥 어리석은 건지 도통 모르겠어요.

(a) 삭감

(b) 인상

(c) 감소

(d) 확장

어구 plain 철저한, 전적인

해설 '급여 인상'을 뜻하는 pay raise를 측정하는 문제로 정답은 (b)이다. (a), (c), (d)의 표현들은 모두 동사로만 알고 있기 쉬운데, 위와 같이 명사로서 다양한 의미를 갖는다는 점에 유의해야 한다. 이 의미들은 동사 본래의 뜻에서 생겨났다.

정답 (b)

06 ●●●

A I heard you've just __________ the employment contract. Congratulations!

B Thanks. I'm so excited about working for a major multinational company.

(a) breached

(b) leaped

(c) signed

(d) laid

A 고용 계약서에 막 서명했다면서요. 축하해요!

B 고마워요. 다국적 대기업에서 일할 수 있게 되어 정말 흥분돼요.

(a) (법률 등을) 위반하다

(b) 도약하다

(c) 서명하다

(d) 눕히다

어구 employment contract 고용 계약서 multinational 다국적의

해설 '(계약에) 서명하다'라는 뜻의 sign을 측정하는 문제로 정답은 (c)이다. 맥락으로 보아 '고용 계약에 서명하고 대기업에서 일하게 된 것'이기 때문에 (a)가 될 수 없음에 유의해야 한다. 또한 명사로서 sign에 '서명'이라는 뜻이 없음도 알아두어야 하는데, 서류에 하는 서명은 signature로, 유명인이 하는 서명은 autograph로 표현된다.

정답 (c)

07

A What? A tsunami hit your hometown?

B Yes, and it had already __________ severe damage to the entire village.

(a) effected
(b) delayed
(c) ceased
(d) caused

A 뭐? 해일이 고향을 강타했다고?
B 응, 이미 마을 전체에 심각한 피해를 입혔어.

(a) 초래하다
(b) 지체시키다
(c) 그만두다
(d) 초래하다

어구 tsunami 해일

해설 '~에 피해를 입히다'라는 뜻의 cause damage to를 측정하는 문제로 정답은 (d)이다. 이때 cause 대신 do나 inflict는 쓸 수 있지만, (a)의 effect는 쓸 수 없다. 단어의 어감이 damage와 어울리지 않기 때문이다.

정답 (d)

08

A Doctor Pascal, what do you think of today's youth?

B Well, I __________ the fact that they are only chasing after material wealth.

(a) lament
(b) rejoice
(c) command
(d) commend

A Pascal 박사님, 오늘날의 젊은이들에 대해 어떻게 생각하시나요?
B 음, 물질적 부만 쫓고 있다는 사실이 실망스럽습니다.

(a) 실망감을 드러내다
(b) 기뻐하다
(c) 명령하다
(d) (공개적으로) 칭찬하다

어구 chase after ~을 쫓다

해설 우선 (b)의 rejoice는 '기뻐하다'는 뜻의 자동사이기 때문에 목적어에 해당하는 the fact that...이 바로 이어질 수 없다. 다음으로 A가 B의 단순한 의견을 물어본 것이기 때문에 (c)처럼 '명령하다'라는 말은 어색하다. (d)는 사람의 행동에 대해 '칭찬하다'는 뜻으로 대개 'commend A for B(A가 B한 것에 대해 칭찬하다)'라는 형태로 쓰인다. 따라서 정답은 (a)이다.

정답 (a)

09

A I think their arguments are very convincing.

B But they are ___________ to criticism on several grounds.

(a) adorable

(b) vulnerable

(c) comparable

(d) admirable

A 그들의 주장이 설득력이 있는 거 같아요.

B 그렇지만 그 주장들은 몇 가지 근거에서 비판에 취약해요.

(a) (매력적이어서) 사랑스러운

(b) ~에 취약한

(c) 필적하는

(d) 훌륭한

어구 convincing 설득력이 있는 criticism 비평, 비판 ground 근거

해설 A가 주장이 설득력이 있다고 하는 데 대해, B가 반대 의견을 제시하고 있다. 따라서 '설득력이 있는'에 반대되는 내용이 와야 자연스러우므로 정답은 (b)이다. 이 단어는 출제빈도가 높은 편에 속하기 때문에 꼭 기억해 두어야 한다.

정답 (b)

10

A Hey, Maggie! How are your plans going?

B Much to my dismay, they've been ___________ by a lack of funding.

(a) stymied

(b) implemented

(c) mystified

(d) expanded

A Maggie야! 계획은 어떻게 되어 가니?

B 황망스럽게도, 자금이 부족해서 좌절되었어.

(a) 좌절시키다

(b) 시행하다

(c) 혼란스럽게 하다

(d) 확대하다

어구 dismay 놀람, 당황, 낙담

해설 '(계획 등을) 좌절시키다'라는 뜻의 stymie를 측정하는 문제로 정답은 (a)이다. 단어의 형태가 다소 낯설게 느껴질 수 있는데, 본래 '시력이 약한 사람'이라는 뜻의 명사였다. 이후에 '앞이 보이지 않게 하다'라는 발상에서 '좌절시키다'라는 뜻이 나왔음에 유의하자.

정답 (a)

11

All members are reminded that the new ethics code will take ________ on October 25, 2007.

(a) effort
(b) effect
(c) affect
(d) affair

다시 한 번 모든 회원들에게 새로운 윤리 규정이 2007년 10월 25일부로 효력을 발생함을 알려드립니다.

(a) 노력
(b) 효과
(c) (행동과 관련되는) 정서
(d) 일

어구 ethics code 윤리 규정

해설 '효력이 발생하다'라는 뜻의 take effect를 측정하는 문제로 정답은 (b)이다. (c)의 경우에 '영향을 미치다'라는 뜻의 동사로만 알기 쉬운데, '정의(情意)'에 해당하는 뜻이 있음에 유의해야 한다. 주어진 맥락에 어울리지 않기 때문에 정답이 될 수 없다.

정답 (b)

12

With long-term profits in mind, the cosmetics company gained ________ into the emerging markets.

(a) record
(b) attempt
(c) permission
(d) entry

장기적인 이득을 염두에 두고서, 화장품 회사는 신흥 시장에 진입했다.

(a) 기록
(b) 시도
(c) 허용
(d) 진입

어구 cosmetics 화장품 emerging 신생의, 신흥의

해설 '진입'을 뜻하는 entry를 측정하는 문제로 정답은 (d)이다. (a)의 record는 '기록'이라는 뜻으로 쓰일 때는 셀 수 있는 명사이기 때문에, 단수일 때는 a와 같은 determiner 없이 쓰일 수 없다. 따라서 정답이 될 수 없음에 유의해야 한다. 반면 entry는 이와 같은 맥락에서 셀 수 없는 명사로 쓰인다.

정답 (d)

13 ●●●

Many factors including one's upbringing play a part in __________ one's character.

(a) forming
(b) arising
(c) stemming
(d) withdrawing

양육 방식을 포함한 많은 요인들이 인격 형성에 관여한다.

(a) 형성하다
(b) (일이) 생기다
(c) 유래하다
(d) 물러나다; 인출하다

어구 upbringing 양육, 교육 play a part in -ing ~하는 데 한 역할을 하다

해설 '형성하다'라는 뜻의 form을 측정하는 문제로 정답은 (a)이다. arise는 자동사이기 때문에 목적어인 one's character가 바로 다음에 올 수 없다. 이처럼 어휘 영역의 문제를 풀어나갈 때 동사의 경우는 자동사인지 타동사인지도 측정하기 때문에 정확한 지식을 갖추어야 한다.

정답 (a)

14 ●●

After stealing his purse, the __________ tried to run away but couldn't move at all.

(a) sticker
(b) sneaker
(c) pickpocket
(d) sieve

그의 지갑을 훔치고 나서, 소매치기는 도망가려고 했지만 전혀 움직일 수가 없었다.

(a) 스티커
(b) (sneakers라는 형태로) 운동화
(c) 소매치기
(d) (가루를 고르는) 체

해설 '소매치기'를 뜻하는 pickpocket을 측정하는 문제로 정답은 (c)이다. 나머지 예는 모두 주어진 맥락에 어울리지 않는다. 예문에서 steal의 쓰임새는 반복되지만 중요하기 때문에 다시 한 번 정확히 익혀두자. steal 바로 다음에 '돈'이나 '물건'이 와야 한다.

정답 (c)

15

Some historians argue that yellow journalism contributed to the __________ of the Spanish-American War.

(a) outbreak
(b) outcast
(c) outlet
(d) outlaw

일부 역사학자들은 선정적 저널리즘이 스페인-미국 전쟁 발발의 한 요인이었다고 주장한다.

(a) (전쟁 등의) 발발
(b) 국외자(局外者)
(c) 콘센트
(d) 무법자

어구 historian 역사학자 yellow journalism (흥미 위주의) 선정적 저널리즘 contribute to ~에 기여하다

해설 '부정적인 일의 발발'을 뜻하는 outbreak을 측정하는 문제로 정답은 (a)이다. 이 표현은 [나쁜 일이 깨어져(break) 나오다(out)] 곧 '나쁜 일이 생기다'라는 뜻의 구동사 break out에서 비롯되었다. 또한 (c)의 outlet이 우리말의 콘센트에 해당한다는 점도 알아두어야 한다.

정답 (a)

16

The mass media's obsession with glamorizing the rich and famous can __________ the very foundation of our society.

(a) undergo
(b) undertake
(c) undermine
(d) underwrite

대중매체가 부유한 이들과 유명한 이들을 미화하는 데 집착하는 것은 우리 사회의 근본 토대를 약화시킬 수 있다.

(a) 겪다
(b) 착수하다
(c) 약화시키다
(d) 재정적으로 보증하다

어구 obsession 집착, 강박 관념 glamorize ~을 미화하다

해설 '약화시키다'라는 뜻의 undermine을 측정하는 문제로 정답은 (c)이다. 이 단어는 본래 [지뢰를(mine) 아래에 두다(under)]라는 뜻을 나타냈는데, 쓰임새가 확장되었다. 참고로 undergo는 [아래로(under) 지나가다(go)]로 분석되어 '경험하다'는 뜻을 나타낸다.

정답 (c)

17

Tolerance toward different ideas is likely to __________ the healthy growth of democracy.

(a) stifle
(b) adopt
(c) dismay
(d) foster

다른 아이디어에 대한 관용적인 태도는 민주주의의 건전한 성장을 조장할 것이다.

(a) 억제하다
(b) 채택하다; 입양하다
(c) 낙담시키다
(d) 조장하다

어구 tolerance 관용, 관대 democracy 민주주의

해설 '조장하다'는 뜻의 foster를 측정하는 문제로 정답은 (d)이다. 이 문제는 민주주의에 대한 약간의 이해를 요하는데, 본래 민주주의가 다양한 아이디어의 공존을 지향하는 것이기 때문에 (d)가 가장 자연스럽다. 그리고 adopt의 두 가지 주요 뜻은 꼭 익혀두자.

정답 (d)

18 

Joan of Arc was widely __________ for her fervent patriotism and selfless sacrifice.

(a) acclaimed
(b) acclimatized
(c) accrued
(d) accorded

잔 다르크는 열렬한 애국심, 그리고 사심(私心) 없는 희생으로 널리 찬사를 받았다.

(a) 찬사를 보내다
(b) 순응시키다
(c) 축적하다
(d) (지위 등을) 수여하다

어구 fervent 열렬한 patriotism 애국심 selfless 이기심이 없는

해설 '찬사를 보내다'를 뜻하는 acclaim을 측정하는 문제로 정답은 (a)이다. acclimatize는 [기후를(climat) 향하게(ac) 만들다(ize)]로, acclaim은 [향해서(ac ←ad) 소리치다(claim)]로, accord는 [마음을(cord) 향해(ac ←ad)]로, accrue는 [향해서(ac ←ad) 늘리다(crue)]로 분석된다.

정답 (a)

19

Modern politicians should feel ashamed of their lack of __________, which can weaken the very values that they claim to protect.

(a) integrity
(b) temerity
(c) disparity
(d) celebrity

현대 정치가들은 인격적 고결함이 없는 데 대해 부끄러워해야 하는데, 그러한 결함은 그들이 보호한다고 주장하는 바로 그 가치들을 약화시킬 수도 있다.

(a) 인격적 고결함
(b) (무모하기 짝이 없는) 대담함
(c) 격차
(d) 유명인사

어구 feel ashamed of ~을 부끄러워하다

해설 '인격적 완결성'을 뜻하는 integrity를 측정하는 문제로 정답은 (a)이다. integrity는 [전체인(integr) 상태(ity)]로, temerity는 [무모한(temer) 상태(ity)]로, disparity는 [동등하지(par) 않은(dis) 상태(ity)]로, celebrity는 [유명한(celebr) 상태(ity)]로 분석된다.

정답 (a)

20

Maintaining a low-profile __________ was her secret to holding the top position in the firm for so many years.

(a) larceny
(b) infringement
(c) delinquency
(d) demeanor

이목을 끌지 않게 처신하는 것이 그녀가 그토록 오랜 세월 회사에서 최고 직책을 유지할 수 있었던 비결이었다.

(a) 절도
(b) 침해
(c) (반사회적) 비행(非行)
(d) 처신

어구 maintain 유지하다 low-profile 눈에 띄지 않는

해설 '처신'을 뜻하는 demeanor를 측정하는 문제로 정답은 (d)이다. larceny는 [도둑의(larcen) 활동(y)]으로, infringement는 [안으로(in) 깨뜨리는(fringe) 것(ment)]으로, delinquency는 [나쁘게(de) 남기고(linqu) 있는 것(ency)]으로 분석된다.

정답 (d)

Unit 08 Collocation 3

p.142

출제 경향 분석 및 전략	**예제 1** (d) **예제 2** (b) **Practice 1** (d) **Practice 2** (a)
출제빈도순 기본어휘 Review	**A Across** 1 ailment 2 dispute 3 weight 4 assignment 5 striking **Down** 1 adopt 2 likelihood 3 course 4 burden 5 compelling **B** 1 c 2 d 3 a 4 e 5 b **C** 1 highly 2 hands 3 chronic 4 adopted 5 bear **D** 1 ailment 2 scrutinize 3 issue 4 likelihood 5 burden
600점 도전	1 d 2 a 3 e 4 c 5 b 6 g 7 f
600점 도전 연습	01 (d) 02 (c) 03 (b) 04 (c) 05 (b)
Actual Test	01 (b) 02 (c) 03 (b) 04 (c) 05 (d) 06 (a) 07 (a) 08 (b) 09 (a) 10 (c) 11 (b) 12 (b) 13 (d) 14 (c) 15 (d) 16 (d) 17 (a) 18 (b) 19 (c) 20 (d)

출제 경향 분석 및 전략

p.144

예제 1

A Mm... Yummy. Can you show me how to ___________ this food?

B Sure. In fact, it's so easy that anybody can make it.

(a) cool
(b) freeze
(c) melt
(d) prepare

A 음, 맛있다. 이 음식 어떻게 요리하는지 알려줄래?

B 응. 사실은 너무 쉬워서 아무나 만들 수 있어.

(a) 식히다
(b) 얼리다
(c) 녹이다
(d) 요리하다

해설 '(음식을) 요리하다'라는 뜻의 prepare를 측정하는 문제로 정답은 (d)이다. prepare의 본래 뜻은 '미리 마련해두다'이다. 이 쓰임새가 음식에 적용되어 '요리하다'라는 뜻을 나타낸다.

정답 **(d)**

예제 2

Paul was devastated by the bitter legal fighting between his __________ parents and his biological parents.

(a) strict
(b) foster
(c) lenient
(d) foul

Paul은 양부모와 생부모 사이의 격렬한 법적 분쟁 때문에 몹시 침울해졌다.

(a) 엄격한
(b) (— parents) 양부모
(c) (처벌 등이) 관대한
(d) 더러운

어구 devastate ~을 황폐시키다 bitter 냉엄한, 격심한 biological parents 생부모

해설 '양부모'를 뜻하는 foster parents를 측정하는 문제로 정답은 (b)이다. foster는 본래 '음식을 먹여주다'라는 뜻이었는데, 이 뜻으로부터 '아이를 길러주다'라는 뜻이 나왔다. 또한 형용사로 활용되어 '길러주는'이라는 뜻을 나타내기 때문에, parents와 결합하여 '양부모'를 나타내게 된다.

정답 (b)

Practice 1

A I'm so excited about my trip to Canada next month! Any advice on the trip?

B Just __________ common sense. Don't go to nightclubs after midnight.

(a) distort
(b) distinguish
(c) exorcise
(d) exercise

A 다음 달 캐나다 여행 때문에 몹시 흥분돼! 혹시 조언해줄 거라도 있니?

B 그냥 상식대로 행동해. 자정 넘어서는 나이트클럽에 가지 말구.

(a) 왜곡하다
(b) 구별하다
(c) (악령을) 내쫓다
(d) (— common sense) (상식대로) 행동하다

어구 common sense 상식

해설 '상식대로 행동하다'라는 뜻을 나타내는 exercise common sense를 측정하는 문제로 정답은 (d)이다. exercise는 본래 '억제에서 풀다'라는 뜻이다. 곧 '자유롭게 활동하도록 하다'라는 것이 기본적인 의미이다. '권리를 행사하다'라는 뜻의 exercise one's right도 함께 익혀두어야 한다. 단순히 우리말 대응어인 '운동하다'라는 뜻으로 생각해서는 이와 같은 쓰임새를 제대로 이해할 수 없음에 유의하자.

정답 (d)

Practice 2

Many small business owners __________ benefit from her innovative lectures on business expansion.

(a) reaped
(b) mowed
(c) trimmed
(d) pruned

많은 소기업주(小企業主)들은 사업 확장에 관한 그녀의 혁신적인 강의로부터 이득을 거두었다.

(a) (— benefit) 이득을 거두다
(b) 잔디를 깎다
(c) (깔끔하게) 잘라내다
(d) 가지치기하다

어구 **benefit** 이득 **innovative** 혁신적인 **expansion** 확장

해설 '이득을 거두다'라는 뜻의 reap benefit을 측정하는 문제로 정답은 (a)이다. reap은 본래 '수확을 위해 곡식을 베어내다'라는 뜻이다. 이 뜻으로부터 '수확하다'라는 뜻이 생겨났는데, 이 의미가 비유적으로 활용되어 마치 곡식을 수확하듯이 '이득'을 수확한다는 표현이 발생했다. 나머지 표현들도 뜻을 정확히 익혀두자.

정답 (a)

출제빈도순 기본어휘 - Level 0

p.146

1 Mia는 위원회 회의에 참석할 때마다 민감한 사안을 제기했다.

이것만은 꼭! raise의 본래 뜻은 '올리다'이다. 일정한 문제를 논의의 장에 '올리는' 것이 '쟁점을 제기하는' 것이기 때문에 raise를 썼음에 유의하자. 이 점은 같은 표현인 bring up에 대해서도 마찬가지이다.

2 놀랍게도 Gertrude가 여성학 입문 강좌를 수강하는 유일한 여학생이었다.

이것만은 꼭! take의 본래 뜻은 '손에 넣다'이다. '강좌'라는 것도 '손에 넣는' 것으로 해석하는 원어민의 발상을 엿볼 수 있다.

3 거식증 환자들은 실제로는 살이 찌지 않는데도 살이 많이 찐다고 느낀다.

이것만은 꼭! put on은 본래 [접촉해서(on) 놓아두다(put)]이다. 이 뜻으로부터 '부담을 안기다', '옷을 입다', '더하다'라는 뜻이 나왔다. 이 표현에서는 '더하다'라는 뜻으로 쓰였다.

4 과학기술의 급속한 발전을 감안하면, 완전히 인간과 같은 로봇이 등장할 가능성이 매우 높다.

이것만은 꼭! strong의 본래 뜻은 '힘이 센'이다. 이 뜻에서 '정도가 심한'이라는 뜻이 나왔는데, 이 표현에서 strong은 '정도가 심한'이라는 뜻이다.

5 연체료에 대한 회사의 새로운 방침은 소비자들로부터 복합적인 반응을 얻었다.

이것만은 꼭! late의 본래 뜻은 '내버려두다'이다. 현대 영어에서는 주로 형용사로서 '늦은'이라는 뜻으로 쓰이는데, 이 표현에서의 의미는 어느 쪽으로든 이해가 가능하다.

출제빈도순 기본어휘 - Level 1

p.147

1 미국 노동부에 따르면, 유급 병가를 요구하는 미국 연방 법률은 존재하지 않는다.

이것만은 꼭! 명사로서의 leave의 본래 뜻은 '허용'이다. 이 뜻의 leave가 sick과 결합하여 '병가'라는 뜻을 나타낸다. 이때 leave가 셀 수 없는 명사임에 특히 유의해야 한다.

2 분쟁을 평화롭게 해결하는 법을 배우는 것은 성인이 되기 위한 필수 요건이다.

이것만은 꼭! resolve는 [완전히(←다시, re) + 풀다(solve)]로 분석된다. 따라서 '완전히 해결하다'라는 것이 기본적인 뜻이다. 앞에서 살펴본 것처럼 re에 '완전히'라는 뜻이 있음에 유의하자.

3 흥미롭게도, 두 집단 사이에는 숫자를 기억하는 능력에 뚜렷한 차이가 있다.

이것만은 꼭! strike의 본래 뜻은 '가볍게 치다'인데, '때리다'라는 뜻으로 발전했다. 이 뜻에서 '때리는 듯이 뚜렷한'이란 뜻이 생겨났음에 유의하자.

4 그의 비현실적인 제안을 채택한다면, 그것은 전체 도시에 대한 재앙의 시작이 될 것이다.

이것만은 꼭! adopt는 [향해서(ad) + 선택하다(opt)]로 분석되는데, 이로부터 '채택하다'라는 뜻이 나왔다. 또한 '선택'의 의미가 강한 '입양하다'라는 뜻도 있음을 꼭 기억하자.

5 대학 시절에, Brady는 제때 과제물을 제출한 적이 결코 없다.

이것만은 꼭! hand는 '손'이라는 뜻으로부터 '건네주다'라는 뜻으로 발전했다. hand in은 그대로 옮기면 [건네어(hand) 안에 넣어주다(in)]라는 뜻이다.

출제빈도순 기본어휘 - Level 2

p.148

1 복잡한 줄거리를 이해하려고도 하지 않은 채, 많은 사람들이 그 영화에 대해 거칠게 논평했다.

이것만은 꼭! make는 일정한 행동의 결과에 중점을 두는 표현에 주로 쓰이는데, 논평의 경우에도 여러 반응을 불러일으킨다는 점에서 make를 썼음에 유의하자.

2 대통령이 사임하고 나자, 많은 사람들은 누가 경제를 되살리는 부담을 져야 하는가에 대해 궁금해 하기 시작했다.

이것만은 꼭! bear는 본래 '옮기다'라는 뜻을 나타낸다. 이 뜻에서 '부담하다'라는 뜻으로 발전했는데, 운반할 때 부담을 져야 한다는 데 착안했다. 참고로 shoulder a burden에는 '어깨에 부담을 진다'는 발상이 들어 있다.

3 대단히 의욕적인 사업가조차도 새로운 회사를 설립하는 데 필요한 복잡한 절차 때문에 좌절감을 갖게 된다.

이것만은 꼭! 본래 '높은'이란 뜻의 high와 ly가 결합된 형태이지만, highly는 high와는 완전히 다른 뜻을 나타냄에 유의해야 한다. 대개 '높은 정도로'라는 뜻으로 쓰인다. 이 표현에서도 마찬가지임에 유의하자.

4 슬프게도, Amy의 건강은 오랫동안의 만성질환으로 악화되었다.

이것만은 꼭! chronic은 [시간(chron) + 의(ic)]로 분석되는데, 본래 '시간의'라는 뜻이다. 이 뜻으로부터 '오래도록 지속되는'이란 뜻이 나왔다.

5 사람을 주의 깊게 관찰하면, 그 사람의 내재적인 아름다움을 보게 된다.

이것만은 꼭! observe는 [향해서(ob) + 지켜보다(serve)]로 분석되는데, 이 뜻으로부터 '관찰하다'라는 뜻과 '준수하다'라는 뜻이 나왔음에 유의하자.

출제빈도순 기본어휘 - Level 3

p.149

1 젊었을 때, Scott은 부유한 삶을 누리는 환상에 빠지곤 했다.

이것만은 꼭! indulge의 본래 뜻은 '여지를 마련해주다'이다. 이 뜻으로부터 '탐닉하다'라는 뜻으로 발전했음에 유의하자.

2 Veronica O'Dea에 따르면, 수면제를 복용하는 것에 대해 설득력 있는 반대 의견이 있다고 한다.

이것만은 꼭! compel의 본래 뜻은 [완전히(com) + pel(내몰다)]이다. 이 뜻으로부터 '강제하다'라는 뜻이 나왔는데, 행동을 '강제하는' 주장은 설득력이 있는 것으로 생각하는 원어민의 발상을 엿볼 수 있다.

3 대부분의 항공사들은 승객들이 도착하자마자 수하물을 찾을 것을 권한다.

이것만은 꼭! claim의 본래 뜻은 '소리치다'이다. 이 뜻으로부터 '주장하다'라는 뜻이 나왔는데, 수하물에 대해 자신의 것임을 '주장하는' 것으로 생각하는 원어민의 발상을 엿볼 수 있다.

4 역사적으로, 고대 그리스 문명이 근대 유럽 문명을 태동시켰다.

이것만은 꼭! 본래 '주다'라는 뜻을 나타내는 give는 여러 뜻으로 분화하여 '생산해 내다'라는 뜻도 갖게 되었다. 이 표현에서도 이와 같은 의미로 쓰였음에 유의하자.

5 경찰이 사건을 보다 면밀히 조사했더라면, 진짜 살인자가 누구인지 알아낼 수 있었을 것이다.

이것만은 꼭! scrutinize는 [scrut(쓰레기) + in(뒤지다) + ize(만들다)]로 분석되는데, '쓰레기마저 뒤질 정도로 철저하게 조사하다'라는 것이 기본적인 뜻이다. 이 뜻이 closely라는 부사로 더욱 분명해진 표현이라는 점을 기억하자.

출제빈도순 기본어휘 - Review

p.150

A **Across** 1 경미하게 아픈 것 2 사람들이 서로 의견이 맞지 않는 것 3 무게가 얼마인가 하는 것 4 직업의 일부로서 해야 하는 일 5 쉽게 눈에 띄는

Down 1 제안에 따라 하기로 결정하다 2 일이 일어날 가능성 3 학교에서 학습하는 것 4 해야만 하는 어려운 일 5 진실이라고 또는 올바르다고 믿게 만드는

B 1 문제를 제기하면 토의해야 한다.
2 강좌를 수강하는 것은 어떤 것에 대해 배우는 것이다.
3 살이 많이 찐다면 분명 사람들은 당신을 피할 것이다.

4 어떤 일이 일어날 가능성이 높으면 그 일은 분명 일어날 것이다.
5 연체료를 지불하면 실제로 돈을 약간 잃는 셈이다.

C
1 대단히 의욕적인 연구자여서 Audrey는 암 치료법을 찾으려고 정성껏 노력하고 있다.
2 착실한 학생이어서 Amber는 늘 과제물을 제때 제출한다.
3 만성 질환 때문에 Michael의 삶은 완전히 망가졌다.
4 부패한 여러 도시 관리(官吏)들은 결과를 생각하지도 않고서 그 제안을 채택했다.
5 심지어 오늘날에도, 여성이 가사의 부담을 지는 경향이 있다.

D
1 병에 걸려 쓰러진 형편없는 의사처럼, 여러분도 쓰러져서 어떤 종류의 약을 써야 질환이 낫는지를 알아내지 못한다.
2 또 다른 문화에 대한 지식은 우리 자신의 문화를 보다 정성껏 살펴보고 보다 세심하게 이해하는 능력을 향상시킬 것이다.
3 비만은 (사회 · 경제적 요인에서 비롯되는) 사회병이자 여성 해방의 문제이다.
4 야망이 없는 사람을 타락시킬 가능성이란 존재하지 않는다.
5 흑인이라는 사실의 부담은 단지 (백인과) 동등해지기 위해서 탁월해야 한다는 것이다.

600점 도전 p.152

1 어렵거나 당황스러운 상황 2 제어하거나 억제하다 3 진정시킬 수 없는 4 모든 이들이 동의하는
5 거의 똑같은 6 어려운 일을 간신히 해내다 7 일을 시작하다

600점 도전 연습 p.153

01 관용 표현

A They've decided to grant me a full scholarship with no ________ attached.
B Wow! Congratulations! You must be on cloud nine.

(a) threads
(b) strokes
(c) chains
(d) strings

A 아무런 조건 없이 저한테 전액 장학금을 주기로 했대요.
B 와! 축하해요! 정말 기쁘시겠어요.

(a) 실
(b) 뇌졸중; (펜이나 붓의) 일필(一筆)
(c) 사슬
(d) 부대조건

어구 grant 수여하다 full scholarship 전액 장학금 on cloud nine 더할 나위없이 행복한
해설 '조건 없이'라는 뜻의 with no strings attached를 측정하는 문제로 정답은 (d)이다. '끈'이라는 뜻 때문에 (a)나 (c)로 대체할 수 있을 거라고 생각해서는 안 된다. 고정된 표현이기 때문에 특별한 경우를 제외하고는 다른 말을 쓸 수 없기 때문이다.
정답 (d)

02 Collocation

Millions of people are in a dire ___________ because they are trapped in a vicious circle of poverty.

(a) constipation
(b) conscription
(c) predicament
(d) preemption

수백만 명의 사람들이 빈곤의 악순환에 갇혀 심한 곤경에 처해 있다.

(a) 변비
(b) 징병
(c) 곤경
(d) (의도를 무력화시키는) 예방적 조치

어구 dire 비참한 be trapped in ~에 갇히다, 처하다 a vicious circle of poverty 빈곤의 악순환

해설 '곤경'을 뜻하는 predicament를 측정하는 문제로 정답은 (c)이다. constipation은 [함께(con) 누르게(stip) 하는(at) 것(ion)]으로, conscription은 [함께(con) 등재되는(script) 것(ion)]으로, preemption은 [미리(pre) 취하는(empt) 것(ion)]으로 분석된다.

정답 (c)

03 Collocation

Not having filled his sales ___________, Andrew began to be worried that he would get fired.

(a) quorum
(b) quota
(c) quarantine
(d) qualm

판매 할당량을 채우지 못해서, Andrew는 해고당할까봐 걱정되기 시작했다.

(a) 정족수
(b) 할당량
(c) (질병으로 인한) 격리
(d) 양심의 가책

어구 get fired 해고되다

해설 '할당량'을 뜻하는 quota를 측정하는 문제로 정답은 (b)이다. (c)의 quarantine은 [40일(quarant)이라는 기간(ine)]으로 분석되는데, 전염병이 돌았다고 생각되는 선박을 40일 동안 항구에 정박하지 못하게 하는 관습에서 비롯된 단어이다. '양심의 가책'을 뜻하는 qualm은 대개 복수형인 qualms로 쓰인다.

정답 (b)

04 고급 표현

Unless we __________ the ridiculous project immediately, our company will suffer irreparable losses.

(a) abound
(b) prolong
(c) abort
(d) dawdle

그 터무니없는 프로젝트를 즉시 중단하지 않는 한, 우리 회사는 회복할 수 없는 손실을 입게 될 것이다.

(a) 아주 많다
(b) 연장하다
(c) 중단하다
(d) (시간을) 허비하다

어구 ridiculous 터무니없는, 어리석은 irreparable 회복할 수 없는

해설 '중단하다'라는 뜻의 abort를 측정하는 문제로 정답은 (c)이다. 이 단어는 [태어나는 것(ort)에서 벗어나다(ab)]로 분석되는데, 본래 '유산하다'라는 뜻을 나타낸다. 이 뜻에서 '낙태하다'라는 뜻과 '중단하다'라는 뜻이 생겼음에 유의하자.

정답 (c)

05 고급 표현

Regarding Nazism as legitimate would be __________ to massacring thousands of innocent people.

(a) tantalizing
(b) tantamount
(c) strenuous
(d) abstruse

나치즘을 정당하다고 여기는 것은 수천 명의 무고한 사람들을 학살하는 것과 다를 바 없다.

(a) 애타게 만드는
(b) 다를 바 없는
(c) 힘겨운 노력을 요하는
(d) 난해한

어구 legitimate 정당한 massacre 대량으로 학살하다 innocent 죄 없는, 무고의

해설 '~와 다를 바 없는'이란 뜻의 tantamount to를 측정하는 문제로 정답은 (b)이다. 이 단어는 [향해서(a) 오르는(mount) 것만큼(tant)]으로 분석되는데, '가치나 효과 등에서 다른 대상과 대등한'이 기본적인 의미이다. 참고로 abstruse는 [벗어나게(abs) 밀어낸(truse)]으로 분석되는데, 본래 '숨겨진'이란 뜻이었다. 이 의미는 사라지고 '(숨겨져 있듯이) 난해한'이란 뜻만 남았다.

정답 (b)

01 ●●●

A I think I'm __________ on weight. What do I do?

B I don't think you're overweight. Accept yourself just as you are.

(a) getting
(b) putting
(c) setting
(d) running

A 살이 찌는 거 같아. 어떻게 해야 되지?
B 살이 많이 찐 거 같진 않는데. 있는 그대로의 자신을 받아들이렴.

(a) (— on) (그런대로) 지내다
(b) (— on) 착용하다
(c) (— on) 공격하다
(d) (— on) 장황하게 이야기하다

해설 '살이 찌다'라는 뜻의 put on weight을 측정하는 문제로 정답은 (b)이다. 이때 on은 '접촉하여'라는 기본적인 의미를 나타낸다. 이 의미에서 '공격하여'라는 뜻도 나오는데, (c) set on이 그 예이다. 또한 '계속하여'라는 의미도 있는데, (a) get on과 (d) run on이 그 예이다.

정답 (b)

02 ●●●

A Are you gonna __________ Professor Swanson's course on macroeconomics?

B No, absolutely not! All his courses are terrible, don't you think?

(a) make
(b) sit
(c) take
(d) drop

A Swanson 교수의 거시경제학 강좌를 수강할 거니?
B 절대로 아니지! 그 교수의 강좌는 모두 형편없는 거 같지 않니?

(a) 만들다
(b) 앉다
(c) 수강하다
(d) 떨어지다

어구 macroeconomics 거시경제학

해설 '(강좌를) 수강하다'라는 뜻의 take를 측정하는 문제로 정답은 (c)이다. 참고로 '강좌를 청강하다'라는 뜻은 audit a course라고 표현한다. 그리고 '수강을 취소하다'는 drop [withdraw from] a course로 표현함도 기억해두자.

정답 (c)

03

A Would you like to ________ any comment on our new policy?

B For the record, it fails to take into account the needs of our precious customers.

(a) do
(b) make
(c) miss
(d) hit

A 새로운 방침에 대해 말씀하시고 싶은 사항이 있나요?

B 공개를 전제로 드리는 말씀이지만, 새 방침은 귀중한 우리 고객의 필요를 감안하지 않았습니다.

(a) 하다
(b) 만들다
(c) 놓치다
(d) 때리다

어구 for the record 공식적으로, 기록으로 남기기 위해 take into account ~을 고려하다, 참작하다

해설 '논평하다'라는 뜻의 make a comment를 측정하는 문제로 정답은 (b)이다. B의 대사에 쓰인 take into account는 take into consideration으로 바꾸어 표현할 수도 있는데, '감안하다'라는 뜻으로 기억해둘 필요가 있다.

정답 (b)

04

A I don't understand why you ________ such a sensitive issue at the meeting.

B I believe it's time we confronted the issue of child care at work.

(a) rose
(b) fell
(c) raised
(d) felled

A 회의에서 왜 그렇게 민감한 사안을 꺼냈는지 도무지 이해가 안 된다.

B 직장에서의 보육 문제를 다룰 때가 되었다고 생각하거든.

(a) 일어나다
(b) 떨어지다
(c) (문제를) 제기하다
(d) (나무를) 베어내다

어구 confront ~에 직면하다 child care 육아

해설 '(문제를) 제기하다'라는 뜻의 raise를 측정하는 문제로 정답은 (c)이다. rise와 raise는 매우 헷갈리는 단어들인데, 본래 자동사인 rise에 타동사 개념을 넣기 위해 a가 추가되었다는 점을 생각하면 도움이 된다. 즉 [rise + a = raise]이다.

정답 (c)

05

A I'm seriously thinking about asking for sick __________.

B You can't be serious, Maggie. You look perfectly healthy.

(a) holiday
(b) vacation
(c) trip
(d) leave

A 병가를 내는 문제를 진지하게 고민하고 있어.
B Maggie야, 농담이겠지. 아주 건강해 보이는데.

(a) 휴일
(b) 휴가
(c) 여행
(d) (sick —) 병가

해설 '병가'를 뜻하는 sick leave를 측정하는 문제로 정답은 (d)이다. 완전히 굳어진 표현이기 때문에 비슷한 의미의 다른 단어로 대체할 수 없음에 특히 주의해야 한다. 그리고 이때 leave가 셀 수 없는 명사라는 점도 기억하자.

정답 **(d)**

06

A I'm sick and tired of this __________ job of memorizing the so-called "important" dates in history.

B Me, too! What the heck do they mean, anyway?

(a) tedious
(b) previous
(c) precious
(d) envious

A 역사에서 이른바 '중요한' 날짜라고 하는 걸 외우는 따분한 일에 질렸어.
B 나도 그래! 도대체 그 날짜들이 어떤 의미가 있는 건데?

(a) 따분한
(b) 예전의
(c) 소중한
(d) 시샘하는

어구 what the heck 도대체 무슨 소리야?, 그게 어쨌단 말이야?

해설 '따분한'이라는 뜻의 tedious를 측정하는 문제로 정답은 (a)이다. 이 단어는 [매우 지친 것(tedi)으로 가득한(ous)]으로 분석되며, 이 뜻으로부터 '따분한'이란 의미가 생겨났다. (b)의 previous는 [앞의(pre) 길로(vi) 가득한(ous)]이란 뜻에서 '예전의'라는 의미로 발전했다.

정답 **(a)**

07

A You're flying a lot these days, Amelia.

B Yeah. In fact, that's one of the __________ of my job. All flight expenses are paid for by my company.

(a) perks
(b) quirks
(c) bucks
(d) barks

A Amelia, 요즘 항공편을 많이 이용하는구나.
B 응. 실은 그게 내 일의 (복리)혜택 가운데 하나야. 항공 경비를 모두 회사에서 지불해 주거든.

(a) 혜택
(b) (운명의) 반전; 기벽(奇癖)
(c) 달러
(d) 나무껍질

어구 expense 경비

해설 '복리 혜택'을 뜻하는 perks를 측정하는 문제로 정답은 (a)이다. 같은 뜻의 표현으로 benefits를 들 수 있는데, benefit에 들어 있는 이 의미가 영한사전에서는 제대로 설명되지 않은 경우가 종종 있다. 정확히 뜻을 알아두어야 한다.

정답 (a)

08 

A Do you know anything about the Holocaust, Debbie?

B It usually refers to the __________ of European Jews by the Nazis.

(a) compassion
(b) genocide
(c) altruism
(d) aloofness

A Debbie, 홀로코스트에 대해 아는 게 있나요?
B 그것은 대개 나치가 유럽의 유태인들을 집단 학살시킨 것을 가리킵니다.

(a) 동정심
(b) 집단 학살
(c) 이타주의
(d) 냉담함

어구 holocaust 대학살, 대파괴 refer to ~을 가리키다, 의미하다

해설 '집단 학살'을 뜻하는 genocide를 측정하는 문제로 정답은 (b)이다. 이 단어는 [인종을(geno) 죽이는 것(cide)]으로 분석된다. 참고로 compassion은 [함께(com) 아파하는(pass) 것(ion)]으로, altruism은 [다른 이를 위한(altru) 주의(ism)]로 분석된다.

정답 (b)

09 

A I'm going to launch a career coaching company next month.

B I don't think it's a(n) __________ plan. It will probably fail.

(a) viable
(b) insatiable
(c) amicable
(d) irreparable

A 다음 달에 경력 코칭 회사를 시작할 생각이야.
B 잘 될 거 같은 계획이 아닌데. 틀림없이 실패할 거야.

(a) 성공할 것 같은
(b) 만족시킬 수 없는
(c) 원만한
(d) 돌이킬 수 없는

어구 launch (기업 따위에) 착수하다 career 경력

해설 '효과를 낼 수 있는'이란 뜻의 viable을 측정하는 문제로 정답은 (a)이다. 이 단어는 [생명을(vi) 누릴 수 있는(able)]으로 분석되며, '살아갈 수 있는'이 기본적인 의미이다. 참고로 insatiable은 [만족시킬(sati) 수 있지(able) 않은(in)]으로, amicable은 [친구가(amic) 될 수 있는(able)]으로 분석된다.

정답 (a)

10

A What makes you like Plato's dialogues so much?

B I'm just fascinated by his __________ reasoning. I mean, Socrates's reasoning. In fact, his arguments are easy to follow.

(a) unintelligible
(b) delirious
(c) lucid
(d) entangled

A 플라톤의 대화편을 왜 그렇게 좋아하세요?
B 그냥 그의 명쾌한 논증에 푹 빠져버렸어요. 그러니까 (대화편의 주된 인물인) 소크라테스의 논증 말이에요. 사실 그의 주장은 이해하기가 수월해요.

(a) 이해할 수 없는
(b) 극도로 흥분한
(c) 명쾌한
(d) 뒤엉킨

어구 reasoning 논증

해설 '명쾌한'이란 뜻의 lucid를 측정하는 문제로 정답은 (c)이다. 어근 lucid를 활용하는 대표적인 단어로 elucidate를 들 수 있는데, [완전히(← 밖으로, e) 명쾌하게(lucid) 만들다(ate)]로 분석되며, '명쾌하게 밝히다'라는 뜻을 나타낸다.

정답 (c)

11

We regret to inform you that your accumulated late ________ have reached $100.

(a) incomes
(b) fees
(c) payments
(d) salaries

유감스럽게도 연체료 누적 금액이 100달러가 되었음을 알려드립니다.

(a) 수입
(b) (late —) 연체료
(c) 지불
(d) 급여

어구 accumulate 축적하다, 쌓아 올리다

해설 '연체료'를 뜻하는 late fee를 측정하는 문제로 정답은 (b)이다. fee와 흔히 혼동하는 대표적인 단어는 fare인데, 이 단어는 '교통 요금'을 뜻한다. 참고로 rate는 '일정 비율로 적용되는 요금'을 나타낸다.

정답 (b)

12

Given her ruthless campaign strategies, there is a strong ________ that Hillary Clinton will be elected President of the United States.

(a) likeness
(b) likelihood
(c) neglect
(d) neighborhood

무자비한 선거 운동 전략을 감안하면, Hillary Clinton이 미국의 대통령으로 선출될 가능성이 높다.

(a) (외모의) 유사성
(b) 가능성
(c) 태만
(d) 동네

어구 ruthless 무자비한

해설 '가능성'을 뜻하는 likelihood를 측정하는 문제로 정답은 (b)이다. 특히 (a)의 likeness와 혼동하지 않도록 유의해야 한다. likelihood는 '~할 가능성이 높은'을 뜻하는 likely에서 나왔기 때문이다. 그리고 neighborhood가 '이웃'이 아니라 '동네'를 뜻함에도 주의해야 한다. '이웃'은 대개 neighbor로 표현된다.

정답 (b)

13

Some linguists such as Deborah Tannen argue that ___________ differences between the genders greatly affect the way in which they communicate with each other.

(a) attractive
(b) gorgeous
(c) disgusting
(d) striking

Deborah Tannen과 같은 일부 언어학자들은 양성(兩性) 사이의 뚜렷한 차이가 서로가 의사소통하는 데 많은 영향을 미친다고 주장한다.

(a) 매력적인
(b) 빼어나게 아름다운
(c) 역겨운
(d) 뚜렷한

어구 linguist 언어학자 gender (사회적 · 문화적 역할로서의) 성

해설 '뚜렷한'을 뜻하는 striking을 측정하는 문제로 정답은 (d)이다. 참고로 attractive는 [향해서(at) 끌어들이는(tract) 경향이 있는(ive)]으로, gorgeous는 [목도리와 같은 치장을 좋아하는 것(gorge)으로 가득한(ous)]으로, disgusting은 [나쁜(dis) 맛이(gust) 나고 있는(ing)]으로 분석된다.

정답 (d)

14

All religious teachings recommend that disputes be ___________ in a peaceful, harmonious manner.

(a) reported
(b) resisted
(c) resolved
(d) resonated

종교적 가르침들은 모두 분쟁을 평화적이고 조화롭게 해결할 것을 권한다.

(a) 보고하다
(b) 저항하다
(c) 해결하다
(d) 울려퍼지다

어구 recommend 권하다, 장려하다 dispute 분쟁 harmonious 조화로운

해설 '(분쟁을) 해결하다'라는 뜻의 resolve를 측정하는 문제로 정답은 (c)이다. resist는 [다시(re) 일어서다(sist)]로, resonate는 [다시(re) 소리를(son) 만들다(ate)]로 분석된다. 어근 sist가 쓰이는 중요한 단어로 consist를 들 수 있는데, [함께(con) 일어서다(sist)]라는 뜻에서 '이루어지다'라는 뜻으로 발전했다.

정답 (c)

15

According to many experts, we are living in an __________ of creativity, which requires us to constantly seek better ways to do things.

(a) errand
(b) error
(c) equality
(d) era

많은 전문가들에 따르면, 우리는 창의력의 시대에 살고 있는데, 이 시대는 일을 해내는 보다 나은 방법을 끊임없이 찾아낼 것을 요구한다.

(a) 심부름
(b) 잘못; 오류
(c) 평등
(d) 시대

어구 require A to V A가 ~할 것을 요구하다

해설 '시대'를 뜻하는 era를 측정하는 문제로 정답은 (d)이다. 이때 era는 age로 바꾸어 나타낼 수도 있다. 이처럼 시간을 표현하는 다소 까다로운 단어로 aeon을 들 수 있는데, '무한히 오랜 시간'을 뜻한다.

정답 (d)

16

Several naval officers were severely __________ for breaching the code of conduct concerning drug abuse and weapons.

(a) magnified
(b) applauded
(c) lauded
(d) reprimanded

몇몇 해군 장교들은 약물 남용과 무기에 관한 행동 강령을 어긴 데 대해 심하게 질책을 받았다.

(a) 확대하다
(b) 칭찬하다
(c) 칭송하다
(d) 질책하다

어구 naval 해군의 severely 심하게 breach ~을 어기다 a code of conduct 행동 규칙 concerning ~에 관한 drug abuse 약물 남용

해설 '질책하다'는 뜻의 reprimand를 측정하는 문제로 정답은 (d)이다. 이 단어는 [다시(re) 눌러야(prim) 될 것인((m)and)]으로 분석된다. 이 의미에서 '질책하다'라는 뜻이 생겨났다. '질책'이 자유롭게 내버려두는 것이 아니라 '누르다'가 내포하는 억제의 개념을 활용하는 것이기 때문이다.

정답 (d)

17

Unfortunately, few people are aware of the __________ of challenge and change that our society is facing today.

(a) magnitude
(b) aptitude
(c) solitude
(d) gratitude

유감스럽게도, 오늘날 우리 사회가 직면한 도전과 변화의 심각성을 인식하는 사람들은 거의 없다.

(a) 정도; 심각성
(b) 적성
(c) 홀로 있음
(d) 감사

어구 be aware of ~을 인식하다

해설 '심각성'을 뜻하는 magnitude를 측정하는 문제로 정답은 (a)이다. (a), (b), (c), (d)에는 모두 '-tude'가 들어 있는데, 순수 영어에서는 '-ness'를 활용하는 데 반해 라틴어 계열에서는 이 접미사를 활용한다는 점을 알아두자.

정답 (a)

18

As Max Shulman pointed out in one of his short stories, "love is a __________" in the sense that it cannot be explained logically.

(a) hypothesis
(b) fallacy
(c) concept
(d) construct

Max Shulman이 자신의 한 단편소설에서 지적했듯이, 논리적으로 설명될 수 없다는 점에서 '사랑은 오류이다.'

(a) 가정
(b) 오류
(c) 개념
(d) 개념

어구 point out ~을 지적하다 logically 논리적으로

해설 '오류'라는 뜻의 fallacy를 측정하는 문제로 정답은 (b)이다. in the sense that...이 오류라는 것을 명확히 말해준다. 그리고 흔히 '건설하다'라는 뜻의 동사로만 알고 있는 construct에 '개념'이라는 뜻이 있음도 알아두어야 한다. 이 단어는 [함께(con) 짓는 것(struct)]으로 분석된다.

정답 (b)

19

After having seen the cruelty of humans, Valerie renounced her belief that people have a(n) __________ capacity for compassion.

(a) subordinate
(b) alternate
(c) innate
(d) inquisitive

인간의 잔혹성을 목도하고 나서, Valerie는 인간에게 동정심을 발휘할 수 있는 타고난 능력이 있다는 자신의 믿음을 버렸다.

(a) 종속적인
(b) 교대로 배열된
(c) 타고난
(d) 호기심이 풍부한

어구 renounce 포기하다, 버리다 capacity 능력 compassion 동정, 연민

해설 '타고난'을 뜻하는 innate를 측정하는 문제로 정답은 (c)이다. 이 단어는 [태어난 것(nat+e) 안에(in)]로 분석된다. subordinate는 [순서가(ordin) 아래에(sub) 만들어진(ate)]으로, alternate는 [교대하여(altern) 만들어진(ate)]으로 분석된다.

정답 (c)

20

From his unrealistic arguments, we can safely conclude that oblivious to the harsh reality of poverty, Tony __________ in fantasy.

(a) refutes
(b) declines
(c) deteriorates
(d) indulges

그의 비현실적인 주장으로부터, Tony가 빈곤의 가혹한 현실을 모르면서 환상에 빠져 있다고 확실하게 결론지을 수 있다.

(a) 반박하다
(b) 거절하다; 감소하다
(c) 악화되다, 악화시키다
(d) 탐닉하다

해설 '탐닉하다'라는 뜻의 indulge를 측정하는 문제로 정답은 (d)이다. 그리고 decline의 뜻을 단순히 '거절하다'라고만 알기 쉬운데 '감소하다'라는 뜻이 있음을 꼭 기억해야 한다. 이 단어는 [아래로(de) 기울다(cline)]로 분석된다. '아래'가 가지는 부정적인 의미 때문에 '거절하다'와 '감소하다'라는 뜻이 생겨났다.

정답 (d)

Unit 09 구동사

p.158

출제 경향 분석 및 전략	**예제 1** (b) **예제 2** (c) **Practice 1** (d) **Practice 2** (c)
출제빈도순 기본어휘 Review	**A Across** 1 appear 2 raise 3 develop 4 disappoint 5 embarrass **Down** 1 compensate 2 support 3 ruin 4 understand 5 curtail **B** 1 d 2 a 3 b 4 e 5 c **C** 1 held 2 go 3 make 4 mess 5 fit **D** 1 support 2 embarrass 3 appear 4 compensate 5 ruin
600점 도전	1 c 2 e 3 g 4 a 5 b 6 d 7 f
600점 도전 연습	01 (b) 02 (d) 03 (a) 04 (c) 05 (b)
Actual Test	01 (c) 02 (b) 03 (d) 04 (a) 05 (b) 06 (d) 07 (b) 08 (c) 09 (a) 10 (d) 11 (b) 12 (a) 13 (d) 14 (c) 15 (a) 16 (d) 17 (c) 18 (a) 19 (d) 20 (a)

출제 경향 분석 및 전략

p.160

예제 1

A I can't stand my boss anymore. He ___________ at me again!

B Just calm down and tell me what happened.

(a) brushed up
(b) blew up
(c) took after
(d) accounted for

A 상사는 더는 못 참겠어. 또 나한테 심하게 화를 냈어!

B 진정하고 무슨 일이 있었는지 말해 봐.

(a) (지식 등을) 다시 가다듬다
(b) (— at) ~에게 격하게 화를 내다
(c) 닮다
(d) 설명하다

어구 stand 참다, 견디다 calm down 진정하다

해설 '~에게 격하게 화를 내다'라는 뜻의 blow up at을 측정하는 문제로 정답은 (b)이다. (a)의 brush up 다음에는 on이 올 수 있지만 at은 올 수 없다. 그리고 (c)의 take after나 (d)의 account for 다음에는 목적어가 바로 와야 한다.

정답 (b)

예제 2

Even though all her friends turned their backs on her, her husband __________ her all through the rough times.

(a) turned down
(b) cheated on
(c) stood by
(d) narrowed down

그녀의 친구들이 모두 등을 돌렸지만, 남편은 어려운 시기 내내 그녀를 지지해 주었다.

(a) 거절하다
(b) 바람피우다
(c) 지지하다
(d) (고려 범위를) 좁히다

어구 turn one's back on ~에게 등을 돌리다 rough times 어려운 시기

해설 '~를 지지하다'라는 뜻의 stand by를 측정하는 문제로 정답은 (c)이다. 이 표현에서 by는 '곁에'라는 뜻으로 stand by는 본래 '곁에 서 있다'라는 뜻이다. stand를 '그냥 서 있기만 하다'라고 해석해서 '방관하다'라는 뜻이 나왔는데, 이에 반해 stand를 '곁에 서서 돕다'라고 해석하기도 해서 '지지하다'라는 뜻이 나왔다. 그리고 (b)는 전후 맥락에 어울리지 않음에 유의해야 한다.

정답 (c)

Practice 1

If this bad weather __________, we'll take a trip to San Diego.

(a) takes over
(b) sets out
(c) deals with
(d) clears up

이 궂은 날씨가 개이면 샌디에이고로 여행을 갈 것이다.

(a) 떠맡다
(b) 여행을 위해 출발하다
(c) 다루다
(d) (날씨가) 좋아지다

해설 '날씨가 좋아지다'라는 뜻을 나타내는 clear up을 측정하는 문제로 정답은 (d)이다. 이 구동사에서 up은 '완전히'라는 뜻을 나타내며 clear는 '깨끗이 하다'라는 본래 뜻을 나타낸다. 따라서 clear up은 본래 '완전히 깨끗하게 하다'라는 뜻이다. 이 뜻이 날씨에 대해 쓰이는 경우에는 '날씨가 좋아지다'라는 뜻으로 자연스럽게 연결된다. 나머지 구동사도 모두 뜻을 정확히 익혀두자.

정답 (d)

Practice 2

A When I told her the truth, she just forgave me.
B Honesty always __________, you know.

(a) grows up
(b) carries out
(c) pays off
(d) pulls off

A 그녀에게 사실대로 말하니까 그냥 용서해 주었어.
B 그러니까, 정직은 늘 이득이 되거든.

(a) 자라다
(b) 수행하다
(c) 득이 되다
(d) (어려운 일을) 해내다

해설 '득이 되다'라는 뜻의 pay off를 측정하는 문제로 정답은 (c)이다. 이 표현에서 off는 본래 '일정한 대상으로부터 무엇인가를 떼어내는'이란 뜻을 나타낸다. 그래서 본래 pay off는 '지불해서 떼어내다' 곧 '빚을 다 갚다'라는 뜻을 갖게 되는데, 이 뜻에서 '이득이 되다'는 뜻이 나왔다. 왜냐하면 빚을 다 갚고 나면 이자를 내야 할 필요가 없기 때문이다. 나머지 구동사들도 뜻을 정확히 익혀두자.

정답 (c)

출제빈도순 기본어휘 - Level 0

p.162

1 어린 아이들이 지구를 구하는 창의적인 아이디어를 많이 생각해냈다.

이것만은 꼭! 이 구동사에서 up은 '위로'라는 기본적인 뜻을 나타낸다. 따라서 이 구동사는 본래 '~를 갖고서 위로 오다'라는 뜻이다. '위로 오다'라고 하는 것은 드러나지 않았던 것을 밝혀낸다는 뜻을 갖기 때문에 '새로운 아이디어 등을 생각해내다'라는 뜻이 나왔다.

2 문제가 생기면 부부는 가장 좋은 해결책을 찾아내야 하는 법이다.

이것만은 꼭! 이 구동사에서 out은 '바깥으로'라는 기본적인 뜻에서 발전하여 '새로운 것을 찾아낸'이란 뜻을 나타낸다. 왜냐하면 밖으로 끌어냈기 때문에 분명하게 볼 수 있기 때문이다. 따라서 이 구동사는 본래 '궁리하고 찾아내어 밖으로 드러내다'는 것이 기본적인 의미이다.

3 미국에서조차도 편모들은 결국 정부에 완전히 의존하는 신세로 전락한다.

이것만은 꼭! 이 표현에서 up은 '완전히'라는 뜻을 나타낸다. 따라서 이 구동사는 본래 '완전히 끝나다'라는 뜻이다. 동의어로 제시된 wind up에서 up도 마찬가지 뜻임에 유의하자.

4 많은 연구자들이 기억력을 향상시키는 방법을 알아내기 위해 노력하고 있다.

이것만은 꼭! 이 표현에서 out은 '바깥으로'라는 뜻에서 발전하여 '찾아낸'이란 뜻을 나타낸다. 본래 figure는 '만들어내다'라는 뜻이다. 따라서 '찾아내어 (생각을) 만들어내다'는 뜻에서 '이해하다'라는 뜻으로 발전했다.

5 백악관 측은 다음 본회의에서 핵무기 감축이라는 주제를 제기할 계획이다.

이것만은 꼭! 이 표현은 본래 '위로 가져오다'라는 뜻이다. '위'에 놓이는 것은 관심의 대상이 되기 때문에 위와 같은 뜻이 생겨났다.

출제빈도순 기본어휘 - Level 1

p.163

1 백혈병에 걸리자, James는 늘 자신에게 기운을 불어넣어 주었던 할아버지를 그리워하지 않을 수 없었다.

이것만은 꼭! '완전함'과 연결되는 up과 달리 down은 '불완전함'을 뜻한다. 왜냐하면 down이 본래 '아래로'를 뜻하기 때문이다. 따라서 이 구동사는 본래 '~를 갖고서 불완전한 상태에 이르다'는 것이 기본적인 뜻이며, 이 뜻으로부터 위와 같은 뜻이 생겨났다.

2 어머니를 실망시키고 싶지 않아, Sabrina는 밤늦게까지 공부했다.

이것만은 꼭! 이 구동사에서도 down은 '불완전함'을 뜻하며, 따라서 '누군가가 불완전한 상태에 빠지도록 내버려두다'는 것이 기본적인 의미이다.

3 Vivian과 갈라서면서 Jonathan은 펑펑 울었다.

이것만은 꼭! 이 구동사에서도 up은 '완전히'라는 뜻을 나타낸다. 따라서 이 구동사는 '완전히 깨어지다'는 것이 기본적인 뜻이다.

4 상실한 시간을 만회하기 위해, 그들은 식사마저 걸렀다.

이것만은 꼭! 이 구동사에서도 up은 '완전히'를 뜻해서, 전체적으로는 '~를 위해 완전하게 만들다'는 뜻을 나타낸다. 이 뜻으로부터 '보상하다'라는 뜻이 생겨났다.

5 Dillan이 새로운 환경에 적응하는 과정에 있으니까, 인내심을 갖고 대하렴.

이것만은 꼭! 이 구동사에서 in은 '안에'라는 뜻에서 발전하여 '소속된'이란 뜻을 나타낸다. 왜냐하면 '안에' 있어서 소외되지 않기 때문이다. 따라서 '안에 들어맞게 하다'라는 뜻에서 '어울리다'는 뜻이 생겨났다.

출제빈도순 기본어휘 - Level 2

p.164

1 친구들 앞에서 나를 꾸짖음으로써, 여자 친구는 내게 창피를 주었다.

이것만은 꼭! 이 구동사에서도 up은 '완전히'라는 뜻을 나타낸다. 따라서 이 표현의 본래 뜻은 '완전히 보여주다'이다. 누구든 자신의 모습이 완전히 드러나면 창피스러우므로 '창피를 주다'라는 뜻이 나왔다. 또한 같은 발상에서 '나타나다'라는 뜻도 생겨났다. 왜냐하면 '나타나는' 것은 '완전히 보여주는' 것이기 때문이다.

2 유감스럽게도, 미국이 우위를 차지하도록 내버려두지 않으려는 중국의 입장 때문에 협상은 지연되었다.

이것만은 꼭! 이 구동사에서도 up은 '완전히'라는 뜻을 나타내어 전체 표현은 '완전히 붙잡다'는 뜻이다. 이 뜻으로부터 '지연시키다'는 뜻이 생겨났다.

3 결혼을 금지하려는, 논란이 많은 그녀의 제안을 검토하고 나서, 위원회는 그녀가 정신 이상이라고 판정했다.

이것만은 꼭! 이 구동사에서 over는 '위에'라는 뜻에서 발전하여 '살펴보는'이란 뜻을 나타낸다. '위에서' 바라보아야 제대로 살펴볼 수 있기 때문이다. 이 뜻으로부터 '검토하다'라는 뜻이 생겨났다.

4 Cindy는 Lowell과 애정의 도피 행각을 벌이다 인생을 망쳤다.

이것만은 꼭! 이 구동사에서도 up은 역시 '완전히'라는 뜻을 나타낸다. 따라서 본래 '완전히 엉망으로 만들다'

라는 뜻이다.

5 이른바 '전문가들'이 말하는 바와 달리, 새로운 단어를 좋은 사전에서 찾아보는 일이 정말로 필요하다.

이것만은 꼭! 이 구동사에서도 up은 '완전히'라는 뜻이다. 어떤 정보를 찾아볼 때는 '완전히' 보아야 하기 때문이다.

출제빈도순 기본어휘 - Level 3

p.165

1 놀랍게도 미국은 일반 근로자들의 삶을 향상시키는 데 있어 다른 나라들에 비해 한참 뒤처져있다.

이것만은 꼭! 이 표현에서 behind는 '뒤에'라는 뜻을 나타낸다. lag은 본래 '느리게 가다'라는 뜻이다. 따라서 '뒤에서 느리게 가다'라는 뜻에서 '뒤처지다'라는 뜻이 생겨났다.

2 직원을 줄이는 것은 생산성을 향상시키는 이상적인 방법이 아니다.

이것만은 꼭! 이 구동사에서 back은 '뒤로'라는 뜻에서 발전하여 '억제하는'이란 뜻을 나타낸다. 왜냐하면 '뒤로 물러선다'는 것은 전진을 억제한다는 것을 뜻하기 때문이다. 따라서 본래 '~에 접해 억제하여 깎다'라는 것이 기본적인 뜻이다.

3 일단 죄를 저지르고 나면, 처벌을 피할 수가 없다.

이것만은 꼭! 이 구동사에서 away는 '벗어나서'라는 뜻을 나타낸다. 따라서 '~를 갖고서 벗어나는 방법을 찾다'는 것이 기본적인 의미이다.

4 천성적으로 게을러서 Todd는 아무 일도 하지 않고 빈둥대기만 했다.

이것만은 꼭! 이 구동사에서 around는 '주위에'라는 뜻에서 발전하여 '활동하지 않는'이란 뜻을 나타낸다. 왜냐하면 '주위'란 핵심에서 벗어난 것으로 활발하게 활동이 일어나지 않는 공간이기 때문이다.

5 오랜 친구와 우연히 마주쳤을 때, Ryan은 친구의 이름을 기억하지 못했다.

이것만은 꼭! 이 구동사에서 into는 '안으로'라는 뜻에서 발전하여 '접촉하여'라는 뜻을 나타낸다. 왜냐하면 '안으로' 가게 되면 '접촉'이 반드시 일어나기 때문이다. 따라서 이 구동사는 본래 '달려들어 접촉하다'는 것이 기본적인 뜻이다.

출제빈도순 기본어휘 - Review

p.166

A **Across** 1 나타나다 2 화제를 꺼내다 3 해결책을 생각해 내다 4 실망시키다 5 창피를 주다
Down 1 보상하다 2 지지하다 3 망치다 4 어떻게 돌아가는지 이해하다 5 어떤 것의 숫자를 줄이다

B 1 아이디어를 내놓는다는 것은 그 아이디어를 생각해내는 것이다.
2 어떤 문제에 대한 해결책을 이끌어내면, 분명 그 문제를 해결할 것이다.
3 어떤 일을 하는 것으로 귀결되면 결국엔 그 일을 하는 것이다.

4 어떤 것을 알아내는 것은 그것을 이해하는 것이다.
5 주제를 꺼내는 것은 그것에 대해 말하기 시작하는 것이다.

C
1 그러니까, 또 교통 체증에 걸렸다고? 그럴 리가 없지!
2 시간을 좀 더 주세요. 제안을 검토해야 하니까요.
3 사실, 신뢰의 상실은 어떤 것으로도 보상할 수 없다.
4 도박에 중독되어 인생을 망치지 말라.
5 Drusilla는 너무도 잘 적응해서 모두들 그녀가 그곳에 오래 살았다고 생각했다.

D
1 힘을 얻으려 내 마음에 기댄다.
2 그는 알고 있었는가? 그 주제 때문에 화가 났을까 아니면 창피했을까?
3 오늘 밤 저는 처음으로 보스턴의 관중 앞에, 그러니까 4,000명의 비평가 앞에 섰습니다.
4 전우를 잃은 것이 적을 섬멸하는 것으로 보상되지는 않는다.
5 돈을 다룰 줄 모르는 사람이 망하도록 하는 가장 확실한 방법은 돈을 좀 주는 것이다.

600점 도전

p.168

1 조금씩 마시다 2 해로운 영향을 미치는 3 어떤 것을 이루려는 결심이 확고한 4 관련이 없는
5 처벌이 가혹하지 않은 6 논의를 회피하다 7 사람을 무시하다

600점 도전 연습

p.169

01 관용 표현

A It was so stupid of you to ________ up the plan!
B I know I made a terrible mistake. But sometimes things just happen, you know.

(a) spring
(b) screw
(c) sweep
(d) straighten

A 계획을 망쳐버리다니, 넌 정말 어리석었어!
B 끔찍한 실수를 저질렀다는 건 알아. 그치만 때로는 일이 그냥 그렇게 되기도 하잖아.

(a) (— up) 갑자기 나타나기 시작하다
(b) (— up) 망치다
(c) (— up) (빗자루 등으로) 청소하다
(d) (— up) 정돈하다

해설 '망치다'는 뜻의 screw up을 측정하는 문제로 정답은 (b)이다. (b), (c), (d)에서는 up이 '완전히'라는 뜻으로 동사의 의미를 강하게 표현하는 역할을 할 뿐이다. 반면 (a) spring up에서 up은 '위로'라는 움직임의 의미를 나타낸다. 알아볼 수 있도록 '위로 나타난다'는 발상이 들어 있다.

정답 (b)

02 Collocation

In her romantic scene with Paul, Rose was ________ champagne, looking back on their past.

(a) dipping
(b) ripping
(c) tipping
(d) sipping

Paul과의 낭만적인 장면에서 Rose는 그들의 과거를 회상하면서 샴페인을 홀짝거렸다.

(a) (액체에) 담그다
(b) 찢다
(c) 팁을 주다
(d) 홀짝거리다

어구 look back on ~을 회상하다

해설 '홀짝거리다'는 뜻의 sip을 측정하는 문제로 정답은 (d)이다. 참고로 '찢다'는 대개 tear로 알고 있는데, rip은 어떤 것을 '거세게 그리고 재빨리 찢다'라는 뜻을 나타낸다. 그리고 '팁'을 뜻하는 명사로 쓰이는 tip이 동사로 쓰이면 '팁을 주다'는 뜻이 된다는 점도 기억해두자.

정답 (d)

03 Collocation

By firmly believing in herself and praying for her family, Jennifer has survived ________ circumstances.

(a) adverse
(b) virtuous
(c) righteous
(d) averse

확고하게 자신을 믿고 가족을 위해 기도함으로써, Jennifer는 역경을 헤쳐 나갔다.

(a) (— circumstances) 역경
(b) 유덕(有德)한
(c) 의로운
(d) 강력히 반대하는

어구 firmly 확고하게 survive (위기)를 이기고 살아남다 circumstances 상황, 처지

해설 '역경'을 뜻하는 adverse circumstances를 측정하는 문제로 정답은 (a)이다. adverse는 [향해서(ad) 방향을 튼(verse)]으로 분석되는데, 이 뜻에서 '불리한'이란 뜻이 나왔다. 반면 [벗어나게(a) 방향을 튼(verse)]으로 분석되는 averse는 '강하게 반대하는'이란 뜻임에 유의해야 한다.

정답 (a)

04 고급 표현

For many people, the name Aung San Suu Kyi still conjures up an image of a(n) __________ woman determined to bring democracy to her country.

(a) unscrupulous
(b) sumptuous
(c) tenacious
(d) insipid

많은 이들에게, 아웅산 수지라는 이름은 여전히 자신의 나라에 민주주의를 가져오려고 굳게 결심한 결연한 여성의 이미지를 떠올리게 한다.

(a) 비양심적인
(b) 화려한
(c) 결연한
(d) 맛없는; 재미없는

어구 conjure up ~을 상기시키다, 떠올리게 하다

해설 '결연한'을 뜻하는 tenacious를 측정하는 문제로 정답은 (c)이다. 이 단어는 [굳게(ac) 잡고 있는(ten) 것으로 가득한(i +ous)]으로, unscrupulous는 [양심에 가책을 느끼게 하는 날카로운 돌(scrupul)로 가득하지(ous) 않은(un)]으로, sumptuous는 [비용을 쓰는 것(sumpt)으로 가득한(u +ous)]으로, insipid는 [맛이(sip) 있지(id) 않은(in)]으로 분석된다.

정답 (c)

05 고급 표현

Some cognitive grammarians have pointed out that the concept of logic is __________ to understanding and explaining grammar rules in that those rules are essentially based on experience and intuition.

(a) cardinal
(b) extraneous
(c) germane
(d) vivacious

일부 인지문법학자들은 논리라는 개념이 문법 규칙들이 근본적으로 경험과 직관에 바탕을 두고 있기 때문에 그런 규칙들을 이해하고 설명하는 데 관련성이 떨어진다고 지적했다.

(a) 근본적인
(b) 관련성이 없는
(c) 관련성이 높은
(d) 생기 있는

어구 cognitive 인지의 grammarian 문법학자 essentially 근본적으로 intuition 직관

해설 '관련성이 없는'이란 뜻의 extraneous를 측정하는 문제로 정답은 (b)이다. 이 단어는 [외부의(extrane) 것으로 가득한(ous)]으로 분석되며, cardinal은 [경첩(cardin) 의(al)]로 분석된다. '경첩'에 문이 의존하듯이, 다른 것들이 의존하는 '근본'적인 것으로 생각하기 때문에 이와 같은 의미가 생겼다.

정답 (b)

01

A Can you __________ out why the meeting was called off?

B Something just came up, I guess.

(a) take
(b) carry
(c) figure
(d) pick

A 회의가 왜 취소되었는지 이해가 가니?
B 그냥 무슨 일이 생겼겠지 뭐.

(a) (— out) 파괴하다[섬멸하다]
(b) (— out) 수행하다
(c) (— out) 이해하다
(d) (— out) (여럿 가운데서) 알아보다

어구 call off 취소하다

해설 '이해하다'라는 뜻의 figure out을 측정하는 문제로 정답은 (c)이다. 이 구동사에서 out은 '바깥에'라는 뜻이 확장된 '발견하여'라는 뜻을 나타낸다. 발견은 자신의 바깥에 있는 것을 찾아내는 것이기 때문이다. take out에서는 '제거하여'라는 뜻으로, carry out에서는 '완전히'라는 뜻으로, pick out에서는 '골라서'라는 뜻으로 쓰였다.

정답 (c)

02

A Do you know why Rachel broke __________ with her boyfriend?

B They couldn't overcome religious differences.

(a) down
(b) up
(c) in
(d) out

A Rachel이 왜 남자친구랑 헤어졌는지 아니?
B 종교적 차이를 극복하지 못했대.

(a) (break —) 고장 나다
(b) (break —) (이성끼리) 갈라서다
(c) (break —) 무단침입하다
(d) (break —) (나쁜 일이) 발발하다

어구 overcome 극복하다

해설 '갈라서다'라는 뜻의 break up을 측정하는 문제로 정답은 (b)이다. 이때 up은 '완전히'라는 뜻을 나타낸다. 반면 break down에서 down은 '부정적인 상태로'라는 뜻을 나타낸다. break in에서 in은 '안에'라는 뜻을, break out에서 out은 '나타나서'라는 뜻을 나타낸다.

정답 (b)

03

A Caroline, do you know how important this project is to our company?

B Yes, I do. I'll do my best not to ___________ you down.

(a) calm
(b) hold
(c) set
(d) let

A Caroline, 이 프로젝트가 우리 회사에 얼마나 중요한지 알고 있죠?

B 네, 알고 있습니다. 실망시켜 드리지 않기 위해 최선을 다하겠습니다.

(a) (— down) 진정하다[진정시키다]
(b) (— down) (감정을) 억누르다
(c) (— down) (기록을 위해) 종이에 적어두다
(d) (— down) 실망시키다

해설 '실망시키다'라는 뜻의 let down을 측정하는 문제로 정답은 (d)이다. 이때 down은 '부정적인 상태로'라는 뜻이다. 이 뜻은 '아래로'라는 의미에서 생겨났는데, 이 의미에서 '억제하여'라는 뜻으로 발전했다. (a)와 (b)가 그 예이다. 그리고 '아래로'라는 의미가 '기록하여'라는 뜻으로도 확장되었는데, (c)가 그 예이다.

정답 **(d)**

04

A Harold called in sick for the second day in a row.

B What? I can't believe he came ___________ with a disease. It must be a sham.

(a) down
(b) up
(c) by
(d) over

A Harold가 병으로 결근한다고 전화한 게 이틀째예요.

B 뭐라구요? 병에 걸렸다는 게 믿어지질 않아요. 꾀병일 거예요.

(a) (come — with) (병에) 걸리다
(b) (come —) (예기치 않게) 발생하다
(c) (come —) 획득하다; (잠깐) 들르다
(d) (come —) (감정 등이) 영향을 미치다

어구 in a row 잇따라, 연속적으로 sham 가짜, 속임수

해설 '(병에) 걸리다'라는 뜻의 come down with을 측정하는 문제로 정답은 (a)이다. 이때 down은 '부정적인 상태로'라는 뜻이다. come up에서 up은 '위로'라는 뜻으로, come by에서 by는 '곁을 지나가는'이란 뜻으로, come over에서 over는 '넘쳐흐르는'이란 뜻으로 쓰였다.

정답 **(a)**

05

A We're trying really hard to work ___________ how to boost students' performance in math.

B Reminding them of the real purpose of learning math might be the first step.

(a) in
(b) out
(c) over
(d) off

A 학생들의 수학 성적을 향상시킬 방법을 찾아내느라 정말 많이 노력하고 있어요.

B 수학을 배우는 진짜 목적을 되새겨주는 게 첫 번째 단계가 아닐까 해요.

(a) (work —) (말이나 활동에) 끼워 넣다
(b) (work —) (해결책을) 찾아내다
(c) (work —) 자세히 검토하다
(d) (work —) 활동을 통해 (감정 등을) 없애다

어구 performance 성과, 성적

해설 '(해결책을) 찾아내다'는 뜻의 work out을 측정하는 문제로 정답은 (b)이다. 이때 out은 '발견하여'라는 뜻을 나타낸다. work in에서 in은 '포함시켜'라는 뜻으로, work over에서 over는 '고려하여'라는 뜻으로, work off에서 off는 '제거하여'라는 뜻으로 쓰였다.

정답 (b)

06

A Is it OK for us to load the goods on the truck?

B Sure. Its special system keeps them in place when the truck is in ___________.

(a) emotion
(b) journey
(c) flight
(d) motion

A 물품을 트럭에 실어도 되나요?

B 네. 특별 시스템이 트럭이 운행 중일 때도 물품이 제자리에 있게 해주니까요.

(a) 감정
(b) 여행
(c) 항공편
(d) 운행

해설 '운행 중인'이라는 뜻의 in motion을 측정하는 문제로 정답은 (d)이다. 이 단어는 [움직이는(mot) 것(ion)]으로 분석되며, emotion은 [밖으로(e) 움직이는(mot) 것(ion)]으로 분석된다. 감정은 항상 밖으로 표현되는 경향이 있기 때문이다.

정답 (d)

07

A Her new grammar is selling like hot cakes!

B I think it's because the book is written in ___________ English.

(a) bald
(b) plain
(c) vain
(d) harsh

A 그녀의 새 문법서가 날개 돋친 듯이 팔리고 있어요!

B 그 책이 평이한 영어로 쓰여 있어 그럴 거예요.

(a) 대머리의
(b) 평이한
(c) 헛된
(d) 거친, 가혹한

어구 sell like hot cakes 불티나게 팔리다

해설 '평이한'이란 뜻의 plain을 측정하는 문제로 정답은 (b)이다. 보다 정확히 말해, plain은 '전문적인 용어에 기대지 않고 쉽게 이해되는 분명한 말로 된'이란 뜻을 나타낸다. 따라서 주어진 맥락에 가장 잘 어울린다.

정답 **(b)**

08

A Where can I obtain a certified copy of my marriage ___________?

B Probably, you need to contact your local court.

(a) advocate
(b) credential
(c) certificate
(d) reference

A 결혼증명서를 어디서 뗄 수 있나요?

B 분명히, 지방법원에 연락을 하셔야 할 거예요.

(a) 지지자
(b) (credentials라는 형태로) (경력 등의) 자격
(c) 증명서
(d) 추천서

어구 obtain 얻다, 취득하다 certified 증명된, 보증된 court 법원, 법정

해설 '증명서'라는 뜻의 certificate를 측정하는 문제로 정답은 (c)이다. 이 단어는 [확실하게(cert) 만들어(i + fic)진 것(ate)]으로 분석된다. 그리고 'letter of reference(추천서)'와 같은 뜻을 나타내는 reference의 의미는 정확히 알아두어야 한다. 이 단어는 [다시(re) 나르고(fer) 있는 것(ence)]으로 분석된다.

정답 **(c)**

09

A Wow, so many students are attending the cheerleading __________!

B Yeah. The competition is so tense.

(a) tryout
(b) audit
(c) estimation
(d) typo

A 와, 아주 많은 학생들이 치어리더 선발 테스트에 참가하고 있네!

B 응. 경쟁이 아주 치열해.

(a) (스포츠 선수 등의) 선발 테스트
(b) 회계 감사
(c) 판단[의견]
(d) 오타로 인한 인쇄 오류

어구 competition 경쟁시험 tense (밧줄 따위가) 팽팽한, (신경 따위가) 긴장한

해설 '선발 테스트'라는 뜻의 tryout을 측정하는 문제로 정답은 (a)이다. 참고로 audit은 [듣게(aud) 되는 것(it)]으로 분석되는데, 본래 감사 활동이 '듣는 것'이었기 때문에 이와 같은 의미 변화가 생겼다. 어근 aud를 공유하는 단어로 audible을 들 수 있는데, [들을(aud) 수 있는(ible)]으로 분석된다.

정답 (a)

10

A Did you know America is still looking for the __________ of its dead soldiers?

B Oh really? Now I understand why America has the most powerful military forces in the world.

(a) remainders
(b) residues
(c) legacies
(d) remains

A 미국은 아직도 전사한 병사들의 유해를 찾고 있다는 거 아니?

B 아 정말? 이제야, 미국이 왜 세계에서 가장 강력한 군대를 가졌는지 알겠다.

(a) 나머지 부분
(b) 잔류물
(c) (과거로부터의) 유산
(d) 유해

어구 military force 군대

해설 '유해'라는 뜻의 remains를 측정하는 문제로 정답은 (d)이다. 다소 생소하게 느껴질 수 있는 이 단어는 의외로 출제 빈도가 높기 때문에 꼭 알아두어야 한다. 본래 모양인 remain은 [완전히(← 다시, re) 머무르다(main)]로 분석된다.

정답 (d)

11

Valerie completely showed me __________ by calling me nasty names.

(a) around
(b) up
(c) off
(d) over

Valerie는 내게 험한 욕을 퍼부어서 나를 개망신시켰다.

(a) (show —) 구경시키다
(b) (show —) 망신시키다
(c) (show —) 과시하다
(d) (show —) 두루 안내하다

어구 nasty (말 따위가) 추잡한

해설 '망신시키다'라는 뜻의 show up을 측정하는 문제로 정답은 (b)이다. show around에서 around는 '주변에'라는 뜻을, show off에서 off는 '드러내어서'라는 뜻을, show over에서 over는 '넘어서'라는 뜻을 나타낸다.

정답 (b)

12

Sherry __________ up with a brilliant idea to advance our company's image.

(a) came
(b) made
(c) split
(d) took

Sherry는 우리 회사의 이미지를 개선할 총명한 아이디어를 생각해냈다.

(a) (— up with) ~를 생각해내다
(b) (— up) 구성하다; 화해하다; 화장하다
(c) (— up) 갈라서다
(d) (— up) (정기적으로) 하기 시작하다

해설 '(아이디어를) 생각해내다'는 뜻의 come up with을 측정하는 문제로 정답은 (a)이다. make up과 split up에서 up은 모두 '완전히'라는 뜻으로 쓰였다. 반면 take up에서는 '시작하여'라는 뜻으로 쓰였다. '위로'라는 의미의 확장으로 해석된다.

정답 (a)

13

Although we are aware that this is a subject hard to __________ up, we need to discuss your divorce.

(a) cheer
(b) clear
(c) perk
(d) bring

이것이 꺼내기 힘든 주제라는 점을 알고 있습니다만, 귀하의 이혼 문제를 논의할 필요가 있습니다.

(a) (— up) 기운을 차리다(차리게 하다)
(b) (— up) (오해 등을) 풀다
(c) (— up) 활기를 찾다(찾게 하다)
(d) (— up) (화제를) 꺼내다

해설 '(화제를) 꺼내다'라는 뜻의 bring up을 측정하는 문제로 정답은 (d)이다. cheer up과 perk up에서 up은 '향상시켜'라는 뜻을 나타낸다. clear up에서는 '위에'라는 뜻에서 발전한 '완전히'라는 뜻을 나타낸다.

정답 (d)

14

Despite all their efforts to better their lives, they ________ up relying on their relatives.

(a) dug
(b) popped
(c) ended
(d) sat

삶을 향상시키려는 모든 노력에도 불구하고, 그들은 친척들에게 의존하는 신세로 전락했다.

(a) (— up) (조사해서) 알아내다
(b) (— up) (예기치 않게) 나타나다
(c) (— up) ~한 상황으로 귀결되다
(d) (— up) 밤늦게까지 잠자리에 들지 않다

해설 '~한 상황으로 귀결되다'라는 뜻의 end up을 측정하는 문제로 정답은 (c)이다. dig up과 sit up에서 up은 모두 '완전히'라는 뜻을 나타낸다. 반면 pop up에서 up은 '발생하여'라는 뜻을 나타낸다.

정답 (c)

15

In spite of a fierce controversy over her concert, so many avid fans were eager to put ________ posters of the famous singer.

(a) up
(b) forth
(c) off
(d) on

콘서트를 둘러싼 격한 논란에도 불구하고, 많은 열렬한 팬들은 그 유명한 가수의 포스터를 기꺼이 붙이려고 했다.

(a) (put —) 세우다, 붙이다
(b) (put —) (이론 등을) 주창하다
(c) (put —) (시간을 벌려고) 기다리게 하다
(d) (put —) (화장품 등을) 바르다

어구 fierce 격렬한 controversy 논쟁, 논의 avid 열심인, 열광적인

해설 '세우다'라는 뜻의 put up을 측정하는 문제로 정답은 (a)이다. put forth에서 forth는 '만들어내어'라는 뜻을, put off에서 off는 '막아내어'라는 뜻을, put on에서 on은 '접촉하여'라는 뜻을 나타낸다. 모두 기본적인 의미가 확장된 예들이다.

정답 (a)

16

A large number of educators are concerned that American students are ___________ far behind their counterparts in Japan and South Korea.

(a) getting
(b) waiting
(c) leaving
(d) lagging

많은 교육자들은 미국 학생들이 일본과 한국 학생들에 비해 훨씬 더 뒤처진다고 우려한다.

(a) (— behind) (일 등이) 밀리다
(b) (— behind) (딴 사람들이 떠난 후에) 남다
(c) (— behind) (발전을 위해 태도 등을) 버리다
(d) (— behind) 뒤처지다

어구 a number of 많은 counterpart 동격의 사람

해설 '뒤처지다'는 뜻의 lag behind를 측정하는 문제로 정답은 (d)이다. get behind와 lag behind에서 behind는 모두 '뒤처져'라는 뜻을 나타낸다. 반면 wait behind와 leave behind에서 behind는 '뒤에'라는 뜻을 나타낸다.

정답 (d)

17

Even though so many people are reluctant to admit it, honesty is the best policy in the long ___________.

(a) walk
(b) route
(c) run
(d) course

너무도 많은 이들이 인정하고 싶어 하지 않지만, 정직은 장기적으로 보면 최선의 방책이다.

(a) 걸음걸이
(b) 노선
(c) (성공이나 실패의) 연속
(d) 항로

어구 be reluctant to V ~하기를 주저하다

해설 '장기적으로'라는 뜻의 in the long run을 측정하는 문제로 정답은 (c)이다. 역시 굳어진 표현이기 때문에 다른 비슷한 뜻의 단어를 run 대신 쓸 수 없음에 유의해야 한다. 참고로 walk이 들어가는 중요한 표현으로 '각계각층'이라는 뜻의 all walks of life를 들 수 있다.

정답 (c)

18

Not understanding its underlying structure, several critics have claimed that the film *Dragon Wars* is not in the same ________ as *Star Wars*.

(a) league
(b) federation
(c) chain
(d) liaison

기저에 깔린 근본 구조를 이해하지 못하고서, 몇몇 비평가들은 Dragon Wars라는 영화가 Star Wars에 비해 못하다고 주장했다.

(a) (in the same —) 같은 수준인
(b) 연방
(c) 체인점
(d) 부서들 사이의 긴밀한 정보 교류

어구 underlying 근본적인 critic 비평가

해설 '같은 수준인'이라는 뜻의 in the same league를 측정하는 문제로 정답은 (a)이다. 이와 같은 형태로 굳어진 표현이기 때문에 league와 비슷한 뜻의 단어를 대신 쓸 수 없음에 유의해야 한다. 참고로 liaison은 [묶도록(li) 만든(ais) 것(on)]으로 분석되는데, 프랑스어이기 때문에 접사의 형태가 달라졌다.

정답 (a)

19

Given the long-standing animosity between Israel and the surrounding Arab states, there is a ________ possibility that peace will come to Palestine.

(a) prolific
(b) sturdy
(c) potent
(d) slim

이스라엘과 주위 아랍 국가들 사이의 오랜 반목을 감안하면, 팔레스타인에 평화가 찾아올 가능성은 희박하다.

(a) 다작(多作)의
(b) 건장한
(c) 강력한
(d) 희박한

어구 long-standing 오랫동안에 걸친 animosity 원한, 증오

해설 '희박한'이라는 뜻의 slim을 측정하는 문제로 정답은 (d)이다. '희박한 가능성'을 나타낼 때, remote possibility라고 할 수도 있음을 기억하자. 참고로 prolific은 [자손을(prol) 만들어내는(i + fic)]으로, potent는 [힘을 갖고(pot) 있는(ent)]으로 분석된다.

정답 (d)

20

Every time the hypocritical professor raised the issue of morality, many disgusted students __________ at him.

(a) scowled
(b) reveled
(c) wallowed
(d) exulted

그 위선적인 교수가 도덕성이라는 문제를 제기할 때마다, 역겨워하는 많은 학생들이 그를 향해 얼굴을 찌푸렸다.

(a) 얼굴을 찌푸리다
(b) 만끽하다
(c) 탐닉하다
(d) 지극히 기뻐하다

어구 **hypocritical** 위선적인 **morality** 도덕성 **disgust** 반감을 갖게 하다

해설 '얼굴을 찌푸리다'는 뜻의 scowl을 측정하는 문제로 정답은 (a)이다. 다소 생소한 단어이지만 종종 출제되기 때문에 익혀두어야 한다. 참고로 revel의 어원은 rebel인데, rebel은 [완전히(← 다시, re) 전쟁하다(bel)]로 분석된다. 이 의미로부터 '마음껏 즐기다'라는 뜻의 revel이 나왔다.

정답 **(a)**

Unit 10 숙어

p.174

출제 경향 분석 및 전략	**예제 1** (b) **예제 2** (c) **Practice 1** (d) **Practice 2** (c)
출제빈도순 기본어휘 Review	**A** **Across** 1 equivocate 2 icing 3 track 4 nail 5 record **Down** 1 nuisance 2 attentively 3 tail 4 scratch 5 thick **B** 1 c 2 d 3 a 4 b 5 e **C** 1 boat 2 steam 3 nail 4 road 5 ceiling **D** 1 scratch 2 place 3 thin 4 comprehend 5 track
600점 도전	1 e 2 g 3 a 4 f 5 b 6 c 7 d
600점 도전 연습	01 (d) 02 (c) 03 (b) 04 (a) 05 (d)
Actual Test	01 (b) 02 (c) 03 (d) 04 (a) 05 (d) 06 (a) 07 (b) 08 (d) 09 (c) 10 (a) 11 (d) 12 (b) 13 (d) 14 (a) 15 (b) 16 (c) 17 (a) 18 (d) 19 (b) 20 (c)

출제 경향 분석 및 전략

p.176

예제 1

A Have you seen Susan's beautiful garden? I'm sure she has a green ___________!

B Actually, she just took horticulture courses in college.

(a) finger
(b) thumb
(c) toes
(d) arms

A Susan의 아름다운 정원을 본 적 있니? 정말 원예에 소질이 있는 거 같아!

B 실은 대학에서 원예 강좌를 수강했을 뿐이란다.

(a) 손가락
(b) (green —) 원예에 대한 소질
(c) 발가락
(d) 팔; 무기

어구 horticulture 원예

해설 '원예에 소질이 있다'라는 뜻의 have a green thumb을 측정하는 문제로 정답은 (b)이다. 참고로 영국식 영어에서는 have green fingers와 같이 표현하기 때문에 (a)는 정답이 될 수 없다. 이처럼 색깔과 관련된 숙어인 'see red(격분하다)'도 기억해 두자. 유래에 대해서는 투우에서 소를 화나게 만드는 붉은 천으로부터 비롯되었다는 입장과 감정이 격할 때 붉은 피가 솟아오르는 데서 비롯되었다는 입장으로 나누어진다.

정답 (b)

예제 2

Because she lost her job, Nancy had to __________ her belt.

(a) remove
(b) loosen
(c) tighten
(d) tie

일자리를 잃었기 때문에 Nancy는 허리띠를 졸라매야 했다.

(a) 제거하다
(b) 느슨하게 하다
(c) 졸라매다
(d) 묶다

어구 lose one's job 실직하다
해설 '소비를 줄이다'라는 뜻의 tighten one's belt를 측정하는 문제로 정답은 (c)이다. 참고로 (a)의 remove는 '몸에 걸친 것을 벗다'라는 뜻이 있기 때문에 remove one's belt는 '벨트를 풀다'라는 뜻을 나타낸다.
정답 (c)

Practice 1

A Wow, Jennifer got the highest score on the test!
B I know. You see, she had __________ the candle at both ends for a month.

(a) fired
(b) bought
(c) lighted
(d) burned

A 와, Jennifer가 시험에서 최고점수를 받았네!
B 알고 있어. 어, Jennifer는 한 달 동안이나 밤새워 공부했거든.

(a) 발사하다
(b) 사다
(c) (촛불 등을) 켜다
(d) 태우다

어구 You see 《구어》 저, 알았지(강조 또는 주의를 끌기 위함); 《발언에 앞서》 저어, 어
해설 '밤늦게까지 일하다'라는 뜻의 burn the candle at both ends를 묻는 문제로 정답은 (d)이다. 이 표현을 그대로 옮기면 '초의 양끝을 태우다'가 된다. 곧 '초가 다 탈 때까지 일을 하다'라는 뜻을 나타낸다.
정답 (d)

Practice 2

Given the urgency of the situation, the two parties agreed to __________ the hatchet for the time being.

(a) conceal
(b) burst
(c) bury
(d) display

상황의 긴박성을 감안하여 양 당사자는 당분간 화해하는 데 동의했다.

(a) 감추다
(b) 터뜨리다
(c) 매장하다
(d) 드러내다

어구 urgency 긴급(성) party 당사자 for the time being 당분간

해설 '화해하다'라는 뜻의 bury the hatchet을 묻는 문제로 정답은 (c)이다. 맥락을 살펴보면, 두 당사자가 서로 다투고 있었는데, 긴박한 상황이 생겨서 잠시 화해하기로 했다는 것을 짐작할 수 있다. hatchet은 북미 인디언들이 쓰던 가벼운 도끼를 뜻하는데, 이들은 서로 화해할 때 도끼를 땅에 묻어두는 풍습이 있었다고 한다. 그러면 conceal the hatchet으로 표현할 수 있지 않을까라고 생각할 수 있는데, 일단 굳어진 표현인 숙어는 변형이 가능한 경우가 많지 않다는 점에 유의하자.

정답 (c)

출제빈도순 기본어휘 - Level 0

p.178

1 솔직한 여성이어서 Belle은 말을 빙빙 둘러대질 못한다.

이것만은 꼭! 사냥감이 나오도록 관목 둘레를 막대로 조심스럽게 치는 관습에서 유래했다고 보는 것이 일반적이다.

2 이른바 기억 칩을 개발하고자 하는 귀하의 아이디어를 아무도 이해할 수 없음을 매우 유감스럽게 통보하는 바입니다.

이것만은 꼭! 이 표현은 대개 can't make head or tail of라는 형식으로 쓰이는데, 이로부터 어떤 대상의 꼭대기와 밑바닥 또는 동전의 앞면과 뒷면을 구별하지 못하듯이 혼란스러워함을 뜻하게 되었다.

3 발표를 하기에 앞서, (청중과의) 어색한 분위기를 깨뜨리는 창의적인 방법을 생각해 보라.

이것만은 꼭! 배가 항해할 수 있는 수로의 얼음을 깨는 관습에서 유래했다고 보는 것이 일반적이다.

4 오랜 친구로부터 전화를 받고 나서, Erica는 하루 일과를 끝내기를 절박하게 원했다.

이것만은 꼭! 본래 call it half a day라는 표현으로 일이 끝나지 않았음에도 중단함을 뜻했다. 저녁일 때는 call it a night으로 표현할 수도 있다.

5 영어로 꿈을 꾸기 시작하면 올바른 길에 들어섰다는 것을 알게 된다.

이것만은 꼭! 이 표현은 선박이 올바른 항로에 접어드는 것과 같이 일이 올바른 방향으로 나아가고 있음을 나타낸다.

출제빈도순 기본어휘 - Level 1

p.179

1 한숨도 잠을 못 이루었지만, Maria는 지극히 능숙하게 일을 처리했다.

이것만은 꼭! 이 표현에서 wink는 잠을 자기 위해 눈을 감는 동작을 가리킨다.

2 아름다운 나라로 여행을 떠나는 것은 큰 기쁨이다. 그 나라의 다정한 사람들을 만나는 것은 금상첨화이다.

이것만은 꼭! 이 표현에서 icing이란 케이크의 맛을 더하기 위해 입히는 달콤한 아이싱을 뜻한다.

3 결코 나를 홀로 내버려두지 않으니, 휴대폰은 정말 골칫거리이다.

이것만은 꼭! 이 표현은 본래 a pain in the ass였는데, '엉덩이'를 뜻하는 비속어 ass를 피하기 위해 neck을 썼다.

4 여행을 위해 아침 일찍 출발해야 해서, 일찍 잠자리에 들었다.

이것만은 꼭! 말 그대로 '길을 치다'라는 뜻에서 '여행을 떠나기 위해 출발하다'라는 뜻이 나왔음을 기억하자.

5 경제를 되살리기 위해선, 아무것도 없는 상태에서 다시 시작할 각오가 되어 있어야 한다.

이것만은 꼭! 이 표현은 경주를 할 때 선수들이 땅에 긁어서 파낸(scratched) 선에서 출발하는 데서 유래했다.

출제빈도순 기본어휘 - Level 2

p.180

1 비공개를 전제로 하는 말인데, Leo Tolstoy는 위대한 인물이 아닌 것 같다. 그는 단지 위선적인 여성 혐오자였을 뿐이었다.

이것만은 꼭! 이 표현에서 record는 '공판 기록'을 뜻한다. 공판 기록은 부인할 수 없는 증거로 작용하기 때문에 이를 피하는 것을 off the record라고 표현했다.

2 때로는 폭력이 많은 영화를 보는 것이 억눌린 감정을 해소하는 좋은 방법이다.

이것만은 꼭! 이 표현은 본래 '증기기관에서 수증기가 빠져나가도록 하다'라는 뜻이었다. 이를 비유적으로 활용하여 '분노를 해소하다'라는 뜻을 갖게 되었다.

3 어떤 이들은 Hillary Clinton이 온갖 시련에도 불구하고 남편을 내조했다는 잘못된 주장을 편다.

이것만은 꼭! 이 표현은 본래 '숲에서 나무들이 무성한 곳을 지나가든 그렇지 않은 곳을 지나가든'이란 뜻을 나타내었다. 이 뜻으로부터 '어떤 상황에서든'이라는 뜻이 나왔다.

4 명령을 따르지 않으면 Angela가 틀림없이 화를 낼 거야.

이것만은 꼭! 이 표현은 말 그대로 '(분노가) 천장을 때리다'라는 뜻을 나타낸다.

5 전처(前妻)가 그 최고경영자에 관한 추문을 밝힐 때, 기자들은 모두 귀를 바짝 기울였다.

이것만은 꼭! 이 표현은 귀를 쫑긋 세우고 경청해서 듣는 자세를 뜻한다.

출제빈도순 기본어휘 - Level 3

p.181

1 자신의 보수적인 신념 때문에 Buffy는 예일 대학에는 잘 맞지 않았다.

이것만은 꼭! 'cut out for ~'가 본래 '~에 맞추어 잘라낸'이란 뜻이기 때문에, 이 표현의 부정은 '~에 맞추어 잘라지지 않은'이란 뜻을 나타낸다.

2 네 입장이라면 그녀에게 진실을 말할 거야. 물론 괴롭겠지만 그것이 상황을 호전시킬 수 있는 유일한 방법이야.

이것만은 꼭! 말 그대로 '다른 이의 구두에 발을 넣어보다'라는 뜻에서 '상대방의 어려운 입장에 서 보다'라는 뜻이 나왔다.

3 노련한 정치가였기에, Catherine은 즉시 상황을 알아차리고는 어떤 질문에도 답변을 거부했다.

이것만은 꼭! 이 표현에서 picture는 '전반적인 여건에 비추어 본 상황'이란 뜻을 나타낸다.

4 경제 성장에 관해서는 자유 무역을 지지하는 이들의 견해가 정확하다.

이것만은 꼭! 못의 머리 부분을 때려 못을 정확히 박는 데서 유래한 표현이다.

5 연구원들은 혁신적인 제품을 개발해야 한다는 압박감에 관해서는 다 같이 어려운 처지이다.

이것만은 꼭! 이 표현은 말 그대로 '작은 배를 같이 탄 사람들의 어려운 처지에'라는 뜻에서 유래했다.

출제빈도순 기본어휘 - Review

p.182

A

Across 1 말을 얼버무리다 2 다른 것을 더 낫게 해주는 것 3 성공할 것 같은 방식으로 하고 있는 4 완벽히 정확하다 5 사적(私的)으로 진술된

Down 1 골칫거리 2 경청하다 3 이해하다 4 아예 처음부터 5 어떤 일이 일어나든

B

1 말을 얼버무린다는 것은 사람들이 듣고 싶어 하는 것을 말하지 않는 것이다.
2 어떤 것을 이해하지 못하는 것은 그것에 대해 혼란스러워 하는 것이다.
3 어색한 분위기를 깨면 이전보다 훨씬 더 편안하게 느끼게 된다.
4 하루 일과를 끝내면 귀가할 준비가 된 것이다.
5 상황을 헤아리는 것은 정말로 어떤 사태인지 아는 것이다.

C

1 폭풍이 마을을 강타하자, 마을 사람들은 모두 똑같이 어려운 처지였다.
2 아주 많은 학생들은 그 신경질적인 교사에 대해 억눌린 감정을 해소하고 싶어 했다.
3 때로는 어리석은 사람도 정곡을 찌르는 말을 할 수 있다.
4 Peter는 Mary와 여행을 떠나게 되어 몹시 흥분되었다.
5 세금 인상이 발표되자 모든 이들이 분통을 터뜨렸다.

D

1 우리들 가운데 가장 뛰어난 이들은 새로운 책을 읽을 때마다 새롭게 시작한다.
2 우리 자녀들이 다른 이의 입장에서 상상하는 데 익숙하다면 다른 이들을 존중할 줄 알게 될 것이다.
3 숲이 무성한 곳을 지나가든 성긴 곳을 지나가든, 언덕을 지나가든 평지를 지나가든.
4 어디에서나 하늘이 푸르다는 사실을 알기 위해 전(全)세계를 다닐 필요는 없다.
5 올바른 길에 들어섰다 하더라도, 안주하기만 하면 위험에 처하게 된다.

600점 도전

p.184

1 어려움을 극복하다 **2** 한결같이 충실한 **3** 막 발생하려고 하는 **4** 관심이 없는 것 **5** 필요한 수량보다 더 많은
6 어떤 것과 거의 똑같은 **7** 어떤 일을 하기를 두려워하다

600점 도전 연습

p.185

01 관용 표현

A I can't believe their wedding was canceled!

B You know, Karen got cold __________ at the last moment.

(a) arms
(b) hands
(c) ears
(d) feet

A 그들이 결혼을 취소했다는 게 믿기질 않아!
B 있잖아, Karen이 마지막 순간에 소심해졌대.

(a) 팔; 무기
(b) 손
(c) 귀
(d) 발

해설 '(소심하여) 주저하다'는 뜻의 get cold feet을 측정하는 문제로 정답은 (d)이다. feet이 활용되는 다른 표현으로 be on one's feet을 들 수 있다. '기운을 차리다'라는 뜻을 나타낸다.

정답 **(d)**

02 Collocation

Although we have many obstacles to __________, we firmly believe that we will prevail.

(a) surge
(b) surrogate
(c) surmount
(d) surrender

극복해야 할 장애가 많지만, 번창할 것이라고 굳게 믿는다.

(a) 급등하다
(b) 대리인으로 지정하다
(c) 극복하다
(d) 항복하다

어구 obstacle 장애(물) prevail 성공하다, 승리하다

해설 '극복하다'라는 뜻의 surmount를 측정하는 문제로 정답은 (c)이다. 이 단어는 [위로(sur) 오르다(mount)]로 분석된다. 참고로 (b)의 surrogate는 [대신(sur) 간청하게(rog) 된(ate)]으로 분석되는데, '대리모'가 surrogate mother로 표현됨을 기억해 두어야 한다.

정답 **(c)**

03 Collocation

Volatile by nature, Debbie has difficulty __________ her anger.

(a) compressing
(b) repressing
(c) depressing
(d) oppressing

천성적으로 격한 편이라, Debbie는 분노를 잘 억누르지 못한다.

(a) 압축하다
(b) 억누르다
(c) 우울하게 만들다
(d) 억압하다

어구 volatile 격하기 쉬운

해설 '억누르다'는 뜻의 repress를 측정하는 문제로 정답은 (b)이다. compress는 [완전히(← 함께, com) 누르다(press)]로, depress는 [아래로(de) 누르다(press)]로, oppress는 [향해서(op ← ob) 누르다(press)]로 분석된다.

정답 (b)

04 고급 표현

Widespread __________ toward politics could lead to the emergence of dictatorship.

(a) apathy
(b) sloth
(c) sympathy
(d) telepathy

정치에 대한 광범위한 무관심은 독재의 등장으로 귀결될 수도 있다.

(a) 무관심
(b) 나태
(c) 동정심
(d) 텔레파시

어구 widespread 광범위한 emergence 출현, 발생 dictatorship 독재

해설 '무관심'을 뜻하는 apathy를 측정하는 문제로 정답은 (a)이다. 이 단어는 [아픔이(path) 없는(a) 상태(y)]로 분석되는데, sympathy는 [함께(sym) 아픈(path) 상태(y)]로 분석된다. telepathy는 [멀리서(tele) 아픈(path) 상태(y)]로 분석된다. path는 '아픔'이라는 뜻에서 '느낌'이라는 뜻으로 발전했다.

정답 (a)

05 고급 표현

__________ intervention by the government can hamper economic growth to a great extent.

(a) Superb
(b) Superstitious
(c) Servile
(d) Superfluous

정부의 과잉 개입은 상당한 정도로 경제 성장을 저해할 수 있다.

(a) 탁월한
(b) 미신적인
(c) 굴욕적인
(d) 과잉의

어구 intervention 개입, 간섭 hamper ~을 훼방하다 extent 정도, 범위

해설 '과잉의'를 뜻하는 superfluous를 측정하는 문제로 정답은 (d)이다. 이 단어는 [위로(super) 흐르는(flu) 것으로 가득한(ous)]으로 분석된다. superb은 [위에(super) 있는(b)]으로, superstitious는 [위에(super) 서 있는(stit) 것으로 가득한(i + ous)]으로, servile은 [노예(serv) 의(ile)]로 분석된다.

정답 (d)

Actual Test

p.186

01 ●●●

A Many condolences. Your father was a wonderful man.

B Thank you. He certainly __________ a great life.

(a) took
(b) led
(c) gave
(d) cost

A 삼가 조의를 표합니다. 아버님은 정말 대단한 분이셨죠.

B 감사합니다. 정말 위대한 삶을 영위하셨어요.

(a) 취하다
(b) (삶을) 영위하다
(c) 주다
(d) 비용이 들다

어구 condolence 문상, 애도

해설 '삶을 영위하다'라는 뜻의 lead a life를 측정하는 문제로 정답은 (b)이다. 참고로 take someone's life는 '~를 죽이다'라는 뜻을 나타낸다. 또한 '생명을 앗아가다'라는 표현으로 claim a life를 들 수 있는데, 함께 익혀두어야 한다.

정답 (b)

02 ●●●

A I think we need to refresh ourselves. Everybody's tired.

B OK. Let's call it a(n) __________.

(a) evening
(b) month
(c) day
(d) year

A 모두들 기운을 다시 찾아야 할 거 같아요. 다 피곤해 하니까요.

B 좋아요. 오늘은 이걸로 일과를 끝내요.

(a) 저녁
(b) 달
(c) 하루
(d) 해

어구 refresh 원기를 회복시키다

해설 '하루 일과를 끝내기로 하다'는 뜻의 call it a day를 측정하는 문제로 정답은 (c)이다. 저녁일 때는 call it a night으로 표현할 수는 있지만, evening을 쓸 수는 없음도 기억하자.

정답 (c)

03 ●●●

A Betty looks perfectly normal. I can't believe she didn't sleep a __________ last night.

B I guess yoga gives her lots of energy.

(a) flash
(b) beam
(c) frown
(d) wink

A Betty는 지극히 정상 같아 보이는데요. 어젯밤에 한숨도 못 잤다는 게 믿기지가 않아요.

B 요가로 힘을 많이 얻는 거 같아요.

(a) (짧은) 순간
(b) 환한 미소
(c) 찡그린 인상
(d) 윙크

어구 normal 보통 정도의, 정상인

해설 '한숨도 못 자다'는 뜻의 not sleep a wink를 측정하는 문제로 정답은 (d)이다. 역시 고정된 표현이기 때문에 wink를 다른 단어로 대체할 수 없다. '잠시 눈을 붙이다'라는 뜻으로 have [get] forty winks를 쓴다는 점도 기억하자.

정답 (d)

04

A Dylan is definitely a pain in the ___________.

B I know what you mean. He is really annoying.

(a) neck
(b) back
(c) bottom
(d) shoulder

A Dylan은 정말 골칫거리예요.

B 무슨 말인지 알아요. 정말 짜증나는 애에요.

(a) 목
(b) 등
(c) 밑바닥
(d) 어깨

어구 definitely 분명히, 확실히 annoying 성가신, 귀찮은

해설 '골칫거리'를 뜻하는 a pain in the neck을 측정하는 문제로 정답은 (a)이다. neck이 포함된 숙어로 'be neck and neck with ~'을 들 수 있는데, '~와 막상막하인'이란 뜻을 나타낸다.

정답 (a)

05

A Did you hear Joseph got the ___________?

B Serves him right. He was mean to everybody.

(a) sag
(b) bag
(c) pack
(d) sack

A Joseph이 해고되었다는 소식 들었어요?

B 그래도 싸요. 모든 사람들한테 못되게 굴었거든요.

(a) (가치 등의) 하락
(b) 가방
(c) (이리 등의) 떼
(d) 마대

어구 serve someone right 인과응보다, 당연한 보복이 되다 mean 인색한, 불친절한

해설 '해고되다'는 뜻의 get the sack을 측정하는 문제로 정답은 (d)이다. 참고로 hit the sack은 '잠자리에 들다'라는 뜻을 나타낸다. (c)의 pack은 '꾸러미'라는 뜻 이외에 위와 같이 다소 생소한 뜻도 있으므로 함께 익혀두자.

정답 (d)

06

A Why do you think Senator Campbell stepped down?

B Off the ___________, he was involved in a corruption scandal.

(a) record
(b) performance
(c) score
(d) recount

A Campbell 상원의원이 왜 사임했다고 생각하세요?

B 비공개를 전제로 하는 말인데요, 부패 스캔들에 연루되었대요.

(a) 기록
(b) 공연
(c) 악보
(d) 다시 표를 셈함

어구 step down 사직하다 corruption 부패, 타락

해설 '비공개를 전제로'라는 뜻의 off the record를 측정하는 문제로 정답은 (a)이다. 참고로 in record time은 '아주 빨리'라는 뜻을 나타낸다. collocation의 예로는 break [beat] a record를 들 수 있는데, '기록을 깨다'는 뜻이다.

정답 (a)

07

A Why do people beat around the ________?

B Because they fear the truth. They can't handle it.

(a) shrub
(b) bush
(c) bustle
(d) tree

A 사람들은 왜 말을 얼버무리는 걸까?

B 왜냐하면 진실을 두려워하니까. 감당을 못 하거든.

(a) (보다 작은) 관목
(b) 관목
(c) 소란스러움
(d) 나무

어구 fear 두려워하다 handle 다루다, 감당하다

해설 '말을 얼버무리다'는 뜻의 beat around the bush를 측정하는 문제로 정답은 (b)이다. 이때 비슷한 의미의 shrub을 bush 대신에 쓸 수 없다는 점에 특히 유의해야 한다. 일정한 유래에 따라 굳어진 표현이므로 전체가 하나로 생각되기 때문이다.

정답 (b)

08

A What do you wanna do with your life?

B I wanna work for a(n) ________ organization. I wanna serve others.

(a) irritable
(b) delectable
(c) gullible
(d) charitable

A 무엇을 하며 살아가고 싶니?

B 자선단체에서 일하고 싶어. 다른 이들을 위해 봉사하고 싶거든.

(a) 쉽게 짜증내는
(b) 맛있는
(c) 쉽게 속아 넘어가는
(d) 자선의

해설 '자선의'라는 뜻의 charitable을 측정하는 문제로 정답은 (d)이다. irritable은 [위로(ir) 오를(rit) 수 있는(able)]으로, delectable은 [완전히(de) 유혹할(lect) 수 있는(able)]으로, gullible은 [속일(gull) 수 있는(ible)]으로 분석된다.

정답 (d)

09

A I'm sorry I'm late home. I studied at the library.

B Well, that's a __________ excuse. I don't buy it!

(a) lively
(b) diligent
(c) lame
(d) thorough

A 늦게 귀가해서 죄송해요. 도서관에서 공부하느라고요.

B 음, 그건 엉성한 변명인데. 믿을 수 없어!

(a) 활기 있는
(b) 부지런한
(c) 엉성한
(d) 철저한

어구 buy 믿다

해설 '엉성한 변명'이란 뜻의 lame excuse를 측정하는 문제로 정답은 (c)이다. weak [flimsy] excuse도 비슷한 뜻을 나타낸다. 그리고 B의 대사에서 buy가 '사다'라는 뜻이 아니라 '믿다'라는 뜻으로 쓰였음도 함께 알아두자.

정답 (c)

10

A Can you tell me more about the course?

B Of course. This course is __________ for those who want to enjoy origami as a hobby.

(a) tailored
(b) garnered
(c) divulged
(d) adored

A 강좌에 대해 좀 더 말씀해 주시겠어요?

B 네. 이 강좌는 종이접기를 취미로 즐기려는 분들께 맞춘 강좌입니다.

(a) (특정한 필요나 상황에) 맞추다
(b) (정보 등을) 수집하다
(c) (비밀을) 누설하다
(d) 몹시 좋아하다

어구 origami 종이접기

해설 '맞추다'라는 뜻의 tailor를 측정하는 문제로 정답은 (a)이다. 본래 '재단사'라는 뜻인데, 손님의 몸 치수에 맞추어 양복을 재단하듯이 일정한 수요에 '맞추다'는 의미로 쓰인다. 참고로 divulge는 [완전히(di) 알리다(vulge)]로 분석된다.

정답 (a)

11

After getting a pink slip, Laurel made a(n) __________ face.

(a) famous
(b) old
(c) green
(d) long

해고 통지를 받고 나서, Laurel은 시무룩한 표정을 지었다.

(a) 유명한
(b) 오래된
(c) 녹색의
(d) 긴

어구 a pink slip 해고 통지서

해설 '시무룩한 표정'이라는 뜻의 long face를 측정하는 문제로 정답은 (d)이다. face가 포함된 중요 표현으로 save face와 lose face를 들 수 있다. 각각 '체면을 세우다'와 '체면을 잃다'라는 뜻을 나타낸다.

정답 (d)

12

Because women of her time couldn't become a novelist, Mary Ann Evans was compelled to write under the ___________ name of George Eliot.

(a) maiden
(b) pen
(c) stage
(d) pencil

당시의 여성들은 소설가가 될 수 없었기 때문에, Mary Ann Evans는 George Eliot이라는 필명으로 글을 써야만 했다.

(a) 처녀
(b) 펜
(c) 무대
(d) 연필

어구 be compelled to V ~해야만 하다

해설 '필명'이라는 뜻의 pen name을 측정하는 문제로 정답은 (b)이다. 참고로 pen에는 '가축을 가두어두는 우리'라는 뜻도 있는데, 순수영어의 본래 뜻이다. 반면 익숙한 뜻인 펜은 '깃털'을 뜻하는 라틴어에서 유래했다.

정답 (b)

13

Since she is so irresponsible and inconsiderate, Sally is not cut ___________ for a teaching job.

(a) back
(b) down
(c) in
(d) out

책임감도 없고 배려심도 없어서, Sally는 교직에는 어울리지 않는다.

(a) (cut —) 삭감하다
(b) (cut —) (소비 등을) 줄이다
(c) (cut —) 끼어들다
(d) (cut —) 잘라내다

어구 irresponsible 책임감이 없는 inconsiderate 배려가 없는

해설 '어울리다'는 뜻의 be cut out for를 측정하는 문제로 정답은 (d)이다. 이 표현은 본래 '잘라내다'라는 뜻의 cut out이라는 구동사에서 유래했다. 일정한 직책에 맞추어 '잘라낸다'라는 발상이 들어 있다.

정답 (d)

14

Because of her gregariousness, Drina is good at ___________ the ice.

(a) breaking
(b) melting
(c) cracking
(d) forming

붙임성이 있어서, Drina는 어색한 분위기를 깨는 데 능숙하다.

(a) 깨뜨리다
(b) 녹이다
(c) 금이 가게 만들다
(d) 형성하다

어구 gregariousness 사교성 be good at -ing ~하는 데 능하다

해설 '어색한 분위기를 깨다'는 뜻의 break the ice를 측정하는 문제로 정답은 (a)이다. break와 비슷한 뜻을 나타내는 crack을 대신 쓸 수 없음에 특히 유의해야 한다. 그리고 '살얼음을 밟듯이 어려운 상황에 처하다'는 뜻으로 be (skating) on thin ice를 쓴다는 점도 기억하자.

정답 (a)

15

Contrary to the government's expectations, few people believe that our economy is on the ___________ track.

(a) left
(b) right
(c) east
(d) west

정부의 기대와 달리, 경제가 올바른 길에 들어섰다고 생각하는 이들은 거의 없다.

(a) 왼쪽의
(b) 올바른
(c) 동부의
(d) 서부의

어구 contrary to ~와 다른

해설 '올바른 길에 들어선'이라는 뜻의 on the right track을 측정하는 문제로 정답은 (b)이다. 이 표현에는 '오른쪽'이 올바른 방향이라는 생각이 들어 있다. track이 포함되는 'keep track of ~'가 '~의 행방을 주시하다'라는 뜻임도 기억하자.

정답 (b)

16

Living a healthy life is a great joy, and meeting a truly good person is the ___________ on the cake.

(a) pacing
(b) saucing
(c) icing
(d) piercing

건강하게 살아가는 것은 큰 기쁨이고, 진정으로 좋은 사람을 만나는 것은 금상첨화이다.

(a) 발걸음의 조정
(b) 흥미를 더하는 것
(c) (달콤한) 아이싱
(d) 피어싱

해설 '금상첨화'를 뜻하는 the icing on the cake를 측정하는 문제로 정답은 (c)이다. 참고로 be a piece of cake는 '아주 쉬운 일'을 뜻하는 숙어이다.

정답 (c)

17

Because Barbara McClintock was far ahead of her time, few people were able to make head or __________ of her theories.

(a) tail
(b) foot
(c) tale
(d) tag

Barbara McClintock은 시대를 훨씬 더 앞서나갔기 때문에, 그녀의 이론을 제대로 이해한 사람들은 거의 없었다.

(a) 꼬리
(b) 발
(c) 이야기
(d) 꼬리표

어구 far ahead of ~을 훨씬 앞선

해설 '완전히 이해하다'는 뜻의 make head or tail of를 측정하는 문제로 정답은 (a)이다. (a)와 (c)를 혼동하기 쉬운데, tail에서 파생된 tailor가 '재단사'라는 점을 생각하면 도움이 된다. tailor는 [자르는(tail) 사람(or)]인데, 이야기(tale)를 자를 수는 없고 꼬리(tail)를 자를 수는 있기 때문이다.

정답 (a)

18

As few people were aware of the existence of the hotel, the need for publicity forced the hotel to __________ its rates.

(a) induce
(b) seduce
(c) deduce
(d) reduce

존재를 알고 있는 사람들이 거의 없었기 때문에, 홍보의 필요로 인해 그 호텔은 요금을 할인할 수밖에 없었다.

(a) 권유하다
(b) 유혹하다
(c) 추론하다
(d) (요금 등을) 할인하다

어구 be aware of ~을 알다 publicity 홍보 force A to V A로 하여금 ~하도록 강요하다 rate 요금

해설 '할인하다'라는 뜻의 reduce를 측정하는 문제로 정답은 (d)이다. 이 단어는 [다시(re) 이끌다(duce)]로 분석된다. induce는 [안으로(in) 이끌다(duce)]로, seduce는 [벗어나게(se) 이끌다(duce)]로, deduce는 '~로부터(de) 이끌다(duce)]로 분석된다.

정답 (d)

19

Although she is a police officer by __________, Nina has a sensitive heart and cries for others.

(a) anticipation
(b) occupation
(c) dissipation
(d) occurrence

직업이 경찰관이긴 하지만, Nina는 섬세한 마음을 가져서 다른 사람들을 위해 울기도 한다.

(a) 예기(豫期)
(b) 직업
(c) (육체적 쾌락의) 과도한 탐닉
(d) 발생한 일

어구 sensitive 섬세한

해설 '직업'을 뜻하는 occupation을 측정하는 문제로 정답은 (b)이다. (a)의 anticipation은 [미리(anti) 잡도록(cip) 만드는(at) 것(ion)]으로 분석되는데, '어떤 일을 예상해서 일정한 조치를 취하는 것'이란 의미가 강하다. dissipation은 [완전히(dis) 흔들도록(sip) 만드는(at) 것(ion)]으로 분석된다.

정답 (b)

20

Even if you may go through a(n) __________, you have to be strong to create a better future.

(a) ordination
(b) ordinance
(c) ordeal
(d) countenance

시련을 겪고 있다 하더라도, 보다 나은 미래를 만들기 위해 강해져야만 한다.

(a) 성직 수임식
(b) 법규
(c) 시련
(d) 얼굴 표정

어구 even if 비록 ~일지라도 go through 경험하다, 겪다

해설 '시련'을 뜻하는 ordeal을 측정하는 문제로 정답은 (c)이다. 이 단어는 [완전히(or) 판단을 내리다(deal)]로 분석되는데, '어려운 일들을 통해 인격이나 인내심에 대해 판단을 내리는 것'이라는 발상에서 '시련'이라는 뜻으로 의미가 확장되었다. ordination은 [순서를(ordin) 만들어내는(at) 것(ion)]으로 분석되는데, 성직자들의 경우 일정한 서열이 있기 때문에 이런 의미로 발전했다.

정답 (c)